黃河國家治理文獻集成（清代卷）第三十九册
《黃河國家治理文獻集成》編委會 編

總第五十五册

清代漢文朱批奏摺黄河治理資料輯録

（四）

張曉東 輯

內蒙古出版集團
內蒙古人民出版社

圖書在版編目（CIP）數據

清代漢文朱批奏摺黄河治理資料輯録. 四 / 張曉東
輯. -- 呼和浩特 : 内蒙古人民出版社, 2025. 8.
(黄河國家治理文獻集成). -- ISBN 978-7-204-16661-9

Ⅰ. TV882.1

中國國家版本館 CIP 數據核字第 20251RZ810 號

清代漢文朱批奏摺黄河治理資料輯録（四）

輯　　録	張曉東
策劃編輯	王　瑶
責任編輯	王　瑶
裝幀設計	劉那日蘇　吉　雅　安立新
責任監印	包鐵柱
出版發行	内蒙古出版集團　内蒙古人民出版社
地　　址	呼和浩特市新城區中山東路 8 號波士名人國際 B 座 5 層
網　　址	http://www.impph.cn
印　　刷	内蒙古愛信達教育印務有限責任公司
開　　本	880mm×1230mm　1/16
印　　張	24.75
字　　數	300 千
版　　次	2025 年 8 月第 1 版
印　　次	2025 年 8 月第 1 次印刷
印　　數	1—1000 册
書　　號	ISBN 978-7-204-16661-9
定　　價	210.00 元

如出現印裝質量問題，請與我社聯繫。聯繫電話：（0471）3946120

編纂委員會

主　　任　陳利保

副 主 任　周承英　吴義學　王　瑶

成　　員　賈大明　何可欣　董立群　羅　婧　王曉俊　董麗娟

白　玲　特日格勒　徐　飛　李月琪　王麗燕　李　琳

主　　編　董　杰

副 主 編　張曉東　曹　玲

委　　員　（按姓氏筆畫排序）

王　丹　王智慧　王鑫義　白胡日查　朱紫陽　李　萌

李新蕊　姚亞菲　陳　思　曹佳興　梁芹洋　張文文

張　岩　張博原　張　祺　張曉英　喬恩懋　賀　莎

楊　怡　楊建國　楊　承　霍燕平　魏雪剛

引言

千古河流成沃野，幾年沙勢自風湍。

得益于黄河冲積所帶來的疏松土質和有機物，中華先民利用石製工具開始了農業生産，并逐步發展出旱地粟作農業，『能够最大程度保障食物供給的穩定性，奠定了中華文明起源和形成的堅實基礎』[一]。而利用河水灌溉，提高區域可預測農業産量，『在産業史上起着最有决定性的作用』[二]。隨後，技術進步、經濟發展、人口增加，讓先民的文化生活大爲豐富。嚴文明先生評價道：『這是一場影響深遠的革命。』[三]在這場革命中，平衡水、沙、産、人四者之間的關係，始終是黄河治理的核心問題。四者關係一旦失衡，就容易引發諸多灾患。

歷史上，黄河下游因人口稠密、經濟發達，一直是學術界關注的重點。但自河源至今内蒙古托克托縣河口鎮的黄河上、中游區域，雖遠離王畿，人口稀疏，却也一直備受關注，人們逐步認識到黄河全流域治理是國家的重要任務。《漢書》載：『堤防之作，近起戰國，雍防百川，各以自利。』[四]没有全流域的協同治理，僅靠各地分段築堤，則黄河河患無法解决。秦建立了中國歷史上第一個中央集權大一統王朝，秦始皇東巡碣石，刻石銘記『决通川防，夷去險阻』[五]，開啓中央政府調動各要素治黃之先河，這『在中國，實質上是國家的一種職能』〔六〕。同時，國家通過對黃河的有效治理，爲沿黃流域人民群衆乃至其他地區人民群衆提供了重要的公共物品和産業支撑，成爲人民群衆眼中中央政府的功過評價指標之一。因此，治黃在增强沿黃各族群國家、政治、文化認同的基礎上，强化了中國大一統國家的合法性，成爲歷代國家治理能力的一個重要測度。

一、黃河治理維護了國家的社會穩定

從秦并六國到漢朝建立大一統國家，中國統一的多民族國家形成并得到初步發展。當時中央政府對所轄疆域有『北邊郡』和『內郡』之稱。內蒙古額濟納旗出土的居延漢簡有載，『猥（墾）田以鐵器爲本北邊郡毋鐵官印器內郡令郡以時博賣予細民毋令豪富吏民得多取販賣細民』，可以看出北邊郡是與內郡相對應的行政管轄區域。《史記》卷二十八『封禪書第六』載：『上乃遂去，並（并）海上，北至碣石，巡自遼西，歷北邊至九原。』〔七〕。《史記》卷三十『平準書第八』載：『天子北至朔方，東到太山，巡海上，並（并）北邊以歸。』〔八〕司馬遷多次提及北邊，足見統治者對北邊治理的重視。

漢武帝時，齊人延年提出從今內蒙古引黃河水經今北京一帶，向東注入渤海，以衛北部邊疆。『是時方事匈奴，興功利，言便宜者甚衆。齊人延年上書言：「河出昆侖，經中國，注勃海，是其地勢西北高而東南下也。可案圖書，觀地形，令水工準高下，開大河上領，出之胡中，東注之海。如此，關東長無水災（灾），北邊不憂匈奴，可以省隄（堤）防備塞，士卒轉輸，胡寇侵盜（盗），覆軍殺將，暴骨原野之患。天下常備匈奴而不憂百越者，以其水絶壤斷也。此功壹（一）成，萬世大利。」』[九]《史記》卷二十四『樂書第二』載：『天馬來兮從西極，經萬里兮歸有德。承靈威兮降外國，涉流沙兮四夷服。』[十]如今，包頭地區出土了『四夷盡服』瓦當，出土文物與傳世文獻的呼應，成爲黄河治理維護祖國北部邊疆穩定的見證。

《史記》卷三十『平準書第八』載：『嚴助、朱買臣等招來東甌，事兩越，江淮之閒（間）蕭然煩費矣。唐蒙、司馬相如開路西南夷，鑿山通道千餘里，以廣巴蜀，巴蜀之民罷焉。彭吴（吳）賈滅朝鮮，置滄海之郡，則燕齊之閒（間）靡然發動。及王恢設謀馬邑，匈奴絶和親，侵擾北邊，兵連而不解，天下苦其勞，而干戈日滋。』[十一]清代《汾陽縣志》卷十三『藝文』收録曹學閔《開修黄蘆嶺車路紀德政碑記》，上載：『永寧州，界連西陲，北達邊外歸綏諸路，商賈遠貿粟麥，泛皮紹隨黄流南下，聚于州西磧口，一府之民仰利賴焉。而東至太原，南抵平陽，州縣凡二十餘，亦視汾爲橐鑰，蓋所繫非特一方生計矣。』[十二]民國時期，東北淪陷後，開發西北刻不容緩，而『黄河中游之水利，自應加以擴充及整理，藉（借）收桑榆之效，以挽狂瀾於（于）萬一』[十三]。

因黄河流域自然條件優越，歷朝歷代都十分重視對此地的開發，通過强有力的國家干預方式推動各類產業的發展，爲中國北部疆域的形成和社會穩定奠定了基礎。

二、民族交往、物資交流、技術轉移促成黄河治理共同體

《史記》卷十五『六國年表第三』載：秦始皇三十三年（前214），『築長城河上，蒙恬將三十萬』[十四]。這數十萬人中，擁有一技之長的人員不在少數。由此，邊地人口不斷增多，而豐富的物產則促進了商品交流與統一市場的形成。西漢《鹽鐵論·力耕第二》記録了『异物内流』的情形：『是以贏（騾）驢馲駞（駝），銜尾入塞，驒騱騵馬，盡爲我畜，鼲鼦狐貉，采旃文罽，充於（于）内府，而璧玉珊瑚瑠（琉）璃，咸爲國之寶。』[十五]此後，黄河北岸的『贏（騾）驢馲駞（駝）』『驒騱騵馬』『鼲鼦狐貉』『采旃文罽』與西南織錦、中原麻織、農作物等物資相互交流，逐步形成統一的國内大市場，加强了邊疆與其他地區的經濟聯繫，促進了邊疆特色産業的發展。

隨着民族交往交流交融的增强，清代以降，黄河流域内蒙古段輸入到内地的也不僅僅是『异寶』了。《綏遠通志稿·水路》載：『自乾隆以還。口外墾殖日廣。民殷物阜。出境之油、糧、鹽、鹼（碱）、甘草各貨。入境之日用雜貨。山西與歸綏往來之商運。凡經河路者皆以托屬河口爲唯一之碼頭。』[十六]從清乾隆年間到民國時期，由内蒙古經黄河運到山西的貨物有糧、油、鹽、碱、藥材、皮毛等，其中以糧油爲最大宗。糧食品種主要有糜黍、穀子、高粱、豆類及玉米、大小麥

等，油料主要是胡麻。内蒙古供貨支綫有從阿拉善盟阿拉善左旗吉蘭泰鹽池到山西吕梁市磧口鎮的運鹽駝路，五原縣、臨河區一帶各大幹渠的運糧水道，杭錦旗、達拉特旗的甘草馱運綫，鄂托克旗的運碱駝路。内蒙古段各條支綫以供貨爲主，山西段若干支綫以運銷爲主。

《臨縣志》載：『清朝乾隆至民國年間，陝、甘、綏、蒙等地的物資，通過此航綫運達磧口，再用牲口馱運到離石、吴城，轉運至東路（汾、平、介、孝等縣）。據民國20年（1931）統計，每年從綏遠磴口航至磧口的貨船不下4000餘艘』，『是陝、甘、綏、寧與晋西北物資集散之重鎮』。[十七]可見，内蒙古在甘肅、寧夏與陝西、山西等沿黄上下游物資交易中起到了重要的聯結作用；同時也吸引了山西、陝北、河北、山東、甘肅等地的農民遷移至此，并將開渠打壩、引水澆地等農業生産技術、手工技術和商業貿易經營方式帶到這裏。他們在此扎根，除了從事農業生産外，還挖甘草、下窑背炭、在黄河上拉船、在沙漠中拉駱駝、打短工放冬羊、開碾磨油坊，等等。不同地域、不同民族的人們合力修築河渠、引水興業，逐漸形成休戚與共的共同體。其間積纍的産品交易、商業管理、社會治理等方面的經驗，在今天依然有借鑒意義。

清代『首重治河，探河源以窮水患』[十八]，但更深層次的考量是『宣揚大一統及增强國家認同』[十九]。黄河流域人口基數大、分布廣，而全流域治理理念將不同地區、不同民族的人們凝聚成命運共同體，而『大一統』理念正是這一治理實踐的核心主題。

三、黄河流域拓展了中國的發展空間

早期統治者因巡幸及邊防建設所需，統籌管理沿黄河運與秦直道等沿黄馬道，維持着中央政府對北邊的有效治理。河套平原引黄渠道的建設爲秦漢王朝屯田事業提供了基本的水利保證，并將這些區域變成防禦北部邊患的大後方與根據地。于是，沿黄馬道、沿黄河運與萬里茶道、草原絲路等陸路運輸聯通起來，促進了中華文明與其他文明的交流互鑒，拓展了新的發展空間。

新中國成立之後，沿黄各族兒女在中國共産黨的領導下團結合作、艱苦奮鬥，實現了大河安瀾。黄河流域建立起行之有效的防洪抗汛機制，支撑着沿岸的産業發展，改善了周邊生態環境。當代治黄史證明，正是由于中國共産黨的正確領導以及集中力量辦大事的制度優勢，纔從根本上減輕了河患的威脅。進入新時代，黄河流域在築牢安瀾根基的同時，以蓬勃活力拓展着中國的發展空間。沿黄九省區在協同發展中不斷釋放潛力，讓黄河流域成爲國家區域協調發展戰略中不可或缺的重要一極，爲中國的發展源源不斷地注入新動能。

綜上所述，黄河流域的治理不是單純的河道治理、生態環境治理或社會治理，而是一種關涉水、沙、産、人四者關係的系統性、協同性治理，是推動國家可持續發展的動力，也是厘清國家治理與邊疆治理兩者動態交互實際效果的絶佳視角。而黄河工程等『中國本土理論資源、學術積纍』〔二十〕，有助于研究國家治理的演進歷程。進入新時代，黄河治理與國家治理的關係研究不斷開闢新視角、持續涌現新成果，其中鑄牢中華民族共同體意識、邊疆治理與黄河流域生態保護和高質量發展成爲非常重要的研究視角。因此，基于這一角度搜集整理黄河國家治理文獻，意義重大。《黄河國家治理文獻集成》，應運而生。

本叢書系統梳理了黄河治理的歷史脉絡與經驗，既爲新時代黄河流域生態保護和高質量發展提供了歷史鏡鑒，更以文獻爲載體，傳承了治理智慧、凝聚了民族力量，是服務國家發展戰略、鑄牢中華民族共同體意識的重要學術實踐。

《黄河國家治理文獻集成》編委會

二〇二五年一月

〔一〕韓建業：《中華文明的起源和形成》，載《中華民族共同體研究》2022年第4期，第80-91+172頁。

〔二〕中共中央馬克思恩格斯列寧斯大林著作編譯局：《馬克思恩格斯選集》第二卷，人民出版社，2014年，第240頁。

〔三〕嚴文明：《黄河流域文明的發祥與發展》，載《華夏考古》1997年第1期，第49-54+113頁。

〔四〕（漢）班固：《漢書》卷二十九『溝洫志第九』，中華書局，1964年，第1692頁。

〔五〕（漢）司馬遷：《史記》卷六『秦始皇本紀第六』，中華書局，1963年，第252頁。

〔六〕冀朝鼎：《中國歷史上的基本經濟區與水利事業的發展》，朱詩鰲譯，中國社會科學出版社，1981年，第7頁。

〔七〕（漢）司馬遷：《史記》卷二十八『封禪書第六』，中華書局，1963年，第1398-1399頁。

〔八〕（漢）司馬遷：《史記》卷三十『平準書第八』，中華書局，1963年，第1441頁。

〔九〕（漢）班固：《漢書》卷二十九『溝洫志第九』，中華書局，1964年，第1686頁。

〔十〕（漢）司馬遷：《史記》卷二十四『樂書第二』，中華書局，1963年，第1178頁。

〔十一〕（漢）司馬遷：《史記》卷三十『平準書第八』，中華書局，1963年，第1420-1421頁。

〔十二〕（清）方家駒修，（清）王文員纂：《汾陽縣志》卷十三『藝文』，清光緒十年刻本，第57-58頁。

〔十三〕王華棠、劉錫彤、吳樹德：《黃河中游調查報告》，華北水利委員會編印，1934年，第1頁。

〔十四〕（漢）司馬遷：《史記》卷十五『六國年表第三』，中華書局，1963年，第758頁。

〔十五〕王利器：《鹽鐵論校注》，中華書局，1992年，第28頁。

〔十六〕綏遠通志館：《綏遠通志稿》第十册，內蒙古人民出版社，2007年，第176頁。

〔十七〕臨縣志編纂委員會：《臨縣志》，海潮出版社，1994年，第273、321頁。

〔十八〕趙爾巽等：《清史稿》卷一二六『河渠一』，中華書局，1977年，第3715頁。

〔十九〕劉惠：《乾隆朝重構黃河河源的實踐與國家認同》，載《清華大學學報》（哲學社會科學版）2018年2期，第147-154+195頁。

〔二十〕許耀桐：《當代中國『治理』概念的演進探析》，載《國家現代化建設研究》2023年3期，第100-111頁。

出版前言

黄河，中華民族的母親河，她不僅孕育了中華文明，更見證了中華民族數千年的發展歷程。習近平總書記深刻指出：『從某種意義上講，中華民族治理黄河的歷史也是一部治國史。』這一重要論述，爲新時代黄河文化的保護傳承以及流域治理提供了根本遵循，也深刻揭示了黄河治理在國家發展和民族復興進程中的核心地位。在學習貫徹習近平新時代中國特色社會主義思想，積極響應國家黄河流域生態保護和高質量發展重大戰略，大力推進北疆文化建設的背景下，《黄河國家治理文獻集成》的編纂出版，具有重要的歷史意義、學術價值與現實指導意義。

黄河治理，自古以來就是國家的頭等大事。從遠古時期大禹治水，到當代運用科學技術進行系統治理，中華民族在數千年的時間裏，積纍了豐富的治河經驗，留下了浩如烟海的文獻遺産。《黄河國家治理文獻集成》收録了元代至民國時期古籍、朱批奏摺、期刊圖片等多模態文獻資源。這些文獻内容豐富、維度多元，既包含記載河工技術、治理方略等的專書，又有漢文朱批奏摺、工程檔案以及不同區域的調查研究報告等。民國時期的文獻則標志着現代水利科學開始融入黄河治理，展現了我國水利事業在時代變革中的創新與發展。近代照片的收録則以更加直觀的方式將黄河治理、黄河沿岸的風貌呈現給讀者。

該文獻的出版，不僅是對瀕危黄河文化遺産的及時搶救與保護，更是對我國水利史、國家治理史、邊疆治理研究學術鏈條的重要補充，具有較高的文獻價值和學術意義。尤爲重要的是，這一集成工作，深度契合鑄牢中華民族共同體意識這一全黨全國各族人民的共同任務。各民族在治理黄河的歷史進程中，緊密協作、共同探索，這些珍貴文獻便是各民族交往交流交融和中華文明認同的生動見證。對這些文獻進行整理出版，能够讓各族人民更加深刻地認識到，在歷史長河中，各民族共同爲黄河治理貢獻了力量，共同守護了家園，從而進一步增强對中華民族共同體的認同感與歸屬感，夯實鑄牢中華民族共同體意識的歷史根基。

《黄河國家治理文獻集成》以『國家治理』爲核心綫索，構建起一個全面、系統、多維的文獻體系：在時間跨度上，聚焦從元代至民國這一傳統治河向現代水利轉型的歷史時期，爲深入研究我國水利事業的發展脉絡提供了清晰的時間坐標；在内容分類上，細緻劃分爲技術專著、工程檔案、區域研究、朱批奏摺、科學報告、圖片等類别，涵蓋黄河治理的各個方面，從不同角度展現了我國在黄河治理上的探索與實踐；在版本選擇上，秉持嚴謹、科學的態度，確保文獻内容的準確性與代表性，爲學術研究奠定堅實基礎。

在編纂過程中，叢書特别注重『全流域治理』的理念，不僅收録了有關下游防洪治河的重要文獻，還涵蓋了中游地區水土保持以及上游地區灌溉開發等方面的珍貴記載。這種對黄河全流域治理的全方位關注，與當前『共同抓好大保護，協同推進大治理』的要求高度契合，充分體現了叢書在傳承歷史文化遺産的同時，緊密服務于當代國家發展戰略的時代價值。

在出版過程中，嚴格保持原書的版式與行款，最大程度地還原文獻原貌。對于部分出現黴變、殘缺的頁面，運用先進的數字化修復技術進行精心處理，在保留原始批注與印章痕迹的基礎上，兼顧了文物的真實性與文獻的可讀性。

此外，爲了更好地服務讀者，方便學術研究，本叢書新增了目録、提要等内容，這些新增部分由編委會精心撰寫。新增目録一般編製二級，個别圖書編製三級；原書有目録而内文無對應標題的，根據原書目録照録；原書目録爲關鍵詞或者其他情况的不編製目録；原書目録與内文不一致的，以原書内文爲準；原書無目録的，按卷端、版心或其他部分輯録；一册書中收録多種圖書的，以書名爲一級標題，編製二或三級。在文字使用上，統一使用現代漢語規範繁體字，對于原版文獻中的异體字、避諱字也使用現代規範繁體字，無對應規範繁體字的保留原字。

《黄河國家治理文獻集成》的出版，是對黄河文化遺産的一次系統性、搶救性保護，具有重大而深遠的現實意義：從學術價值層面來看，叢書成功構建起一座連接傳統與現代治黄文獻的橋梁，爲黄河流域生態保護、水利工程史、國家治理史、邊疆治理、中華民族共同體學等多個領域的學術研究提供了豐富、翔實的基礎文獻，有力推動了相關學科的發展與創新；從文化價值角度而言，生動展現了北疆文化與黄河文化在歷史長河中的交融共生，爲内蒙古『北疆文化』品牌建設提供了堅實的文獻支撑，進一步豐富了中華文化的内涵與外延；從實踐價值方面考量，書中所藴含的治河理念爲我們在新時代背景下實現人與自然和諧共生、推動黄河流域可持續發展提供了寶貴的歷史經驗與智慧啓示。

在此，我們要衷心感謝各藏書機構的大力支持，正是他們提供了珍貴底本資源，纔使得本叢書的編纂出版成爲可能。同時，我們也要向文化遺産智能應用服務中華民族共同體建設『英才與蒙』團隊致以崇高的敬意，他們歷經五年的辛勤耕耘，以嚴謹的治學態度和專業的學術素養，對文獻進行了系統的整理和輯録，爲叢書的内容質量提供了堅實保障。此外，我們還要特别感謝内蒙古自治區黨委宣傳部、内蒙古出版集團將本叢書納入『北疆文庫』重點項目，并在出版過程中給予全方位支持與幫助。

我們衷心期待，這套凝聚着無數心血與智慧的《黄河國家治理文獻集成》，能够在新時代的『黄河大合唱』中奏響歷史的强音，爲黄河流域生態保護和高質量發展注入强大的歷史動力，讓黄河文化在保護中傳承，在傳承中創新，在創新中不斷發展，綻放出更加絢爛的光彩。同時，希望這套叢書能够成爲促進各民族文化交流、鑄牢中華民族共同體意識的重要載體，助力各民族更加緊密地團結在一起，共同爲實現中華民族偉大復興的中國夢而努力奮鬥，讓中華民族共同體意識在黄河文化的滋養下，扎根于每一位中華兒女的心中，成爲推動中華民族不斷前進的强大精神力量。

提要

《清代漢文朱批奏摺黄河治理資料輯録》共10册，收録清代康熙四十四年（1705）至咸豐三年（1853）關于黄河治理的漢文朱批奏摺1000件，以時間爲序編排，每篇奏摺均保留朱批痕迹，真實呈現了清代黄河治理的决策與執行過程。

所收録的奏摺内容包括工程實踐（如堤埽、堤壩與河道工程的修建和維護）、防汛體系（如水情監測、灾情預警與應急響應）、綜合管理（如河道管理、跨區域協調、物料與經費管理、漕運管理）、治河制度與管理機制、灾害影響及灾民撫恤等。

第一册收録康熙四十四年（1705）至雍正七年（1729）的100件奏摺。第二册收録雍正七年（1729）至乾隆二十年（1755）的120件奏摺。第三册收録乾隆二十年（1755）至乾隆三十八年（1773）的130件奏摺。第四册收録乾隆三十九年（1774）至乾隆四十六年（1781）的110件奏摺。第五册收録乾隆四十六年（1781）至乾隆五十二年（1787）的110件奏摺。第六册收録乾隆五十三年（1788）至清嘉慶六年（1801）的100件奏摺。第七册收録嘉慶六年（1801）至嘉慶二十二年（1817）的90件奏摺。第八册收録道光三年（1823）至道光十六年（1836）的60件奏摺。第九册收録道光十六年（1836）至道光二十五年（1845）的80件奏摺。第十册收録道光二十五年（1845）至咸豐三年（1853）的100件奏摺。

目録

奏

河南河北鎮總兵官奴才黄模跪

奏爲恭摺奏

聞事竊查移駐西安涼州莊浪寧夏携眷官兵俟進

剿征兵完竣接續起程由豫省經過一案奴才

接准前任河南布政使張鎮咨會議詳蒙河南

撫臣何煟批准仍檄令辦理赴川征兵在臺文

武官員照舊接續妥辦亦毋庸另行派委奴才

當即檄飭各臺尖員弁一體遵照接續妥辦在

案所有第一起携眷官兵於九月二十八日抵

豫省之安陽臺業經撫臣恭摺

奏明其後俱接起行走奴才於護送赴川末起征

兵至陝西潼關交界轉回途次續接照料移駐

官兵仍不時督率官弁往来照料渡黄務期妥
協今来起携眷官兵於十二月二十三日渡黄
二十八日出豫境沿途均屬安静而各臺尖亦
無貽悮再奴才於照料移駐官兵經由汛地留
心察看並詳詢所屬各營汛地方自九月初四
五等日均得雨入土四五六寸不等二麥俱皆
種足滋長青葱
奏明在案復於二十四五等日並十月初三四五
六七以及二十二十一等日各得瑞雪入土三
四寸不等深透濕潤十一月初一日又得雪三
四五寸不等四野普遍土性滋潤二麥盤根深
固誠得應時雪雨將来麥收可期豐稔農民歡
舞欣慶各色糧價平減地方寧謐軍民樂業所
有移駐官兵全行渡黄出境日期暨屬汛地方
連得應時雪雨日期入土分寸理合恭摺奏
聞上慰
聖懷伏乞
皇上睿鑒謹

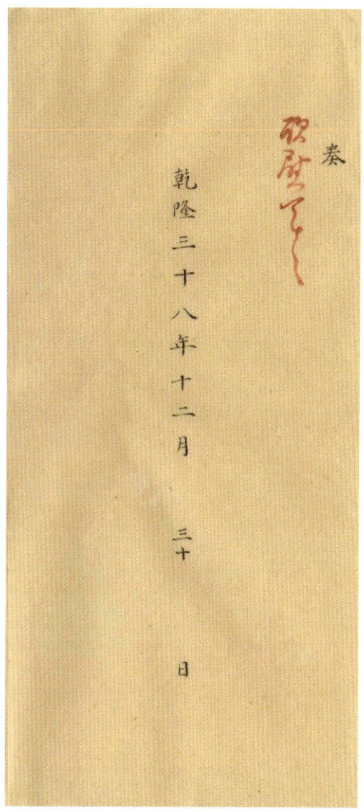

奏

乾隆三十八年十二月　三十　日

奏

河東河道總督臣姚立德謹

奏為奏
聞事竊照運河挑工完竣開壩鋪水緣由前經臣會
摺
奏明在案今查汶河之水全賴泉源滙注自冬徂
春雨雪稀少諸泉實力疏濬出水猶與往年無
異旬日以來汶水由南旺分水口灌注閘河南
北分流尚易鋪足其各湖水櫃秋冬瀦蓄現與
水誌相符將來頭二三進糧艘經臨次第開放
閘壩宣洩足資助濟目下南糧首幫未經入境
現將閘內幫船於鋪水既足之後催令陸續受
兑開行北上以待南漕至豫省黃河各廳料物

業據委員全運到工春修土工亦經嚴催趕辦
將次報完其臨河埽工經過淩汛間有應行拆
鑲之處均須親履查勘以杜弊端臣現在前赴
黄河盤查料物驗收土工勘估埽工務使料物
工程均歸實在備資防護大汛理合繕摺奏
聞伏祈
皇上聖鑒謹
奏
適值嘉謨奏水石是已有旨問汝矣

乾隆三十九年二月　十五　日

三五三

奏

總督仍管河南巡撫臣何煟跪

奏為恭報豫東黄河桃汛平安仰祈

聖鑒事竊照豫東黄河積凌水退並無增長兹值桃汛届臨據各廳汛稟報水勢俱係隨長隨消循軌遄行上游沁丹伊洛諸河均未長水所有南北各工在在穩固河臣姚立德查工盤料於二月二十七日至豫將兩岸土埽工程情形與臣面為講求分别應修應緩以禦伏秋大汛其各工所貯料物逐工盤查均屬充裕臣嚴飭廳汛不許擅動並束留備伏秋緩急之用現在黄河底水甚小將來大汛經臨足資容納各處工程亦極鞏固此皆仰賴我

皇上至誠昭格安瀾有慶臣等奉職河干一切防護
機宜俱得從容籌辦感慶實深所有豫東黄河
桃汛平安及水勢工程情形臣謹恭摺具
奏伏祈
皇上聖鑒謹
奏

知道了

乾隆三十九年三月初五日

三五四

奏

河東河道總督臣姚立德謹

奏為豫東黄河桃汛安瀾仰祈
聖鑒事竊照黄河桃汛正當春水長發之時兩岸埽
工並關緊要節經臣嚴飭廳營汛員加意小心
駐工防守今查本年桃汛自二月二十五日清
明起至三月十五日止豫東黄河水勢俱係隨
長隨消大溜循軌安流沁河水勢亦無長發各
廳埽壩工程俱防護平穩至兩岸灘地內衝刷
支河關係匪輕經臣
奏明嚴飭廳印各官實力督率兵民等夫堵築堅
實以防引溜務於桃汛前一律完竣臣前赴豫
看工凡有築壩處所帶領道廳印汛各官親赴

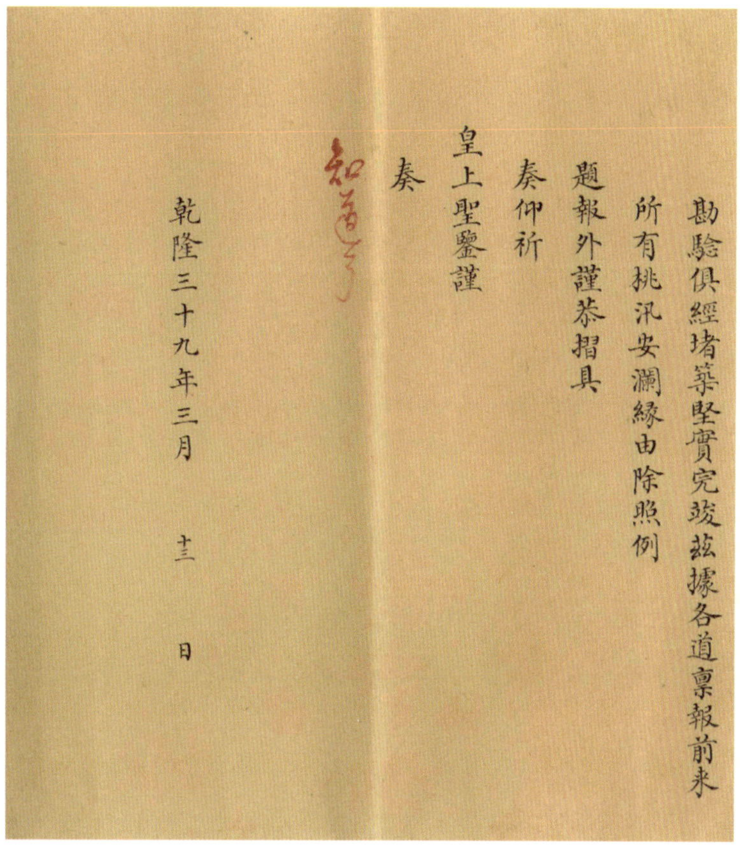

勘驗俱經堵築堅實完竣茲據各道稟報前来所有桃汛安瀾緣由除照例

題報外謹恭摺具

奏仰祈

皇上聖鑒謹

奏

知道了

乾隆三十九年三月　十三　日

三五五

奏

河東河道總督臣姚立德謹

奏為勘查豫東黃河工料情形仰祈

聖鑒事竊臣自濟赴豫查工已經奏蒙

聖鑒二月十九日由曹單廳查至江南交界渡河而南由東而西查看商虞儀考下南上南各工於滎澤渡河而北由西而東查看黃沁上北下北曹儀各工南北兩岸各廳均已周歷臣處處留心不敢稍有踈忽各廳承辦土工經各道往來各工督飭辦理尚俱認真做成工段均有八九分臣段段丈量尺寸與原估相符夯杵錐試亦不虛鬆滲漏其未完者僅有一二分飭令各該道督催完竣驗明稟報仍俟臣來豫防工時再

為驗收各廳春修埽工臣俱逐埽察看其臨黃
緊要之工有過於卑矮者方准鑲修仍將原埽
出水尺寸與應鑲尺寸隨時登記明白開列清
单交付各道照依修做其可緩之工俱令停修
俟大汛時相機酌辦此外不得擅用葦束以節
糜費委員採辦各廳料物皆已分貯要工悉心
點驗並無虧短其應行修防事宜俱面交各道
遵照妥辦以待大汛臣現在仍由單縣一帶回
濟勘辦運河事宜所有臣查過豫東工料情形
謹繕摺具
奏仰祈
皇上聖鑒再本月初四五日得雨之後所過各縣地
方麥苗長發青葱禾豆等項乘時播種絡繹田
間民情甚為歡悅合併陳明仰慰
聖懷謹
奏
覽奏俱悉

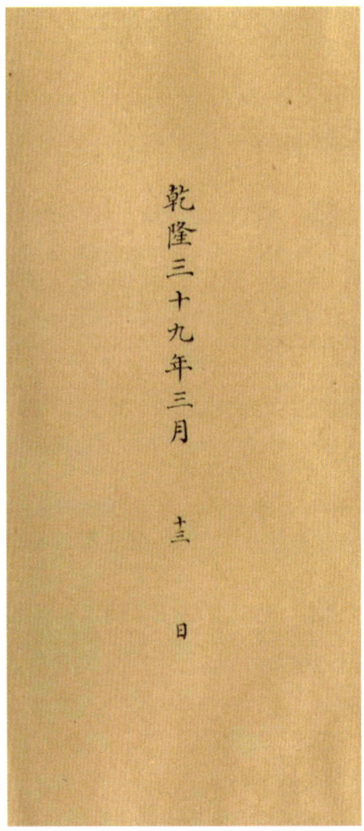

乾隆三十九年三月十三日

三五六

奏

河南總督管巡撫事臣何煟跪

奏爲

奏明事竊照豫省黃河入夏以來天氣炎亢河水

有消無長臣於查閱營伍往來南北兩岸查看

堤埽各工完固堅好嗣於五月十七十九等日

各屬得有透雨水勢隨長隨消二十七八日復

得大雨據開封府下南河同知稟報祥符之黑

堽工陸續長水一尺八寸大溜順軌遄行各處

工程俱極穩固六月初二日又據寧夏府報該

處五月二十六日漲水七尺六寸等情臣隨飛

飭道廳各汛加謹防工一面飛咨江南河東總

河及督撫諸臣一體飭屬防護查寧夏上游既

經長水此時伏汛届臨正值大雨時行之候水
勢長落無定防範不可不周誠恐各汛新舊堤
工有雨淋水溝及殘缺之處俱令各汛督率兵
夫修墊堅實所貯料物充足嚴飭收貯毋許擅
動以資儲備河臣姚立德不日來豫防汛臣協
同東應和衷商酌嚴督修防務保無虞以期仰
副
聖主慎重河防至意所有黄河長水工程平穩情形
臣謹恭摺
奏明伏祈
皇上聖鑒謹
奏
欣慰覽之
乾隆三十九年六月　初二　日

三五七

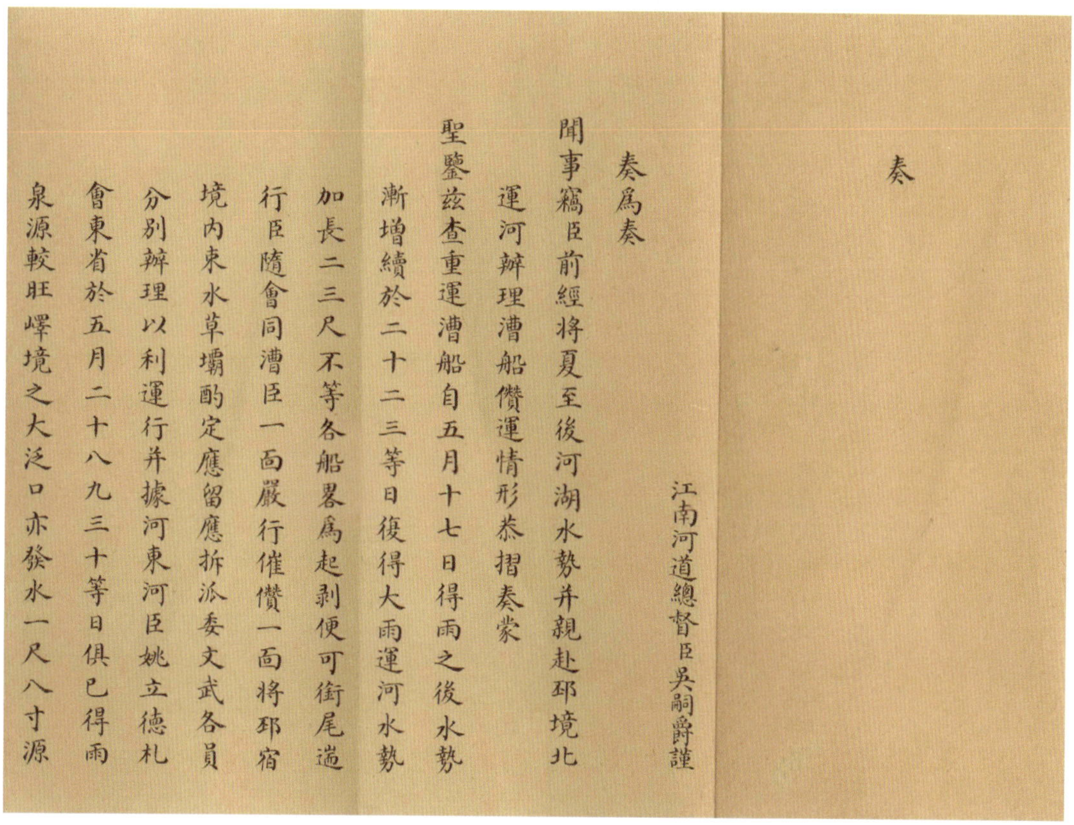

奏

江南河道總督臣吳嗣爵謹

奏爲奏

聞事竊臣前經將夏至後河湖水勢并親赴邳境北

運河辦理漕船儹運情形恭摺奏蒙

聖鑒茲查重運漕船自五月十七日得雨之後水勢

漸增續於二十二三等日復得大雨運河水勢

加長二三尺不等各船畧爲起剥便可銜尾遄

行臣隨會同漕臣一面嚴行催儹一面將邳宿

境内束水草壩酌定應留應拆派委文武各員

分別辦理以利運行并據河東河臣姚立德札

會東省於五月二十八九三十等日俱已得雨

泉源較旺嶧境之大泛口亦發水一尺八寸源

源挹注今尾幫糧船已於六月初三日全數催過皁河現在河成閘上下至東省交界之黃林莊漕臣嘉謨巡漕臣沈咸熙分駐河干加緊督催計數日內俱可全數出境目下已屆伏汛黃河水勢自五月二十八日起至六月初四日據各廳稟報長水三尺四寸徐城誌樁連前長至九尺八寸並准河南撫臣何煟咨會上游寧夏黃河內五月二十六日長水七尺六寸臣隨督率道將廳營將黃河兩岸各工分投上下巡查加謹防護一切埽壩工程間有平蟄段落分別搶修鑲做堅實均屬穩固洪澤湖內日來亦陸續長水數寸高堰誌樁連前長至七尺六寸查外河東西壩自四月中旬啟拆十丈之後口門共寬三十丈今將及兩月除長落相抵外較前只加長六寸目下正當黃水盛長之時清口東西壩臣謹遵

皇上隨時斟酌辦理

諭旨暫緩啟拆以防黃盛清弱之患臣仍時刻留心

察看如上游淮水加長清水充裕亦即相機展
拓另行奏
聞外所有重運尾幫水勢足數催儹出境情形及黄
水加長督飭防護緣由謹會同大學士督臣高
晉恭摺具
奏再臣往來查工經過淮徐等處地方因五月中
旬以後及六月初一二等日連得時雨秋禾雜
糧長發暢茂各處糧價平減民情悦豫理合一
併陳明伏乞
皇上聖鑒謹
奏

覽奏俱悉

乾隆三十九年六月初八日

三五八

奏

臣高晉臣吳嗣爵謹

奏爲奏

聞事竊查黃河水勢前於六月初二三四等日徐城誌樁長至九尺八寸臣吳嗣爵往來各工督率道將廳營巡查防護緣由業經會摺奏蒙

聖鑒奏報後黃水又加長一尺一寸徐城誌樁長至一丈九寸兩岸將次出槽漫灘因上下河身一律深通隨長隨即消退本月望前淨存長水八尺一寸臣高晉於十七日自省起身來工防汛兹據淮徐道巴靈阿兩次稟報黃河內六月十六日起至十九日又陡長水三尺徐城誌樁長至一丈一尺一寸較乾隆二十七年

欽定開放毛城鋪分洩水誌僅小四寸隨飛飭毛城鋪下游之洪濉二河該管之州縣州同主簿等預爲防範并將濉河閘座啟閉事宜早爲預備旋於二十日寅時黄水又加長六寸已逾開放定制除督飭豐碭廳營將毛城鋪壩外之傅家窪引河循例開放以資分洩俟查明石壩過水若干並洪河水勢情形另報等情臣等查目下正當伏汛黄水長發甚驟所幸春夏以來黄河所存底水尚小足資容納兩岸埽壩工程春間預修堅整亦足資抵禦現在下游桃源外河山安海防一帶水勢滙注連日盛長外河老壩口誌樁已長至一丈六尺九寸水勢浩瀚均須巡防策應臣等將一切河工防守機宜面加商定臣高晋現住外河清口督飭防護臣吴嗣爵即赴上游徐屬各廳周歷巡查并勘明毛城鋪過水尺寸及黄河兩岸水勢情形另行奏

聞外所有伏汛黄水續長逾誌毛城鋪開放分洩日期謹合詞恭摺具

奏伏乞

皇上聖鑒謹

奏

了奏俱悉

乾隆三十九年六月二十四日

三五九

奏

安徽巡撫臣裴宗錫謹

奏為奏

聞事竊臣於本月二十四日據淮徐道巴靈阿稟稱

黄河水勢徐城水誌長至一丈一尺七寸已與

開放毛城鋪引河宣洩之例相符除一面飛飭

豐碭廳營將毛城鋪引河之傅家窪新壩即時

開放以資宣洩一面照例移行下游防範等因

臣查廬鳳道楝文業經前赴濉河各工防汛隨

即飛飭該道率同宿州知州于右曾並在汛員

弁兵役一體加謹防範去後茲據該員等稟稱

二十二日辰刻黄水到汛長至戌刻方定查看

誌樁除存留底水五寸加增長水七尺三寸自

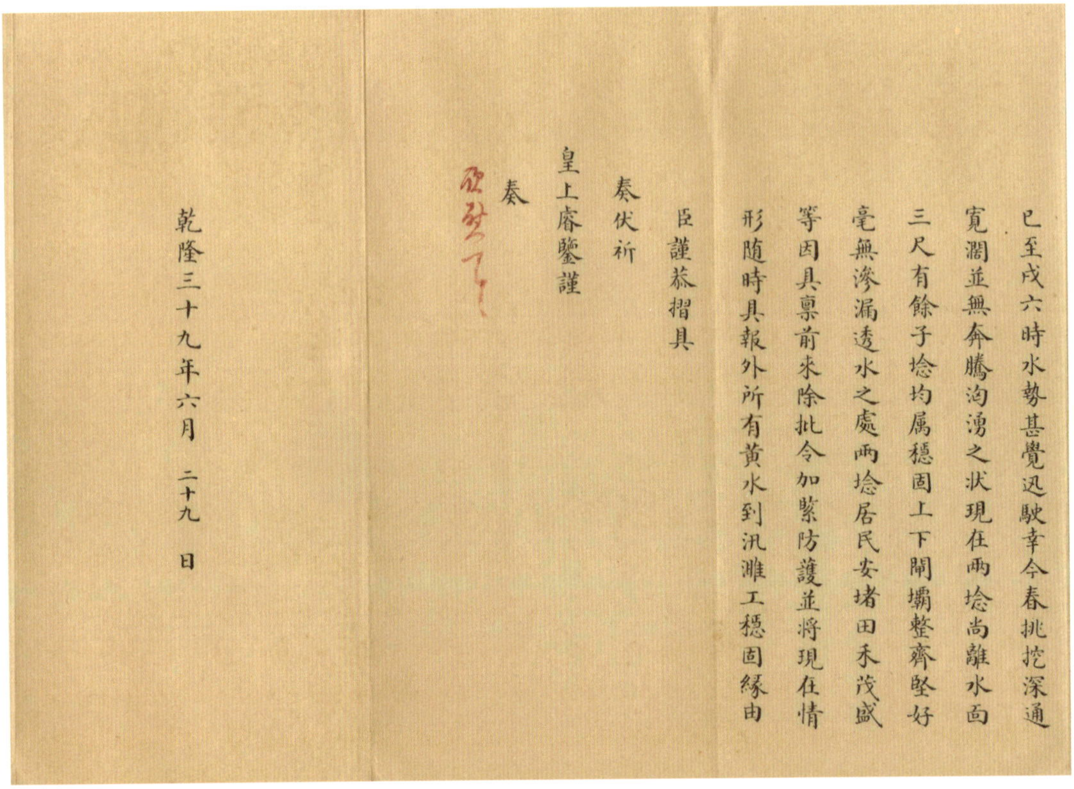

已至戊六時水勢甚覺迅駛幸今春挑挖深通
寬濶並無奔騰洶湧之狀現在兩埝尚離水面
三尺有餘子埝均屬穩固上下閘壩整齊堅好
毫無滲漏透水之處兩埝居民安堵田禾茂盛
等因具禀前來除批令加緊防護並將現在情
形隨時具報外所有黃水到汛灘工穩固緣由
臣謹恭摺具
奏伏祈
皇上睿鑒謹
奏
欣慰之至
乾隆三十九年六月 二十九 日

三六〇

奏

臣高晉臣吳嗣爵謹

奏為奏報秋汛黃水加長各工防護平穩情形仰祈

聖鑒事竊查前屆立秋業經臣等將伏汛安瀾情形會摺

奏報並將臣高晉暫駐外河清口巡查策應臣吳嗣爵

赴上游徐屬各廳查勘工程緣由一併恭摺奏蒙

聖鑒交秋以來洪澤湖水只加長四寸高堰誌樁長至八尺四寸黃河因上游陝州萬錦灘續長水四尺徐城誌樁又復加長連伏汛存水共長至一丈二尺二寸下游老壩口誌樁長至一丈八尺五寸比上年此時計大一尺七寸前水未消後水復至上下各廳工程在在險要臣等督率各道叅遊廳營分投巡防仰賴

聖主洪福俱各一律平穩清口木龍挑溜甚為得力祇以

清弱黃强黃水由惠濟祠迤下迴溜倒漾直抵師家
莊一股散漫入湖一股分注裡河其裡河兩腮幷通
湖引河均有新停嫩淤而往來船隻並無阻礙查前
數年一遇黃水倒灌即將清口東西壩收束以資抵
禦今年因湖水較小東西壩本未大展現在口門僅
留三十丈若再收束則黃水倒漾溜猛轉致頂阻清
水之勢臣吳嗣爵查勘上游各廳工程回至清口與
臣高晉相度情形復與道將廳營再四講求現在之
倒漾實因清弱黃强東西壩可以毋庸收束一俟黃
水消落清水自可外出一切新淤嫩灘均可隨水滌
刷此後應再看情形相機酌辦至上游毛城鋪引河
自開放後過水七尺五寸溜勢湍急下游灘河凡今
春借帑疏築之工均經保護平穩惟符離集以下近
湖尾閭歷年為黃水淤墊不無高仰水勢未能暢達
間有漫缺處所雖漫水就近流入南北股河彙歸五
湖不致散漫為患而附近臨河地畝不無淹浸廬鳳
道棟文現在駐工督同府廳知州汛員分投搶護臣
等復派河工諳練員弁前往帮辦此時黃河水勢正

當秋汛盛長之時毛城鋪引河驟難堵閉臣等接據（朱批：此實不得已之勢）
稟報後即飭豐碭廳營先將引河頭草壩酌量收窄
以節水勢臣高晉現赴上游徐屬勘工即由徐州前
往宿州濉河查勘督率廬鳳道楝文等設法籌堵漫
水之處如有淹損民田查明照例詳辦臣吴嗣爵即（朱批：自應如此）
駐外河清口一帶上下策應所有黄河水勢加長清
口倒漾濉河下游間有漫缺之處現在分别辦理及
黄河各工防護平穩情形理合會摺具
奏再六月二十五六二十八至七月初一二初六等日
節據下江各府州縣稟報陸續得有時雨一律透足
錐淮安府屬之鹽城縣據稟該縣上四十里村莊屢
次得雨尚未霑足實係海濱一隅之地臣高晉現委
該管知府親往查勘據實詳辦至安徽江西雨水均
稱調匀早稻收成據報各有八九分不等中晚二禾
雜粮長發暢茂可期豐收合併奏
聞伏乞
皇上睿鑒謹
奏（朱批：二奏俱悉）

乾隆三十九年七月　十三　日

三六一

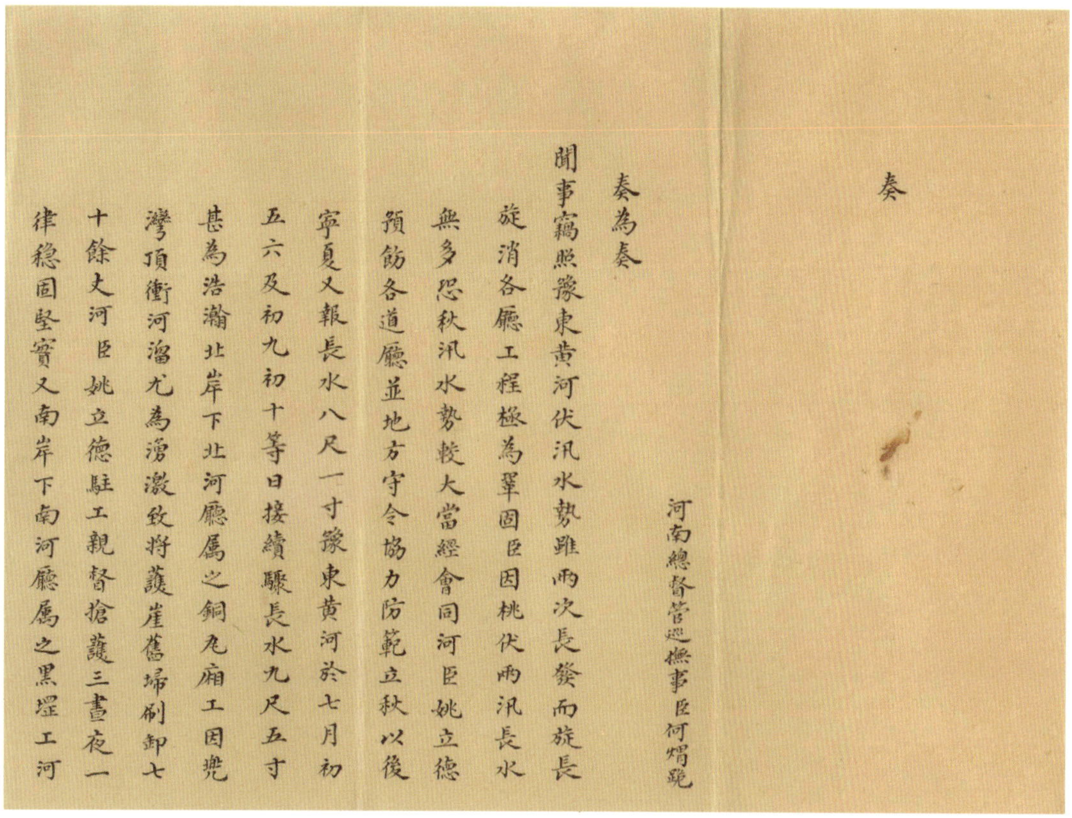
奏
河南總督管巡撫事臣何煟跪
奏為奏
聞事竊照豫東黄河伏汛水勢雖兩次長發而旋長
旋消各廳工程極為鞏固臣因桃伏兩汛長水
無多恐秋汛水勢較大當經會同河臣姚立德
預飭各道廳並地方守令協力防範立秋以後
寧夏又報長水八尺一寸豫東黄河於七月初
五六及初九初十等日接續驟長水九尺五寸
甚為浩瀚北岸下北河廳屬之銅瓦廂工因兜
灣頂衝河溜尤為湧激致將護崖舊埽刷卸七
十餘丈河臣姚立德駐工親督搶護三晝夜一
律穩固堅實又南岸下南河廳屬之黑堽工河

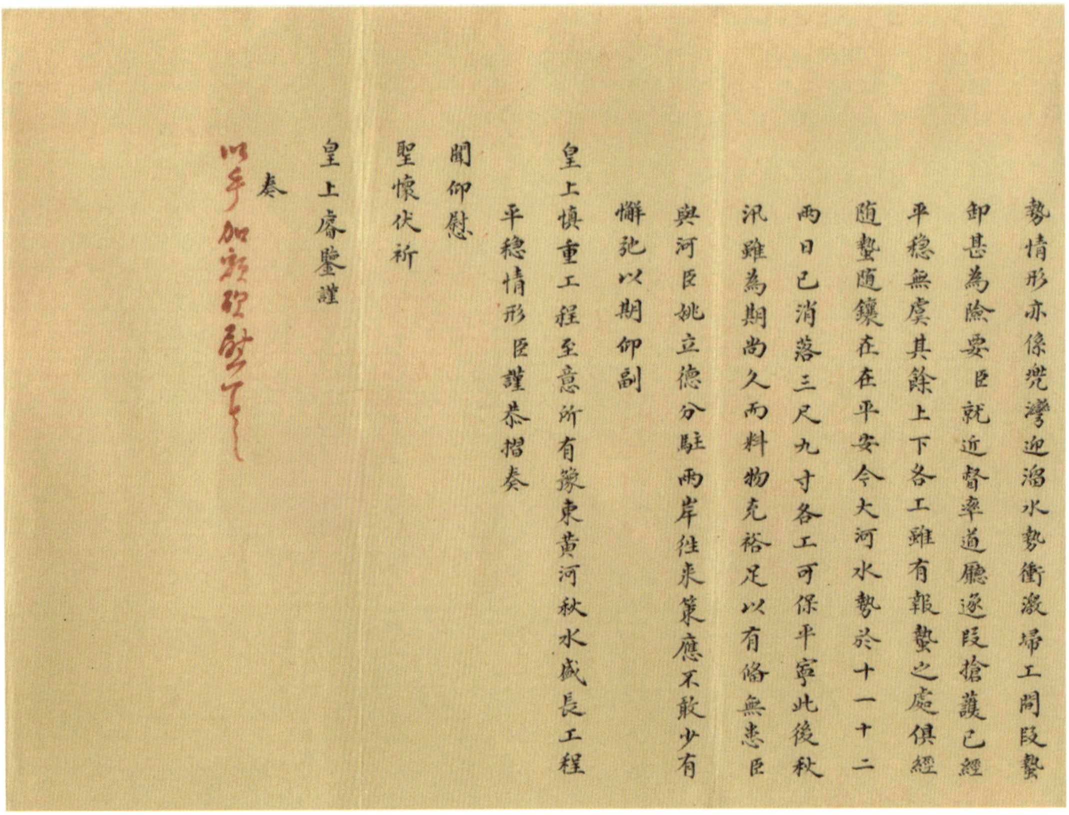

勢情形亦係兜灣迎溜水勢衝激埽工間段蟄
卸甚為險要臣就近督率道廳逐段搶護已經
平穩無虞其餘上下各工雖有報蟄之處俱經
隨蟄隨鑲在在平安今大河水勢於十一十二
兩日已消落三尺九寸各工可保平穩此後秋
汛雖為期尚久而料物充裕足以有備無患臣
與河臣姚立德分駐兩岸往來策應不敢少有
懈弛以期仰副
皇上慎重工程至意所有豫東黃河秋水盛長工程
平穩情形臣謹恭摺奏
聞仰慰
聖懷伏祈
皇上睿鑒謹
奏
以手加額欣慰不已

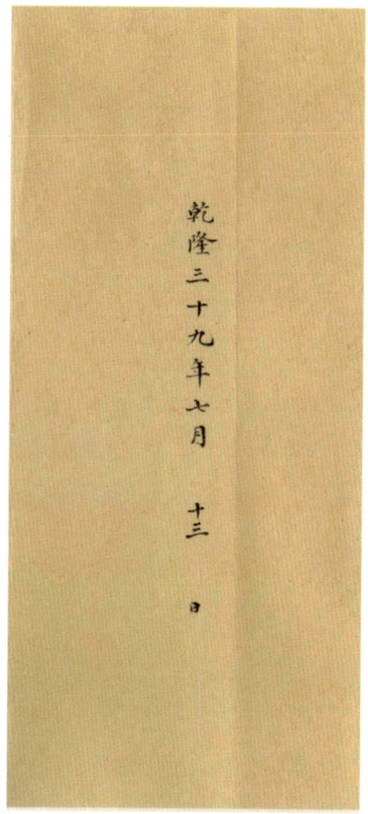

乾隆三十九年七月　十三　日

三六二

奏

河東河道總督臣姚立德謹

奏爲奏

聞事竊照豫東黄河水勢於本月初五六初九初十等日連槽增長及工程搶護平穩情形已經恭

摺奏

聞在案查大河水勢日來旋長旋消各廳現存長水自五尺餘寸至三四尺不等下北河廳屬銅瓦廂新補各埽正當迎溜頂衝最宜小心防護臣駐工數日督令鑲壓脩極堅實現在埽外溜雖洶湧已足抵禦隨於該工自西而東逐細勘查北岸工程曹儀廳屬儀封汛三家莊埽工自入七月以後大河漸往南徙埽外已顯嫩灘雖此

刻去來尚在無定然止須加意防守無事鑲修
以省縻費曹單廳屬曹縣六堡埽工工段綿長
河溜忽上忽下各埽屢經鑲壓日漸堅實可稱
穩固臣復渡河而南查得商虞廳屬商邱汛辛
集埽工該工向係坐灣入袖頂衝險要自今年
五六月間河形改從漸露淤閉之形經臣於伏
汛安瀾摺内
奏明在案此番長水全河大溜盡往北趨從前兜
灣之處汕刷無餘形勢順直循軌東流埽壩相
距大河竟有三二百丈之遠淤閉已成臣恭睹
鴻麻彌深慶忭儀考廳屬儀封汛自七堡迤下河勢
近堤歷經築壩數道以資挑刷甚為得力近惟
十堡一壩水勢較深着溜緊要切諭廳營小心
防範下南河廳屬之黑堽埽工本月初旬間段
蟄卸督臣何熠就近督飭搶鑲屢經追壓重土
甚屬堅實足以捍衛無虞臣現由省城渡河而
北仍回蘭陽適中之地便於上下策應所有臣
查過各工水勢工程情形理合繕摺恭

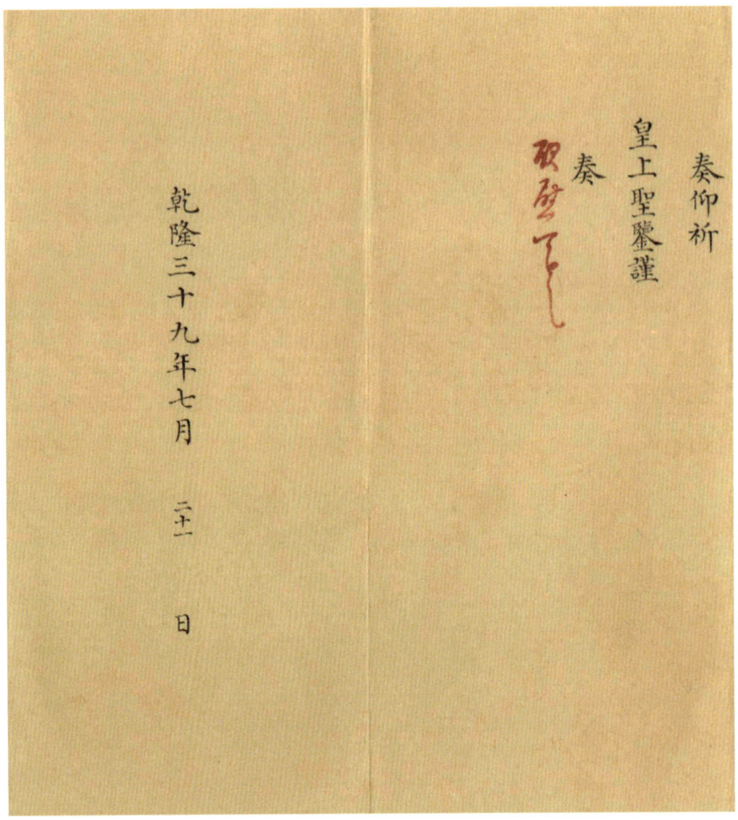

奏仰祈

皇上聖鑒謹

奏

知道了

乾隆三十九年七月　二十一　日

三六三

奏

河南總督管巡撫事臣何煟跪

奏為白露節屆豫東黃河水勢平穩工程穩固仰

慰

聖懷事竊照豫東黃河立秋以後漲水甚大仰賴

皇上福庇各工搶護平穩經臣恭摺奏

聞今自過處暑水勢雖間有長落而前此漲水均已

消退大溜順軌極其安瀾南北兩岸工程俱極

穩固現在白露已屆河水日逐消減歸漕向後

即偶有長發而水冷沙輕於堤埽工程可保無

虞所有兩岸調撥防護民夫臣俱經掣回安業

河臣姚立德於六月二十三日查工至省將來

年一切修防事宜與臣面為商酌臣與之悉心

講求務期帑不虛糜工歸實濟臣惟有時刻留
心會同河臣姚立德嚴督廳汛員弁加謹巡防
不敢稍為懈怠所有白露節届黄河水勢平寧
工程穩固情形臣謹恭摺奏
聞仰慰
聖懷伏祈
皇上聖鑒謹
奏
欣慰覽之
乾隆三十九年七月　二十八　日

奏

臣姚立德臣何煟謹

奏為奏

聞事竊照黃河修防之道埽以防衝堤以防溢而埽
工後身切近之堤尤關緊要查得南岸上南河
廳屬之中年十堡堤勢東西河形南北上年秋
間該處埽工塌蟄刷及堤身當經臣何煟飛赴
督飭搶修平穩復經奏明加築裏戧以資鞏固
本年入汛以來河勢如前大溜仍係南北直射
臣等察看情形該處埽工後身地形甚窪未足
為恃必須將去年新幫裏戧再行接築二百餘
丈方收捍衛之益又北岸下北河廳屬之蘭陽
汛銅瓦廂一工頭二兩壩各埽俱係迎溜頂衝

最為着重該工西首圈壩迤上堤勢南北灣環現在河勢日漸上提坐灣正當堤勢屈曲之處情形愈險若不預為籌辦則險益生險防護更難所關匪細臣姚立德屢次督同道廳細加履勘應於圈壩迤上接築大壩一道取順形勢則修守可資臣姚立德勘工至省與臣何煟面商意見相同現飭道廳細加勘估俟秋禾收穫人夫稍閒即行興築此兩案工程共約需銀七千餘兩查河北道庫有歲搶案內節省八束秫稭銀兩原係留為河工別案工程之用應於此內動支辦理無須另請司庫正項錢糧所有該處工段丈尺及銀兩細數俟勘估明確臣姚立德

照例具

題估銷謹此合詞恭摺奏

聞伏乞

皇上睿鑒謹

奏

知道了

乾隆三十九年八月　初四　日

三六五

奏

奴才伊齡阿跪

奏爲

奏

聞仰祈

天鑒事。奴才查得今歲自春徂夏，淮安一帶地方雨

水調匀，民情安堵。於六月中旬以後，雨水稀少，

是以清水甚弱，不能抵黄，而運河間有淤墊處

所。前經督臣高晋會同河臣派委文武官員正

在查辦間，八月望後，連日大雨。於十九日天明

後，清江之老壩口黄水漫溢，其勢汹湧，以至老

堤、月堤俱經過水，板閘一帶地方田廬、民社雖

被水淹没，民命幸無傷損。至奴才關署内房間

聞有坍塌水亦長至八九尺不等奴才猝不及
防已將印信搶護其庫貯錢糧仍行存貯未敢
擅動奴才率領員弁丁役晝夜𢚩防以保無虞
統俟水勢稍平再為次第整理再督臣高晉河
臣吳嗣爵現往徐州宿州等處查辦河務其老
壩口漫溢處所經淮揚道松齡率領河工員弁
多備人夫搶護但水勢較大人力難施水勢稍
平自可堵塞奴才謹將現在河水漫溢田廬民
社被水各情形專摺具
奏伏乞
聖主睿鑒謹此奏
聞

民情尤要為何不奏及

乾隆三十九年八月十九日

三六六

奏

河東河道總督臣姚立德謹

奏為

奏明勘過潘家屯舊河可以引黄助湖情形仰祈

聖鑒事竊照東省各湖水櫃正屆收蓄之期本年秋
水不盈前奉

諭旨仰蒙

聖明廑念命臣設法調劑於常規之外量為多蓄數
寸以備來春雨泉之不足臣因現在微山湖存
水短少別無來源當經札商大學士仍管兩江
督臣高晋查有豐碭廳屬黄河北岸潘家屯舊
日河形切近微山湖可以引黄入湖

奏明前往會勘在案八月十九日臣與高晋吴嗣

爵先後齊集徐城正在面商勘估籌辦間適二
十日早間接據淮揚道稟報外河廳屬黃河水
勢增長南岸車路口工程險要高晋吴嗣爵即
刻由黃河坐船往彼搶護不及同臣會勘屬臣
自行勘明再為商辦臣隨於二十一日帶同該
管廳汛自徐城起身渡河至北岸由蘇家山滚
壩水綫徑赴潘家屯將河形地勢逐一勘視細
加審度蘇家山滚壩所洩黃水從荆山橋以達
江省運河距微湖較遠且在下游不能逆流挽
入微湖毋庸置議至潘家屯河形坐落昔日無
堤之處舊名耿家河其入湖尾閭又名滎家溝
乾隆二十三年黃河北岸築堤之後此河遂分
兩截計自河崖以至湖邊統長八千餘丈堤根
外灘較高內地三尺餘寸地勢高下無幾尚不
建瓴自可仿照蘇家山毛城鋪之制於挖通大
堤處建築碎石壩長十餘丈高以四尺為度兩
邊盤築石衆頭上下修做鉗口束水草壩并將
舊河形跡濬寬深河頭挑挖倒溝不使吸溜兩

岸酌築子堰以衛民田俟冬春大河水落沙澄
淨存長水六尺即行啓放於壩面過水二尺流
入湖中可以助湖水之不足來歲東南兩省運
行接濟有資若遇大河長水七尺以上仍行堵
閉於民田並無妨碍惟查此堤建築之始奉有
諭旨原為東省濱湖州縣民舍田廬起見而微湖水
小係數十年來不經見之事今因來源缺乏無
水可收不得不籌計引黃為一時權宜之策且
碎石壩工節宣有制進水多寡操縱由人斷不
致湖水過盈成為巨浸但議築壩堰疏濬河形
是否合宜以及動用帑項必須倍加詳慎方可
舉行臣現已札致高晋吳嗣爵再為覆勘公同
細商會摺
奏請
聖訓辦理所有臣勘過滿家屯舊河可以引黃助湖
情形繪圖貼說先行繕摺恭
奏伏祈
皇上聖鑒謹

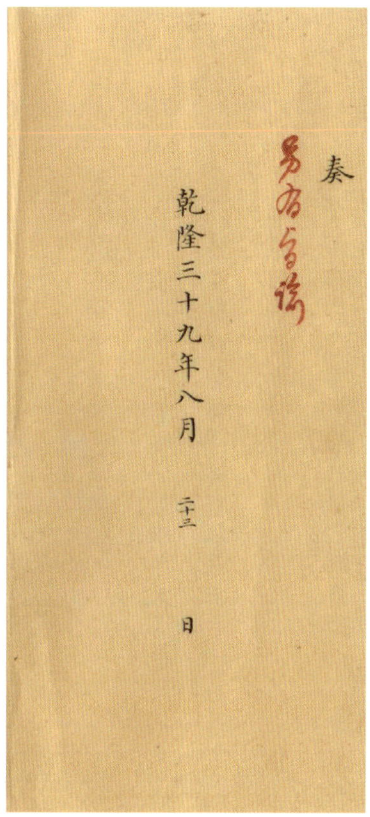

奏

另有旨諭

乾隆三十九年八月 二十三 日

三六七

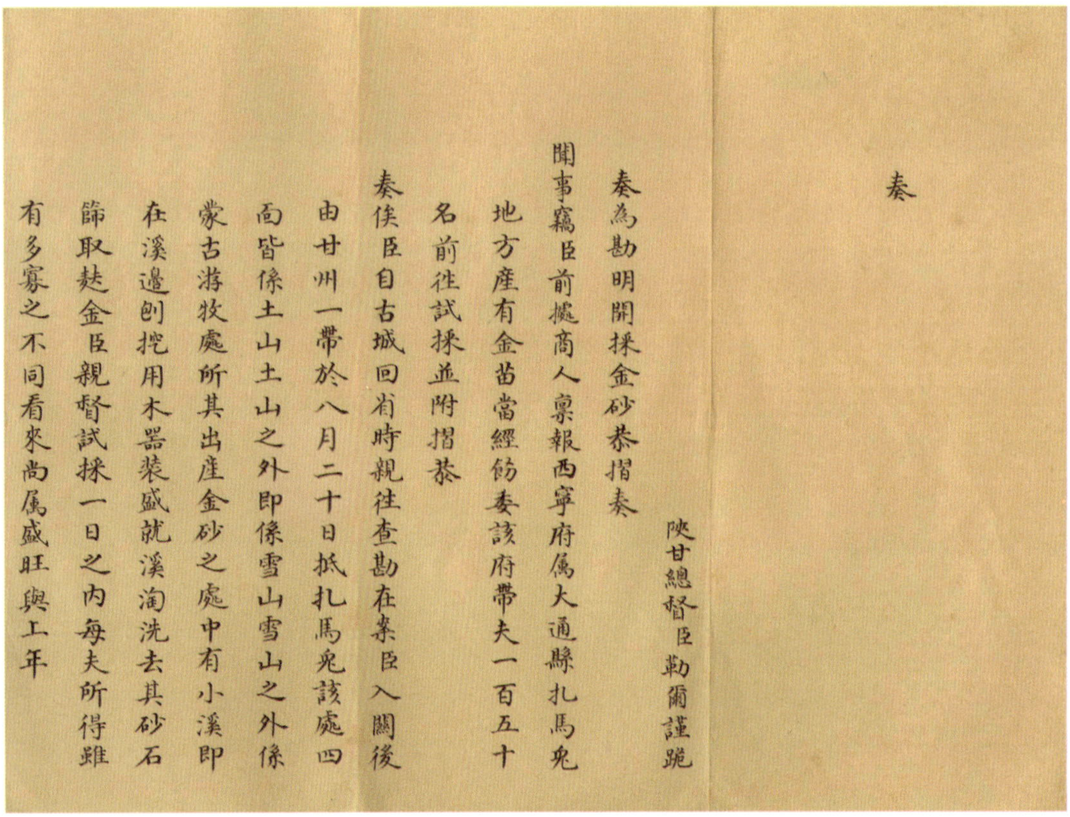

奏

陝甘總督臣勒爾謹跪

奏為勘明開採金砂恭摺奏

聞事竊臣前據商人稟報西寧府屬大通縣扎馬兎
地方產有金苗當經飭委該府帶夫一百五十
名前往試採並附摺恭

奏俟臣自古城回省時親往查勘在案臣入關後
由甘州一帶於八月二十日抵扎馬兎該處四
面皆係土山土山之外即係雪山雪山之外係
蒙古游牧處所其出產金砂之處中有小溪即
在溪邊刨挖用木器裝盛就溪淘洗去其砂石
篩取麸金臣親督試採一日之內每夫所得雖
有多寡之不同看來尚屬盛旺與工年

奏准開採哈布塔海哈拉山金砂情形相同自應
官為開採以收自然之利查從前哈布塔海哈
拉山開採金砂一切章程久經議定應請俱照
前議按數分起按起立界每夫一名日交課金
五厘每抽課金一兩外抽撒散金三分以為官
後盤費之需如有餘剩觧司充公每歲所採之
金臣於年底彙
進再查該處氣候早寒臣八月内到彼已經落雪
面加詢問九月初十前後地脉凝結不能施工
應請於明歲春融先派夫一千名前往開採陸
續增添總以二千名為止以免人多滋事至試
採所獲之金現擬委員按旬摺報俟停工後容
臣另摺
進呈所有扎馬免地方堪以開採金砂緣由理合
恭摺奏
聞伏祈
皇上睿鑒謹
奏

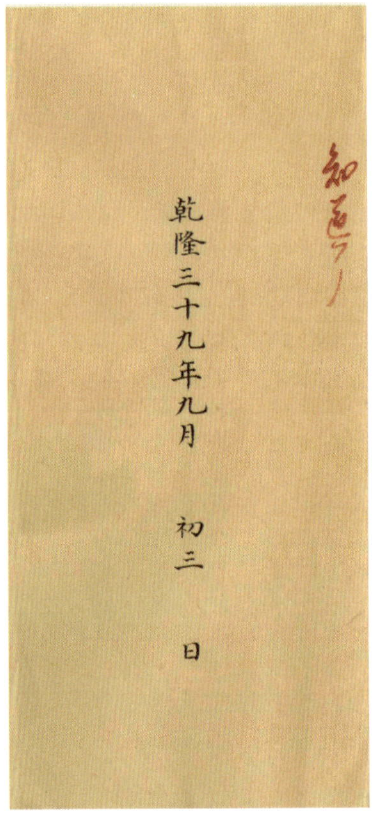

知道了

乾隆三十九年九月 初三 日

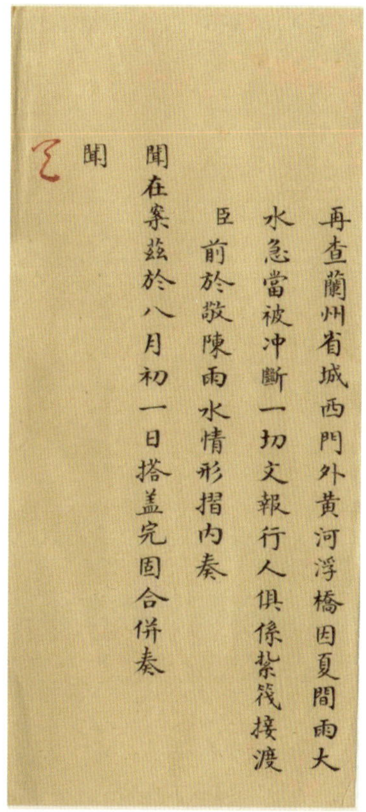
再查蘭州省城西門外黃河浮橋因夏間雨大
水急當被沖斷一切文報行人俱係紥筏接渡
臣前於敬陳雨水情形摺內奏
聞在案茲於八月初一日搭蓋完固合併奏
聞
覽

三六八

奏

山東巡撫臣徐績跪

奏為覆奏事九月初二日臣承准大學士于敏中

字寄乾隆三十九年八月二十八日欽奉

上諭因黃河南岸老壩口漫抉七十餘丈飭臣預籌

船隻物料留心採訪一俟高晉等咨到即速辦

齊運往仍一面辦理一面奏聞等因遵

旨寄信到臣臣思堵築漫口秫料蘇麻在所必需若

俟江省咨到起運恐稽時日臣與藩司國泰商

酌現令兗曹二府屬先辦秫料二百萬束蘇麻

五十萬觔一面令沿河州縣預籌船隻一俟辦

有若干即便陸續起運如尚不敷俟江省咨到

再為添辦外所有欽奉

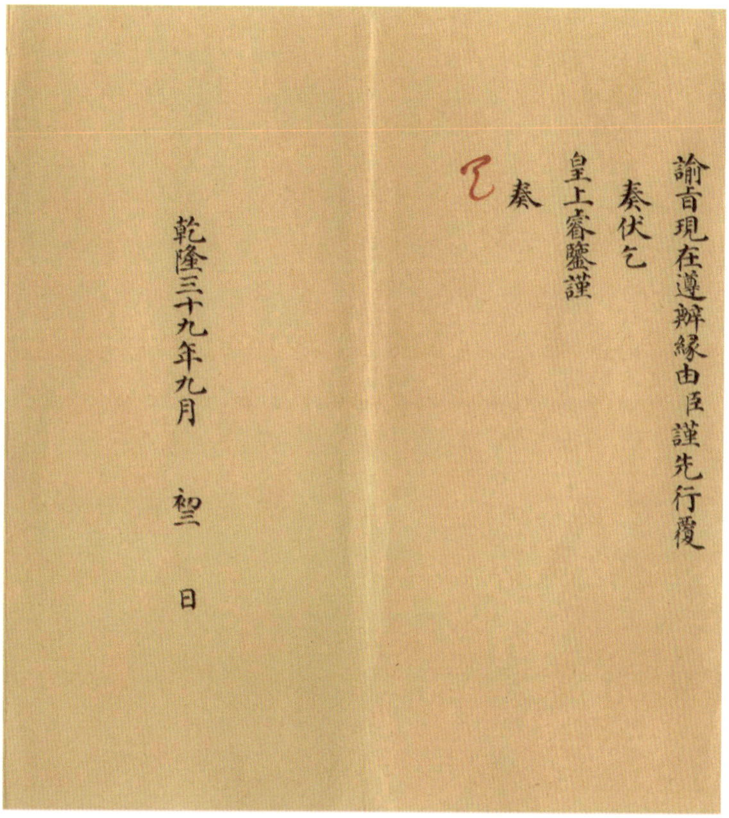

諭旨現在遵辦緣由臣謹先行覆
奏伏乞
皇上睿鑒謹
奏
覽

乾隆三十九年九月　初三　日

三六九

奏

臣高晉臣吳嗣爵謹

奏爲欽奉

諭旨恭摺覆奏事乾隆三十九年九月初四日接准大學

士于敏中寄字內開乾隆三十九年八月二十八日

奉

上諭據高晉等奏黃河南岸老壩口於十九日子時漫缺

七十餘丈附近之板閘淮安一帶俱有被淹等語業降

旨將疏防文武工員交部議處並將高晉吳嗣爵加恩

寬免矣老壩口堤工漫缺淹及板閘淮安一帶傷損民

房人口關係非輕高晉等應即速確查被灾情形據實

覆奏仍一面妥爲經理撫卹毋致灾民稍有失所其缺

口至七十餘丈水勢不小高晉身係總督現在工次督

辦於調集工料派董人員自更為得力但堵築缺口所
需秫稭蔴麻各項料物甚多從前堵塞漫工令豫東二
省幫辦料物而豫省循河而下尤為迅速今高晉雖稱
分委幹員迅速購運但恐江南所産之料不敷應用著
傳諭高晉籌酌現在情形如需河東兩省協濟備用即
酌定某省須辦某項料物若干星飛咨該撫上緊辦運
並諭何煟徐績預為籌辦船隻物料留心探訪一俟高
晉等咨到即速辦齊運往仍各一面辦理一面奏聞勿
致稍有遲悞至缺口情形若何現在作何下埽約計何
時可以合龍及清口倒漾籌辦情形若何並著高晉等
據實覆奏將此由五百里發往一併傳諭知之欽此欽
遵寄信前來臣等跪讀之下仰見我
皇上垂念河道民生
訓誨周詳之至意臣等踈於防守罪無可逭並蒙
聖恩曲賜寛免感悚之忱實難言喻除現在另摺奏謝
天恩外伏查外河老壩口漫工日來形勢已定兩壩用船
軟廂已做成一十五丈漫口以下被淹處所水已消
落二尺餘寸被水灾民督飭府縣搭棚棲止設廠煮

粥平糶散錢撫䘏民情俱各安堵以及清口引河淤

墊之處疏濬通暢各情形經臣等於初三日恭摺由

驛奏

聞在案撫臣薩載於出闈後現已趕到一切鐲賑事宜現

在會商辦理務期究棃得所以副

皇仁至於漫工需用料物仰蒙

聖明遠照令臣等籌酌情形如需河東兩省協濟即將應

用之料分咨兩省辦運濟用臣等恭讀

恩旨更深感幸竊查從前豐碭廳屬之孫家集銅沛廳屬

之韓家堂等處漫工因地在上游一經漫溢下游斷

流淮揚所屬料物由陸轉運緩不濟急是以俱從河

東二省購辦協撥今老壩口漫工地在下游就近之

桃源山安中河裡河等廳存工購柴并葦營蕩柴由

黄運兩河運工均屬稱便臣等當漫工之始已經酌

定數目撥運濟用仍恐或有不足查本年徐州各州

縣秋收豐稔又在徐屬添辦秫稭八九十萬束以備

接濟其大工需用䕸斤更為緊要亦經飛飭徐州府

知府在於所屬各州縣分投購買由黄運兩河陸續

運工可期無悮是此次漫口核計料物儘足敷用現
在遴委多員日夜催儹而到工者尚屬寥寥究其故
蓋因黄河駕駛之船本地甚少而河南山東船隻聞
下游現有漫工未免觀望不前今臣等遵
旨悉心復加籌酌稽料蓧斤可以無庸撥運若得河南山
東兩省將黄河船隻撥濟數百隻就近交徐州府運
送一切料物並賑濟米麥必更有濟臣等現已飛咨
河南撫臣何熠在於沿河附近徐屬之州縣地方代
雇船二百隻山東撫臣徐績代雇船一百隻各委妥
員循河而下押至徐州交該府照時給價分給各州
縣帮同裝運料物米麥源源接濟實爲大有裨益再
查漫口兩壩旬日以來築做壩臺廂修裹護得丈進
丈就現已到工并裝運在途料物計之初八日即可
揆埽接築探量口門雖現存六十餘丈但河底係屬
沙土水深三丈以外下埽後恐水勢日深一日每日
兩壩止能揆進兩埽每一埽計長十丈高一丈七八
尺不等入水之後廂壓到底計寬一丈二三尺不等
一日進埽兩個共寬二丈六七尺以六十餘丈口門

約計十月望前可以合龍臣等與在工文武官弁自
當共圖奮勉以期要工早一日合龍即早一日上慰
聖懷斷不敢稍存懈忽益滋罪愆緣奉
諭旨垂詢理合將現在辦理情形恭摺覆
奏伏乞
皇上睿鑒謹
奏
覽奏稍慰餘有旨諭
乾隆三十九年九月　望　日

三七〇

奏

河南總督管巡撫事臣何煟跪

奏為欽奉

上諭事本年九月初三日承准大學士于敏中字寄

乾隆三十九年八月二十八日奉

上諭據高晋等奏黄河南岸老壩口於十九日子時漫缺七十餘丈附近之板閘淮安一帶俱有被淹等語業降旨將疏防文武工員交部議處並將高晋吴嗣爵加恩寬免矣老壩口堤工漫缺淹及板閘淮安一帶傷損民房人口關係非輕高晋等應即速確查被災情形據實覆奏仍一面妥為經理撫卹毋致災民稍有失所其缺口至七十餘丈水勢不小高晋身係總督現在工次督辦於調集工

料派董人員自更爲得力但堵築缺口所需秫稭
䕩麻各項料物甚多從前堵塞漫工曾令豫東二
省幫辦料物而豫省循河而下尤爲迅速今高晋
雖稱分委幹員迅速購運但恐江南所産之料不
敷應用著傳諭高晋壽酌現在情形如需河東兩
省協濟備用即酌定某省須辦某項料物若干星
飛咨明該撫上緊辦運並諭何煟除續預爲籌辦
船隻物料留心探訪一俟高晋等咨到即速辦齊
運往仍各一面辦理一面奏聞勿致稍有遲悮至
缺口情形若何現在作何下埽約計何時可以合
龍及清口倒漾籌辦情形若何並著高晋等據實
覆奏將此由五百里發往一併傳諭知之欽此寄
信到臣臣跪讀
諭旨仰見我
皇上軫念要工訓示周詳至意伏查黄河漫口料物
最爲喫緊要務從前江南漫工曾經豫東二省
幫辦料物而豫省循河南下誠如
聖諭尤爲迅速此次老壩口漫缺需料若干協濟雖

尚未准江南督臣咨會第工程緊急若俟咨到
採買未免緩不及濟豫省現辦來年預備新料
如此辦事甚快之至有何可諭
七千萬觔業據各委員分頭領辦已有成數若
將豫省預備稭料先儘江省急用俾早到一日
早得一日之用而本省預備之料再行接續購
辦則事不煩擾而運濟迅速再臣查柴蔴二項
皆屬工需要料老壩口為江淮賣柴行户聚集
之地不難於辦柴而江南產蔴甚少恐難於辦
蔴令漫工所需蔴觔必須豫省協辦方得應手
濟用臣已飛飭產蔴之開封陳州歸德懷慶各
府星速辦蔴一百六十萬觔運至黃河各工聽
候江南咨會運用臣欽遵
諭旨飛飭藩司及管河各道將現辦本省稭料星速
趕辦齊足並分飭地方官多雇黃河船隻以備
裝載之用一面飛咨江南總督總河臣將應需
協濟料物數目移知立即委員運送以濟急工
斷不敢稍有稽延所有臣遵
旨預行籌辦緣由謹先恭摺奏

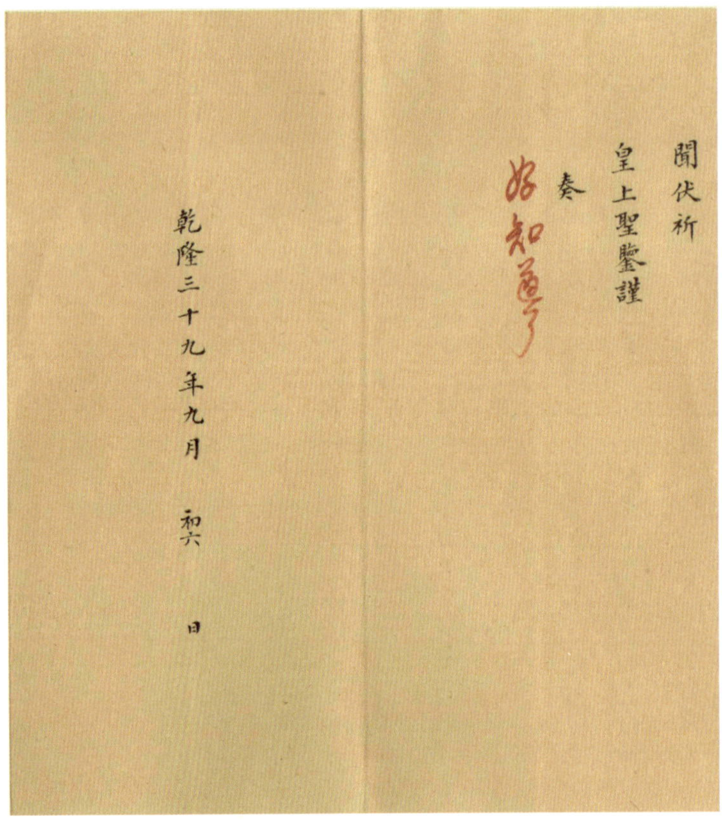

聞伏祈
皇上聖鑒謹
奏
好知道了
乾隆三十九年九月　初六　日

三七一

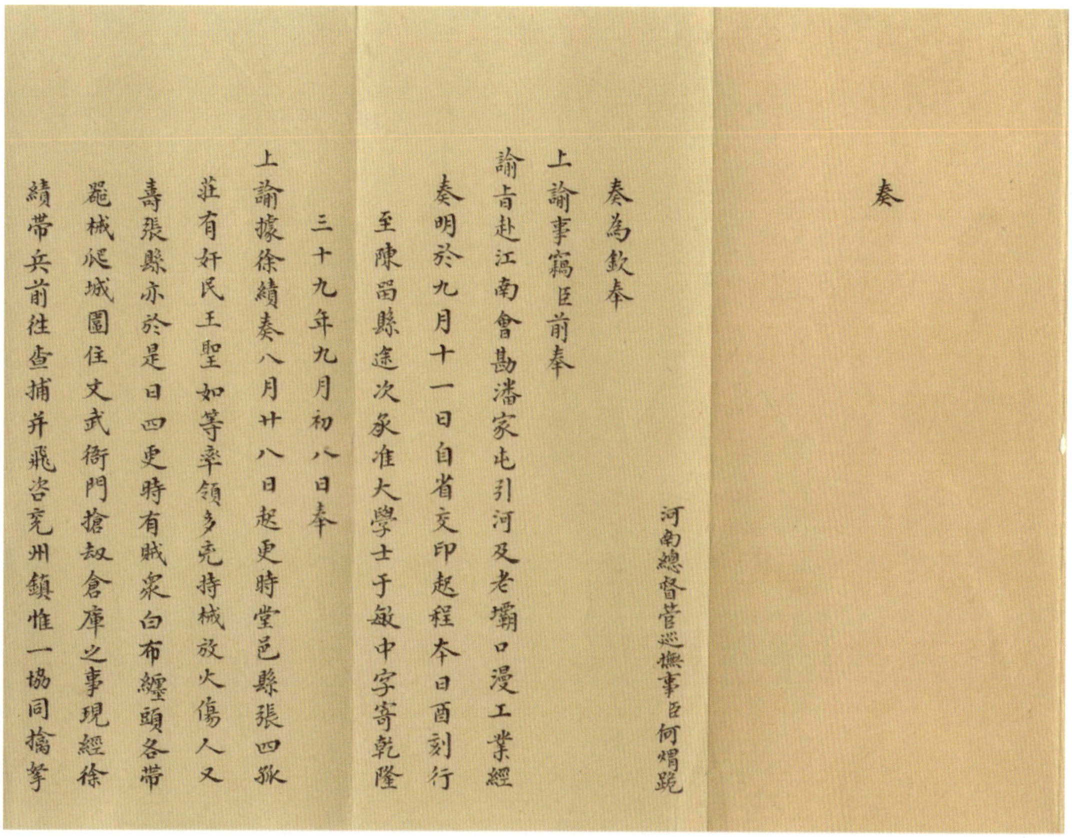
奏

河南總督管巡撫事臣何煟跪

奏為欽奉

上諭事竊臣前奉

諭旨赴江南會勘潘家屯引河及老壩口漫工業經

奏明於九月十一日自省交印起程本日酉刻行

至陳留縣途次承准大學士于敏中字寄乾隆

三十九年九月初八日奉

上諭據徐績奏八月廿八日起更時堂邑縣張四孤

莊有奸民王聖如等率領多兇持械放火傷人又

壽張縣亦於是日四更時有賊衆白布纏頭各帶

器械爬城圍住文武衙門搶刼倉庫之事現經徐

績帶兵前往查捕并飛咨兗州鎮惟一協同擒拏

本日又據徐績姚立德奏逆賊肆擾現在剿捕情
形稱逆匪首犯王倫係壽張人本屬白蓮邪教煽
惑愚民擅敢搶劫壽張堂邑陽穀三縣殺害官員
劫掠庫銀徐績等現駐東昌總滙之地分調官兵
四面截剿等語此等邪教匪徒輒敢煽誘鴟張實
為可惡但侵擾一處即棄城而逸究屬烏合之衆
不難即日擒拏正法第恐東昌一帶與河南直隸
俱屬接壤恐賊衆見官兵剿捕窘迫或致竄入豫
直二境潛匿甚或轉為滋擾更屬不成事體著周
元理何煟各於毗連東省地方一體嚴飭文武妥
密巡防如遇此等賊匪適竄到彼即當督同悉力
邀截擒拏昨曾諭何煟前赴江南潘家屯與姚立德
會勘引黄入湖事畢即順道赴老壩口協同堵築
漫口今東省壽張等處既有此案其事更為緊要
且姚立德此時亦駐東昌防守會劉其潘家屯工
程原非甚急即老壩口漫工亦據高晋等奏近日
水勢已殺易於辦理是何煟可不必急急前赴南
河其應需料物仍遵前旨偹齊聽南河調取特速

即擬往以濟要工俟東省捕賊之事完竣再赴
江南勘辦並諭徐績如賊匪勦平全數就獲即行
知照直隸河南二省毋稍舛誤將此六百里加緊
傳諭周元理何煟并徐績知之仍各將如何巡防
堵勦情形迅速覆奏欽此寄信到臣伏查東省邪
教匪徒敢於光天化日之下搶刼縣署殺害官
員其罪大惡極實堪髮指臣前准河東總河臣
姚立德咨會當即飛飭與東省接壤之各州縣
營汛四處堵禦巡拏並專委游擊都司大員帶
領幹練弁兵分佈要隘一面於黄河各渡口派
委文武員弁專司盤詰截拏業將辦理情形具
奏在案茲蒙
聖主訓示周詳恐賊衆見官兵勦捕窘迫竄入直豫
二境潛匿甚或蔓延滋擾自應協力痛加勦滅
俾烏合之衆不致四散遠逃而潘家屯工程尚
非甚急即老壩口漫工既經大學士總督臣高
晋等
奏報水勢已緩易於辦理誠如

聖諭則協勦奸民之事尤為緊要臣現在欽遵

諭旨即於十二日回省接印任事查豫省黄河口岸

現在封雇船隻賊衆斷不能飛渡惟彰德府之

內黄縣衛輝府之滑濬二縣路通東省恐致竄

越滋事臣現復照會河北鎮臣黄樸親至內黄

扼要之地駐劄督率并委河北道朱岐駐劄衛

輝府會同鎮將等調度彈壓其餘鄰近屬邑凡

汛少兵單處所俱酌量添撥防守如有賊黨竄

入豫境務期悉力邀截擒勦以伸

國法而靖地方斷不敢少有懈忽仍飭各文武慎

密妥辦不得轉有張皇驚擾所有臣遵

旨回省辦理緣由敬謹繕摺由驛馳

奏伏祈

皇上聖鑒謹

奏

已有旨了

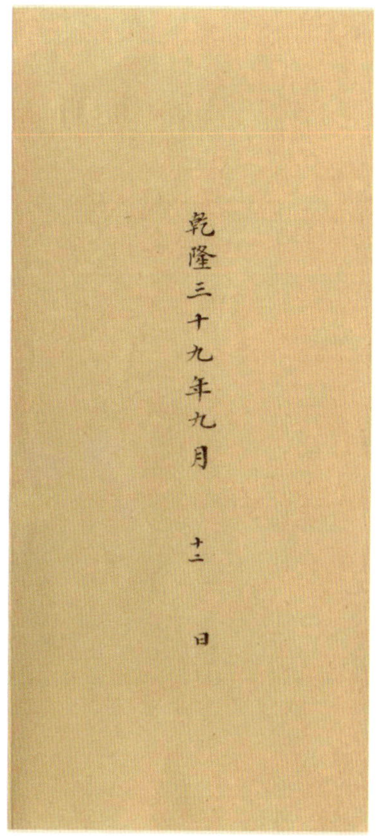
乾隆三十九年九月　十二　日

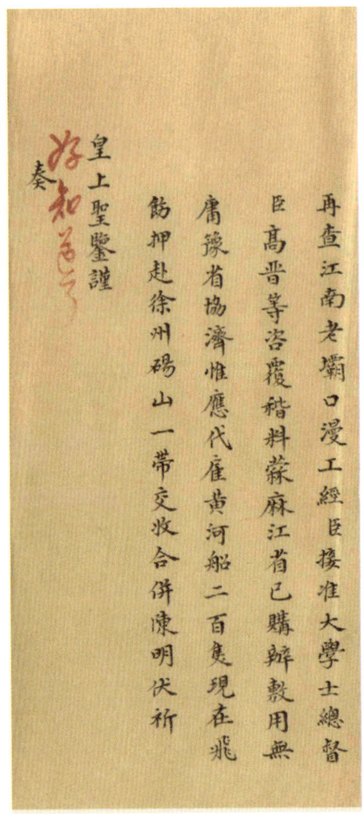
再查江南老壩口漫工經臣接准大學士總督
臣高晉等咨覆稭料蔴麻江省已購辦敷用無
庸豫省協濟惟應代雇黃河船二百隻現在飛
飭押赴徐州碭山一帶交收合併陳明伏祈
皇上聖鑒謹
奏
好知道了

三七二

奏

湖北巡撫臣陳輝祖跪

奏為勘明礦産情形酌籌試採事宜仰祈

聖鑒事竊照施南府咸豐宣恩二縣産銅前經臣

奏准部覆責成知府姚棻履勘果成效可期試採

一年酌定章程照辦等因臣隨飭遍歷確勘玆

據該府親往勘明砂礦色質就本地夫工資費

叅稽舊有章程酌定採收稽核諸事臚禀並赴

省備述情形查咸豐縣礦山廣濶分為東豐西

豐二厰宣恩縣定為宣裕一厰現除廢槽封閉

外勘有産銅槽峝共五十處内已得礦者二十

處有銅苗者三十處又産黑鉛槽峝共四處已

得礦者三處有礦苗者一處自上冬截至本年

五月覆勘日止共得礦煉成銅一萬四千七百三十餘觔得鉛礦三萬觔又截至八月底續得礦煉銅八百三十觔尚存未煉銅礦二萬二千六百餘觔續得鉛礦二萬四千一百餘觔各礦質高下不一每銅礦百觔計煉出淨銅自五六觔至十觔黑鉛礦百觔計煉出淨鉛自十觔至十五六觔零獲銀自分餘三四錢一兩零各不等此現在試採獲煉情形也該地不近苗疆現開各礦尚俱在山頭崖畔無礙廬墓田園商民相安無擾惟初採時多係淺土浮礦須就石峽引苗露處追鑿深入積聚之所名為得塘方能久旺近日各商專開石峽以致施工難而得礦少將來獲利自倍是以現俱踴躍各處礦尚惟視苗線顯伏隨時開閉增減不能拘定臣思得塘在破峽之後搥幽鑿險事難預定衆商何能費貲待利該地情形是否實能開採詢據稟稱各省礦廠歷來衰旺原無定形惟習慣認綫之夫察看山勢礦質知非暫時採獲所盡即可開

採現在西豐土脉豐隆深厚礦砂質色堅淨餘
廠遴差精華既洩未能中廢且此事前因官商
延案侵漁經臣叅奏審擬令地利不制之於官
稽察少疎易啟愚民爭攘之害現經該府廣招
殷商派立嵩頭商總收礦安爐層層稽核立法
頗為周密臣復與藩司酌核令章程既有定局
即可按照辦理應請即以本年五月十六覆勘
日起勒限一年試採俟期滿著效容另酌定章
程
題報至現既獲銅自應即為議定抽課收買而書
巡人役亦需食費應請每煉銅百觔照例抽課
二十觔再暫抽公費銅五觔餘銅半歸商賣半
交官買照粵西湖南廠銅定價每百觔給銀十
三兩並公費銅亦照給價官收統俟積有成數
查定脚價觧局充鑄其應需薪工除現在廠之
候補知縣牛兆奎李峯楊儀俱急公自効令試
採期内毋庸給費外計現設書役每月共需工
資銀四十四兩二錢請於公費銅變銀内支給

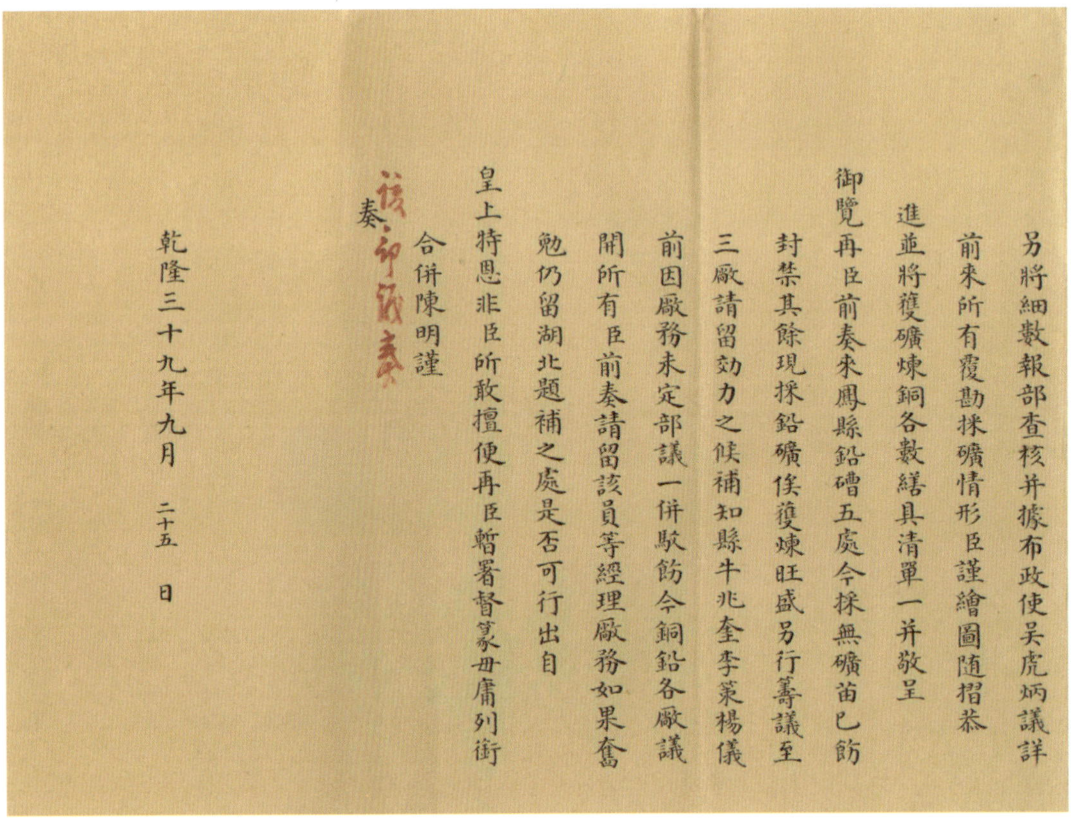

另將細數報部查核并據布政使吴虎炳議詳
前來所有覆勘採礦情形臣謹繪圖隨摺恭
進並將獲礦煉銅各數繕具清單一并敬呈
御覽再臣前奏來鳳縣鉛槽五處今採無礦苗已飭
封禁其餘現採鉛礦俟獲煉旺盛另行籌議至
三廠請留効力之候補知縣牛兆奎李萊楊儀
前因廠務未定部議一併駁飭今銅鉛各廠議
開所有臣前奏請留該員等經理廠務如果奮
勉仍留湖北題補之處是否可行出自
皇上特恩非臣所敢擅便再臣暫署督篆毋庸列銜
合併陳明謹
奏　該部議奏
乾隆三十九年九月　二十五　日

再時屆霜降據管河各道廳禀報豫東黃河水勢消落現在僅存長水一尺餘寸工程穩固等情臣姚立德謹將黃河秋汛安瀾緣由附摺奏

聞仰慰

聖懷謹

奏

覽

三七三

奏

臣吳嗣爵臣薩載謹

奏爲漫工用過錢糧數目仰祈

聖鑒事竊照堵築黄河漫口工程浩大用料繁多經理稽查稍有不周易致糜費大學士督臣高晋同臣吳嗣爵於漫工之始即詳悉勘定情形約計需用料數一面在於附近各廳存工購柴及葦營蕩柴内酌量撥協并令各縣趕辦雜料蔴觔雇募人夫濟用臣薩載於到淮後一體檄飭催儹一面遴委諳練同知通判設廠收支其跑篩買土搬運料物給發夫工錢文另委誠實可信之員經手東西兩壩分派河庫道朱復忠淮揚道松齡董理巡查臣等分駐兩壩時刻留心

稽核督飭各委員撙節辦理不使稍有妄費該工漫口初就水面徑直篾量約寬七十八丈追堵築時兩壩迎水進埽挑溜順勢共下過埽六十八箇合龍之後查丈工段連兩崖軟鑲共長八十九丈統計用過正雜各料及夫土錢文共銀十一萬兩有奇在於河庫積年餘存公項款內動支毋庸另請正項錢糧此內道府廳縣叅遊守備並文武汛員應行分賠之數照例按股著賠追繳還款除將用過錢糧核實造冊分別應賠應銷另行恭疏具

題外所有堵築漫工動用錢糧數目謹會同大學士督臣高晉繕摺具

奏伏乞

皇上聖鑒謹

奏

另有旨諭

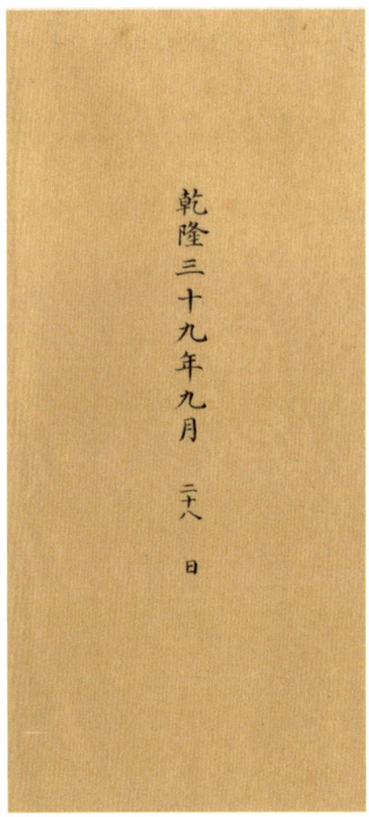

乾隆三十九年九月二十八日

奏

臣吳嗣爵臣薩載謹

奏為欽奉

上諭恭摺

奏覆事本年九月十六日臣等會奏趕築漫工查

辦灾民情形一摺於九月二十六日奉

硃批覽奏俱悉一切勉為以冀速救灾黎餘有旨諭

欽此又遞到乾隆三十九年九月二十日内閣

奉

上諭前據高晉等奏八月十九日因黃水驟長外河

老壩口迤下堤工漫口七十餘丈板閘淮安一帶

俱被水淹居民房屋人口間有坍損當即諭令高

晉吳嗣爵薩載迅速鳩工堵築復屢次傳諭該督

撫将各属被灾村庄户口迅速確查應行分别撫
䘏蠲賑事宜妥為經理第念該處猝遇水灾被淹
情形較重朕心深為軫念著加恩将被水之山陽
清河二縣及漫水下注之鹽城阜寧二縣所有乾
隆四十年應徵錢糧全行豁免以示體恤冀其元
氣早復共享安恬其應行撫䘏賑濟各事宜仍著
遵照前諭詳悉奏聞請旨該督撫其董率所属迅
速妥協經理務俾灾黎均沾實惠以副朕優恤無
已之至意該部遵諭速行欽此並准户部咨行前
来伏查山陽等縣被水灾民臣等欽遵
恩旨加意撫綏今山陽清河二縣應撫户口已經次
第竣事其下游鹽城阜寧二縣過水處所臣薩
載因駐工協辫堵築漫口之事飭令淮安府陶
易親往率同印委各官徧歴確查一例撫䘏體
察民情業已共戴
皇仁咸各得所各灾属本年應徵地丁錢糧例應按
照成灾分數予以蠲免蠲剩銀米分年帶徵至
應徵漕糧漕項定例係臨時請

旨查被水之山陽清河二縣及漫水下注之鹽城阜
寧二縣並坐落山陽阜寧之淮安大河二衛丁
屯被淹情形較重所有漕糧漕項銀米亦應按
分蠲免其應徵乙未年新賦同節年舊欠錢糧
漕米槩應緩至明年秋成徵辦臣薩載酌看情
形詳查例案同東臺等縣被旱田地現在另疏
題報請
旨遵行再賑濟章程貧户應分極次饑口應分大小
稍不詳慎易啓胥保侵冒之弊業經多派委員
協同印官分投挨查造冊詳送尚未查竣茲荷
皇恩浩蕩將被水之山陽清河鹽城阜寧四縣乾隆
四十年應徵錢糧全行豁免臣薩載敬謹刊刷
謄黄即於二十七日在淮城内外及清江浦一
帶徧貼曉諭其遠鄉及阜寧鹽城二縣專差賫
送一體宣播災黎無不感頌
聖慈懽聲載道查十分災極貧十月内即應給賑臣
薩載俟查賑委員冊報到日即親歷各村庄問
户抽查如期散給不使稍有遺濫淮城添築墻

座加夫車序之後東南二門業已乾涸居民之
遷歸故廬者約有十分之七惟西北二門地處
窪下門外水勢尚高車序不及存水一二尺不
等板閘湖嘴一帶自漫口開工堵築河流漸歸
正溜漫水亦日漸消落仝賴
聖主洪福大工業已合龍臣等現在另摺
奏報從此漫水日消闔署民房勢必立見涸復即
淮城西北二門亦可開啓以瀉積水設其中或
有停沙積淤應行開挖溝槽以利宣洩之處臣
等添委地方河工各員會同該縣相機設法趕
辦俾棚棲露處灾民全登衽席以仰副
聖主優恤無已之至意近來運河清水充盈回空糧
艘啣尾南下已有一千四百餘隻商販通行居
民安堵臣吳嗣爵現在老壩口合龍工程駐守
防護督澆土戧穩固即赴各屬查勘工程臣薩
載亦即前往板閘淮安等處督辦疏消積水並
蠲賑一切事務隨時奏
聞外所有灾地應行蠲賑各事宜臣等謹會同大學

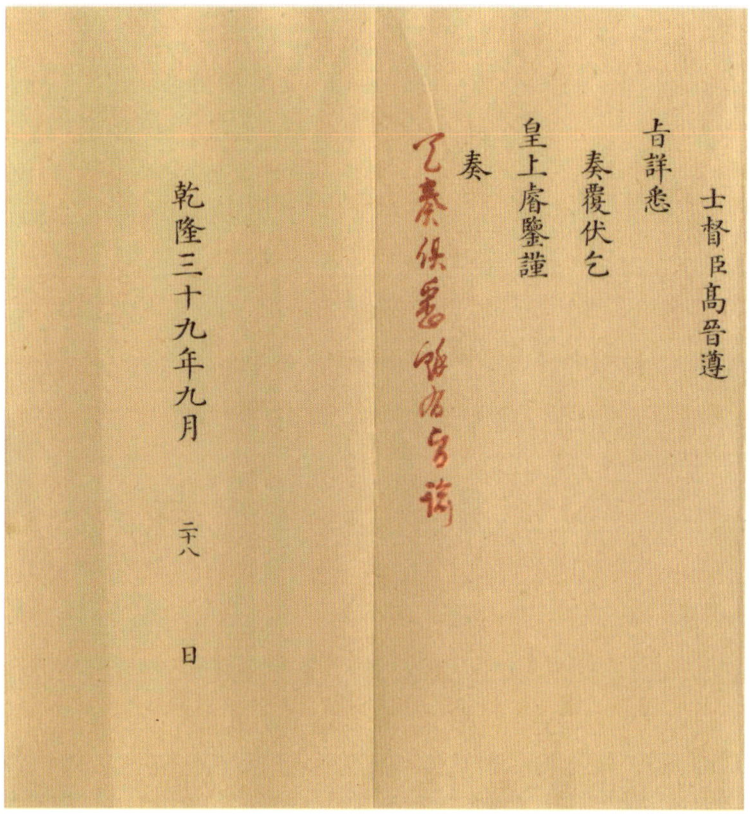

士督臣高晉遵
旨詳悉
奏覆伏乞
皇上睿鑒謹
奏
另奏俱悉賑濟另諭

乾隆三十九年九月　二十八　日

三七五

奏

河東河道總督臣姚立德謹

奏為奏報凌汛工程平穩仰祈

聖鑒事竊照豫東兩省黄河地居上游每遇冬令河水凝結成氷剷削堤埽甚關緊要上冬天氣較寒氷凌頗大臣督飭該管道廳加意防護并遴委幹員分歷兩岸於緊要工所添掛逼凌樁木期於一無疎漏處處鞏固前經恭摺具

奏在案兹據各道先後稟報冬至後風嚴氣冽河内漸有氷凌即留心防範十二月初旬黄河凍合交春以來河氷判解順流漂淌勢若排山兜灣迎溜埽工尤為喫重所掛柳樁柳把足資搪護其壅積之處督屬率領兵夫晝夜在工用力

撐擊不使稍有懈怠今立春已及旬日時序融和冰凌以次消化積凌之水加長三尺餘寸旋即退落各處工程均保護平穩等情臣查凌汛既過所有預防伏秋事宜全在春間善為籌辦乘此水勢落枯之候埽工出水較高其間底料之朽腐空虛易於查看如應拆修者即可及時確估從根底做起庶得料實工堅免致大汛時匆忙靡費臣現在飭行管河各道先為察勘據實估報其各廳新收稭薪等料并令先行盤驗勿任絲毫短少弊混臣俟運河挑工全竣開壩鋪水之後前赴黄河兩岸按工逐一覆估覆盤核實辦理所有凌汛已過工程穩固緣由理合繕摺奏

聞伏乞

皇上聖鑒謹

奏

知道了

乾隆四十二年正月初六日

三七六

奏

奴才薩載跪

奏竊奴才於二月初三日在山安海防查工接署

漕臣德保札稱正月二十三日

皇太后升遐奴才驚聞之下五中摧裂奴才前奉

諭旨於開放陶莊引河後再行進京

陛見現在黄水較前稍長奴才與高晉商定於二月

十五日開壩放溜奴才遵

旨上下察看大局一定將新河情形奏

聞即兼程進京叩謁

皇太后梓宫以盡犬馬微忱並叩請

聖安稍伸依戀謹先恭摺具

奏伏乞

皇上聖鑒謹

了奏

乾隆四十二年二月　初四　日

三七七

奏

太子太傅內大臣大學士仍留兩江總督統理河務革職留任臣高晉謹

奏為遵

旨據實覆

奏事竊臣在滁州會同侍郎阿揚阿查辦琨玉之案接

到大學士舒赫德于敏中寄字內開乾隆四十二年

二月二十六日奉

上諭據高晉等奏報陶莊引河開放功成大溜暢注情形

一摺覽奏深為欣慰已於摺內批示並明降諭旨將薩

載交部議叙矣陶莊開挑引河為治黄一大關鍵今開

放之後新河內大溜暢注衝刷寬深形勢甚順從此清

黄分流直至周家莊滙歸東注清口可免倒灌之虞實

為一勞永逸非河神黙佑不能成此鉅功自應於該處

立廟以酬
神貺又另摺内所稱通湖引河勘辦情形此皆其餘事惟
當謹防舊河口最為關係重大又老黄壩工程尤關緊
要更宜悉心詳慎防護以期永遠鞏固至摺内稱原估
挑水壩工計長七十七丈其餘河面僅有二十七丈與
其留此河汊旁洩不若一律估築使水無分注則全河
溜勢自必盡歸新河雖所用工料加增銀八千餘兩於
要工更為有裨等語所奏甚合機宜自應如此辦理其
舊河内未築壩工據稱旬日内可償堵告竣現在曾否
已經堵築畢工並著上緊妥辦至現在河身挑寬若干
及河流暢注之處自應繪畫全圖貼說註明以便省覽
何以伊等見未及此著傳諭高晉薩載速即詳晰繪圖
貼說並將工所立廟及老黄壩工程如何防護之處迅
速據實覆奏將此由四百里諭令知之欽此遵
旨寄信前來又臣前由驛覆
奏遵
旨赴安徽查辦事件摺内聲明陶莊引河已於二月十五
日開放暢順業將功成情形會同河臣缮摺專差

奏報幷蒙
聖訓以既經開放暢順自應由驛馳奏以慰厪懷乃差人
進摺此時尚未到京何以不權事體輕重若此至引河
既經開放則舊口自應嚴密堵禦或將木龍相度移置
或竟度地堅築埽工俾引河永遠暢流以資鞏固高晋
等接奉此旨務須盡心籌畫相度機宜妥協商辦並着
詳悉覆奏欽此仰見我
皇上睿謨廣運智炳幾先凡善後應行堵禦防護之處悉
在
聖明籌度之中
訓示周詳無微不到臣跪誦之下與河臣更知有所遵循
中誠欽服感頌難名臣等奏報開放引河功成情形
一摺不能仰體
聖懷即行繪圖由驛馳
奏實屬疏忽荷蒙
訓諭祗切悚惶伏查陶莊引河既經開放成功其善後防
護一切工程實關緊要除舊河口應行堵禦一節業
將辦理之處奏聞

聖鑒

嗣堵築完竣上水漸次停淤下水業已澄清該工即
為清黃界壩清口舊有木龍七架臣在工時與河臣
薩載詳勘熟籌頭二三架正對新河挑溜有力應仍
其舊第四架已在新河口以下應拆卸移置二龍迤
上紮做以之挑溜護灘亦甚有益迤下之五六七三
架業已淤入土中應將木植刨挖拆起以為將來新
河內改紮木龍之用其黃河大溜循流而下趨入新
河由周家莊一帶直達中泓並未旁趨偏注形勢頗
為暢順清黃分流直至周家莊滙歸東注與黃河下
游各工并老壩口工程均無妨礙新河頭原寬四十
丈今已刷寬至七十餘丈河身河尾原寬三十五丈
及三十丈不等今現寬五六十丈河底水深一丈四
五尺兩崖尚高出水面二三尺較原估已刷深六七
尺往後汛水長發溜勢湍急河身日見冲刷可期與
舊河一律寬深新河兩岸應築堤工攔禦南岸應就
陶莊積土翻築從新壩根起至河尾止北岸則以越
作繼加培高厚以資鞏固前於會
奏開放引河功成情形時因舊河口尚未堵竣形勢未

定是以未經繪圖恭呈
御覽昨於清黃界壩堵竣後形勢大局已定業由河臣薩
載繪畫全圖貼說註明並將商定應辦善後各工詳
細繕摺由驛具
奏仰慰
聖懷至此次開挑陶莊引河爲治黃一大關鍵今開放成
功實賴
聖主洪福
河神默祐所賜今奉
諭旨令於該處立廟以酬
神貺臣現即札商河臣擬於清黃界壩之南北兩岸相
度地勢遵
旨確估敬謹建造另行奏
聞再准河臣薩載札知現在進京
陛見臣已飛飭道將廳營將黃河下游各工及老壩口工
程應行防護之處隨時察看相機保守臣一俟查辦
琨玉之案事竣即遄赴河工督辦防護以仰副我
皇上慎重河防至意所有遵

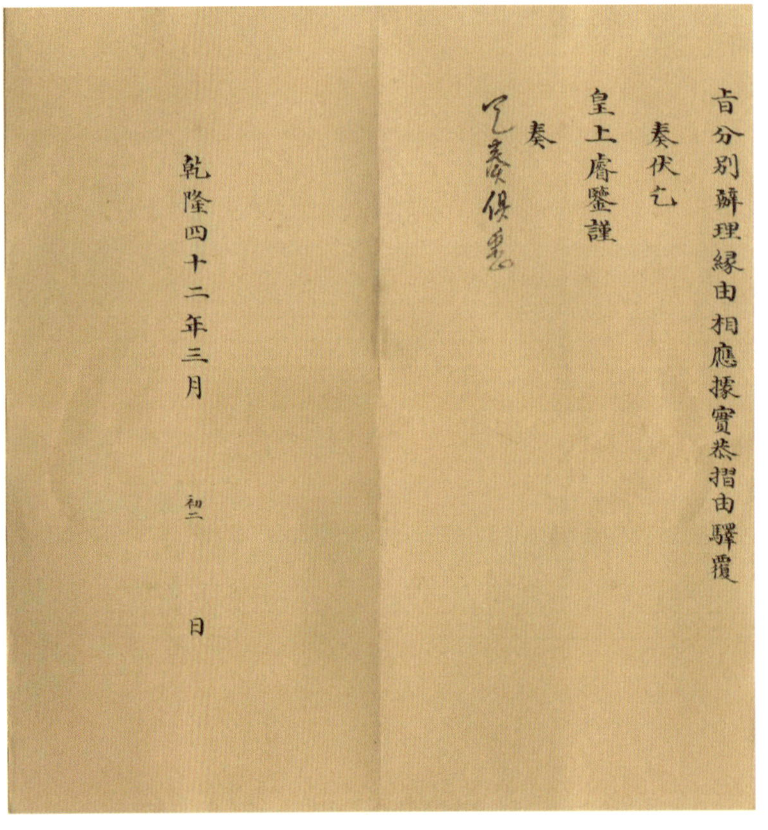

旨分别辦理緣由相應據實恭摺由驛覆

奏伏乞

皇上睿鑒謹

奏

覽奏俱悉

乾隆四十二年三月　初二　日

三七八

奏

河東河道總督臣姚立德謹

奏為奏報微臣起程赴豫防工事竊查豫東黃河
工段綿長臣例於伏汛前赴工防守昨據甘肅
寧夏府呈報黃河於五月二十四五日陡長水
五尺臣隨飛飭兩岸道廳加意巡防並咨江南
河臣一體防護查六月十六日即屆入伏之期
今重運糧船日內全進閘河漕臣尾押督催行
走不虞遲滯現當大雨時行南岸伊洛瀍澗北
岸沁丹等河發水靡定一切堤埽工程攸關緊
要臣於初九日從濟寧起程由曹單廳屬之黃
堽上堤自東而西沿途查察至蘭陽廟工適中
之地駐劄不時来往兩岸挨廳履勘審溜勢之

趨向定工程之緩急務使工歸實在帑不虛糜
此後水勢長落工程平險情形臣隨時具
奏外所有臣起程赴豫防工日期理合繕摺
奏報再五月二十七八日黃河長水一尺八寸六
月初五六日又長水二尺工程平穩合并奏
聞伏乞
皇上聖鑒謹
奏

乾隆四十二年六月　初九　日

三七九

奏

河東河道總督臣姚立德謹

奏為黃河疊次長水工程修護平穩恭摺奏

聞事竊查本年交伏以後黃河上源來水旺盛沁洛諸河又滙入東注前長未消後長踵至臣到工時即周歷兩岸督飭道廳營汛分住要工嚴密修防七月初三四日臣在曹儀廳屬查工見水勢加長連前共長至六尺一寸臣即自下而上分督加緊修守初五日察看河中水已消動於蘭陽工次將伏汛水勢安瀾工程平穩情形奏

蒙

聖鑒是日接據陝州呈報該處萬錦灘黃河水誌初三日驟長水五尺故下游有此盛漲臣沿堤而

行漫灘之水處處皆有武陟滎鄭等處灘地本高亦間段漫及各處堤根之水有深二三四尺者其下游儀考一帶並有深至五六尺者前次所發埽枕搪護堤坡已沉沒水内分飭各汛於緊要處再採青柳青草加紮套枕掛護以免風浪撞刷埽工與水相平以及埽面漫水數寸者均令趕緊圍鑲出水二尺厚壓頂土以防大溜掀揭其挑溜大壩則滿鑲高厚俾上下各段俱得資其挑禦初六七日消水一尺八寸臣初九日行至滎澤又據陝州報初八日萬錦灘復長水三尺查閱武滎汛内是晚亦接續增長二尺八寸較伏汛内七月初四最大之日更大尺餘幸各廳埽工甫經鑲竣足以保衛而考城汛堤工矮處出水止有尺許頗屬險要隨即飛諭管河道督集夫役連夜搶築子堰一律高出水面三尺用資捍禦十一日臣在黃沁交會處渡河至南岸看上南廳所管揚橋等工該工素稱緊要當長水之際適撫臣徐績臨工即督同道廳

料理鑲修物料充裕人夫齊集辦理較為妥速
令自初十日至十三日河水已消去二尺七寸
現存長水四尺五寸其間有埽隨水蟄垂頭平
水之工秋汛方臨臣復酌令加鑲出水二三尺
使工資穩固此次長水之大為十數年來所未
有仰叨
皇上福庇
河神効靈波浪不興修築迅速現在工工鑲護安
穩足可仰慰
聖懷再臣於初四五日經行儀封陳留蘭陽祥符封
邱等邑境内俱遇大雨秋禾已經結穗者更可
飽綻棉花黍荳並得發榮暢茂最後佈種之蕎
麥藉以出土滋長農民莫不喜形於色兩岸河
灘原係高窪不一高者水未淹及窪者十止二
三内中種植秫秫蘇蘇為多係幹甚長仍可有
收惟黍荳不無淹損然水漫處澄淤肥厚明歲
春麥可期倍穫民情十分寧貼臣現復循南岸
挨廳察勘預防直至江南交界過河回廟工適

中之地駐劄策應理合一并奏
聞伏乞
皇上聖鑒謹
奏
已奏欽此

乾隆四十二年七月　十三　日

三八〇

奏

河南巡撫臣徐績跪

奏為奏

聞事竊查本年交伏以後黃河屢次長水俱係隨長隨消至七月初五日據陝州申報該處萬錦灘於初三日驟長五尺兼之連日大雨丹沁伊洛諸水同時並發以致黃河盛漲出槽漫灘之水在在皆有臣當即嚴飭道廳並沿河州縣一體加意防護至初六七兩日消落尺餘初九日又據陝州報稱初八日萬錦灘復長水三尺各廳縣稟報前後亦長水六七尺不等緣甘肅寧夏府自七月初五初六初七等日連次報稱長水五尺有餘是以前水未消後水又至考城一汛

地處窪下堤岸最矮之處出水有止尺餘者臣
當即飛飭河道忠德馳赴考城汛迅集夫役晝
夜搶築子埝以資鞏固并因楊橋一工尤為險
要河臣姚立德正在北岸往来防護臣即由黑
堽等處親赴楊橋督同該廳汛搶護加廂河臣
姚立德亦由武榮汛渡河臣即會同督辦俱一
律廂修穩固今於七月十三日河水已消落二
尺七寸順軌安瀾處處平穩此次長水異於常
年居民安處無虞此皆仰賴
皇上福庇所至再查沿河灘地最窪之處穀豆不無
淹損然向来預防漫漲種植本屬無多其餘高
粱蘇蔴仍可收穫且停泥掛淤於来春二麥大
有裨益民情實為寧謐現在秋汛尚長臣仍飭
各道廳營汛加意防守不使稍有疎懈所有水
落工平情形理合恭摺奏
聞仰慰
聖懷伏祈
皇上睿鑒謹

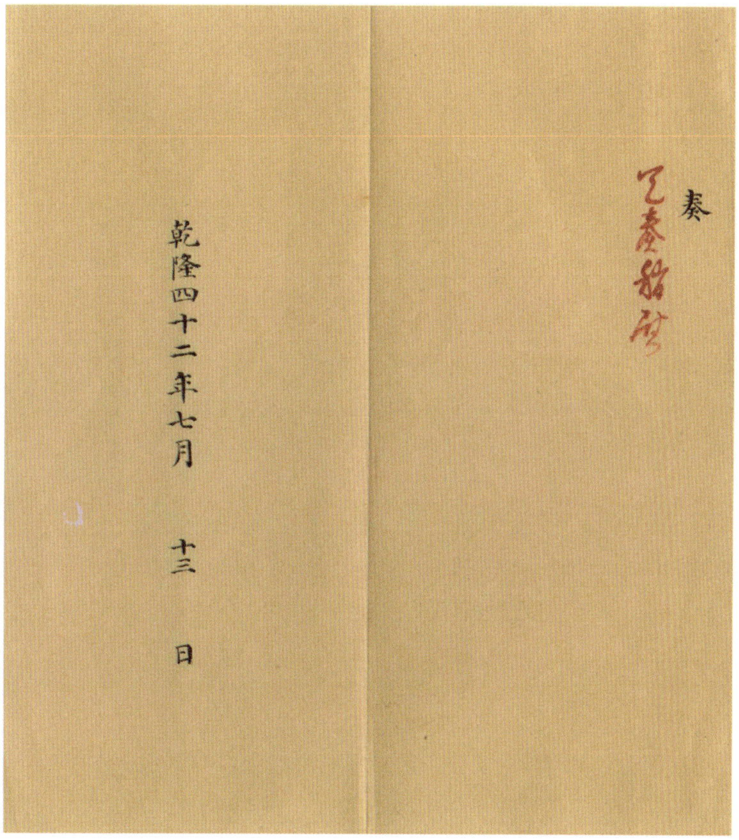

奏

覽奏欣慰

乾隆四十二年七月　十三　日

三八一

奏

河東河道總督臣姚立德謹

奏為遵

旨奏覆事竊查臨清衛守備萬世通等啓板搶閘一

案臣前次接奉

旨諭彼時漕臣業已督運北上河務又當秋汛初臨

隨循照常例請俟防汛事畢會同審擬緣由恭

摺奏覆本月初三日臣在儀封工次准漕臣德

保札會欽奉

批諭現自天津趕回臨清迅速審辦萬世通一案移

咨前來臣因日內工務尚須親為防範難以驟

離正在具咨移覆本日酉刻臣賫摺把總回工

奉到

廷寄一件内開大學士公阿桂大學士于敏中字
寄乾隆四十二年七月二十八日奉
上
諭前因守備萬世通搶閘滋事一案已諭令德保
速赴臨清嚴審定擬矣運弁押送回空船擅放閘
板致悞重運實屬膽大不法自應即速審明重示
懲儆至閘官崔體淵擅離職守不過一無能為之
人較漕員之罪尚輕其事無難查辦但閘河關繫
漕運而搶閘之事又從来所無不可不速行審結
重究俾知炯戒昨德保請於押運抵津後来京陛
見朕以此案情節重大德保應即往臨清會審不
必来京今姚立德請俟漕臣督運事竣過濟時會
同審辦此案尚屬拘泥舊例所奏非是德保現奏
接奉前旨即於七月二十六日起身馳赴臨清計
八月初即可到彼護撫國泰亦前往會訊姚立德
現在豫省防汛如大汛已平不過尋常防護事宜
原可交付徐績代為妥辦姚立德即赴臨清審事
若防汛尚有應行籌辦要務不便暫離河干則此
案原以漕員萬世通為重現有德保國泰在彼會

訊無難得其實情姚立德即當一面奏聞一面知
會德保等審辦豈可拘於常例致重案久懸乎將
此傳諭姚立德迅速酌辦仍將如何辦理情形即
行覆奏並諭德保國泰知之欽此臣跪讀之下仰
見
聖主訓示周詳至意臣查豫省黄河入秋以来水勢
長發極大自七月初十日後陸續消退現止存
長水三尺餘寸上下各廳堤埽工程俱極穩固
白露已届可慶安瀾惟北岸蘭陽汛之下段儀
封汛之上段灘水甚大該處灘面向係南高北
窪前次長水普律漫灘内有汕刷溝槽數道分
注北趨而南岸儀封汛各壩埽前大河漸見停
淤雖該處埽工可望淤平而河勢偏趨又慮有
閃舊生新之舉旬日以来臣乘駕船隻自上而
下其大河漫灘之處與灘水入河之處一一查
看現在應有抽挑者已派幹員分投抽挑應攔
阻者仍須相機堵閉臣惟有因勢利導隨時妥
辦既不敢有失事機亦不致妄有糜費一俟灘

水漸消可以無須駐防另當隨時具
奏所有臣不及赴臨清會審緣由遵
旨知會德保國泰外理合據實
奏覆仰祈
皇上聖鑒謹
奏

是知道了

乾隆四十二年八月　廿四　日

三八二

奏

河東河道總督臣姚立德謹

奏爲奏

聞事竊照豫省黄河南北兩岸堤埽工程均極穩固

惟蘭陽儀封兩汛灘水甚大河勢偏趨臣須留

豫籌辦緣由業經奏蒙

聖鑒白露以後南岸儀封汛各壩埽前益見停淤黄

河溜勢多由北岸蘭陽汛之牛家塲汕刷溝槽

漫灘下注蘭陽汛下段儀封汛上段大堤一帶

堤根俱有滙注之水雖全河大溜去堤尚遠而

堤根有水即爲緊要工程臣督率道廳營汛并

多委幹員分段防守或於緊要之處幫築重戧

或於卑矮工段加築子堰或用柳枝軟草紮枕

攩禦處處星羅碁布嚴密防範一月以來仰賴
聖德光昭
河神默佑兩汛堤工十分鞏固現在大河之水挾
漫灘之水仍由儀汛十八堡滎華寺前歸入舊
河東注從前出水口門不能通暢臣屢次乘舟
親至其處多覓小船督令兵夫設法疏濬現已
暢流入河勢甚浩大察看河勢情形北趨之象
已成應須斟酌機宜預為籌備查南岸儀汛各
壩埽工業經淤閉北岸滎華寺之下舊有三家
庄埽工歲事鑲修今因滎華寺前出水湧湍挑
溜直走中泓埽外亦已澄淤均可無事修做將
來北堤着河緊要處所即使生工以現閒兩舊
工之料物錢糧移為來年新生工段之用自可
有盈無絀目下白露久逾各工平穩但現存長
水尚有二三尺不等臣仍須駐工往來查察俟
水冷力綿諸可放心臣再
奏明回濟料理運河事宜所有黃河水勢及工程
平穩情形理合恭摺具

奏伏祈

聖鑒謹

奏

覽奏俱悉

乾隆四十二年八月　十六　日

三八三

奏

太子太保內大臣大學士仍留兩江總督兼理河務革職留任臣高晉謹

奏爲奏

聞事竊臣在徐防汛前將上下各工水勢平穩并地方情

形於七月底繕摺奏蒙

聖鑒八月以來仰賴

皇上洪福風恬浪静黄河水勢旋長旋落徐城誌樁現存

水一丈一尺二寸通工俱甚平穩節逾白露此後水

勢可望漸消陶莊新河形勢暢順河身河底日漸冲

刷寬深大溜直趨北岸其南岸改紥木龍三架頭架

已據具報紥竣二三兩架現在次第催紥挑溜甚爲

得力舊河内之順黄攔黄壩一律堅固清水暢出力

足抵黄今年伏秋無倒灌之患此皆我

聖主指授機宜新開陶莊引河歸墟通利之明效也通工
文武莫不額手稱慶洪澤湖水據報亦已陸續消落
一尺六寸堰盱磚石工程悉俱穩固臣因徐城水誌
漸消即赴上游豐碭廳屬查勘各工并毛城鋪過水
情形順到下游洪濉二河查看減下之水循軌安流
並未出槽漫灘為患臣勘畢上游現回徐州再看水
勢平定即由黄河坐船挨看各廳兩岸工程直至山
安海防一俟勘明通河形勢再行
奏報至臣前
奏安東阜寧海州沭陽四州縣窪地一隅被淹之處今
據印委各員查勘禀覆海州沭陽二州縣低田已經
涸出補種不致成灾惟安東阜寧二縣被淹之區驟
難消涸勘實成灾各止七分現與撫臣督飭藩司照
例辦理不使向隅以副
皇仁其餘各屬地方晴雨調匀早稻穇粮均已成熟現在
次第刈獲晚禾長發茂盛亦可豐收各集市粮價稱
平民情悦豫所有上游黄河水勢漸消工程平穩并
臣現赴下游勘工緣由理合恭摺具

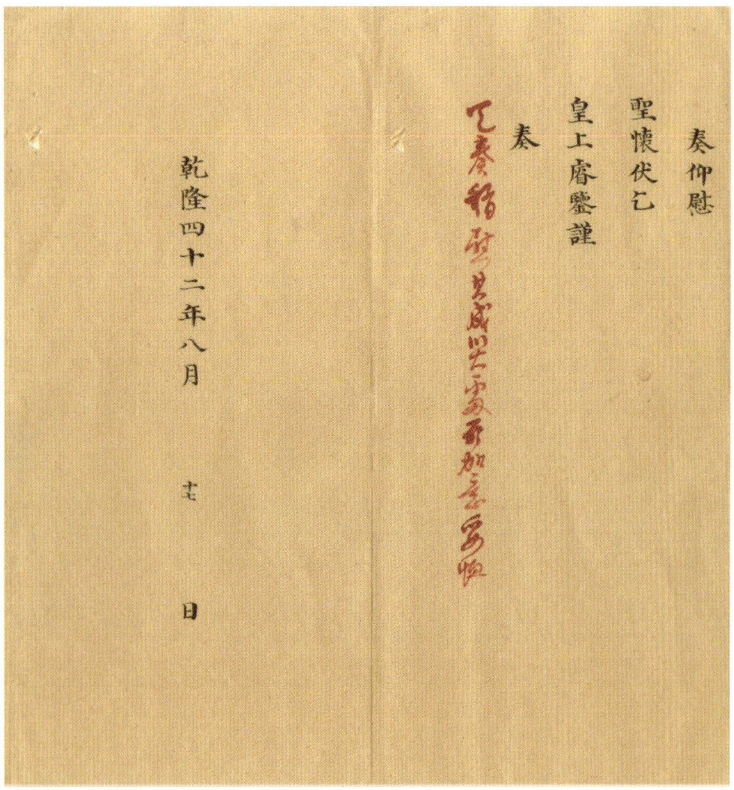

奏仰慰
聖懷伏乞
皇上睿鑒謹
奏
覽奏稍慰益感上蒼更加意妥慎

乾隆四十二年八月　　廿　　日

三八四

奏

河東河道總督臣姚立德謹

奏為豫東黃河工程平穩微臣自豫回濟日期仰

祈

聖鑒事竊照豫東黃河水勢旬日以來日見消落現在淨存長水僅七八寸及一尺一二寸不等南北兩岸各廳堤埽工程均極平穩北岸蘭陽汛下段儀封汛上段因黃河於七月內普律漫灘由牛家堨汕刷溝槽順堤東注經行灘面五十餘里由儀封汛十八堡對面滎華寺仍入大河業經臣奏蒙

聖鑒臣因滎華寺入河處不能暢達廣集兵夫設法疏濬日見深通臣於前月二十五六等日帶領

道廳復往查看出水口門已寬至一百餘丈勢頗湍順重載船隻均經行其間往來無阻堤根漫注之水亦漸次消落該處一帶堤工分委幹員往宿防守可保無虞目下正值新料登場發銀購辦之時臣已按照存料多寡工程平險酌定數目知會撫臣徐績委員採辦依限運工為來歲修防之用其兩岸堤工尺寸均關緊要內除蘭儀兩汛堤根有水之區俟十月下旬灘水大消之後臣仍來豫再加查看另行估辦外其餘卑矮單薄之處俱照依本年長水痕跡飭令該道確估臣親為核定彙入明歲春工辦理以歸實在現在秋分已過水力漸綿已可放心臣擬於本月初六日由曹單一帶勘工回濟查辦各湖收蓄及督催回空遄行預辦大挑事宜仍令河北道朱岐駐守蘭儀二汛督率廳汛委員小心防護俟霜降後再行回署再儀封汛十二堡堤形兜灣距河溜不遠急應幫築後戧彼時署河北道懷慶府知府陳錫鉞已卸道事經臣

奏明檄委該府駐工催築現已依限完竣臣屢至
該工查驗甚為堅實足資捍衛所有黃河工程
平穩情形及臣自豫回濟日期理合恭摺奏
聞伏乞
皇上聖鑒謹
奏
知道了
乾隆四十二年九月　初四　日

三八五

奏

河東河道總督臣姚立德謹

奏為恭報黄河秋汛安瀾仰祈

聖鑒事本年豫東黄河自伏入秋水勢叠次長發南岸伊洛瀍澗北岸沁丹等水俱滙入於河浩瀚奔騰迥異常時上自滎澤武陟下迄虞城單縣處處出槽漫灘浸泡堤根水勢之大為近年所未有各廳臨黄埽工隨時擇緊搶鑲其無工之地風浪撞激河溜汕刷尺尺寸寸無一不關緊要或簽樁掛枕或擡土築堰臣督率道廳營汛委員等分投竭力防護撫臣徐績亦往來工次協同照料州縣雇夫撥車極其妥速以是均得保固無虞下北廳之祥符汛十二堡上年溜勢

趨至堤唇即飭掛柳護坡并預儲料物以資防
備經臣於去秋附摺
奏明今歲伏秋水長之時大溜緊逼相機修做壩
工三段頗足挑禦又蘭儀二汛於漫灘之際大
河由南趨北臣擇北堤形勢外凸與河溜相近
者逐一估幫裡戧應備稭蘇等料即於發辦新
料時酌為辦貯以備来春鑲工之用河形有散
漫處堵其旁流使之歸一河身有淺澁處多用
混江犁鐵篦子等器具疏濬使之深暢此時河
水已消大溜俱已循軌南岸儀考廳屬之儀封
七堡九堡十堡十一堡埽工北岸曹儀廳屬之
儀封三家莊埽工均已淤閉令九月二十三日
節届霜降秋汛已過水力日綿兩岸千餘里堤
壩土埽工程在在皆獲穩固上下河灘積水亦
已次第宣導乾涸農民現得及時趕種春麥此
皆仰賴
皇上保民若赤之
聖衷與

天心相契，是以波臣效順，化險為平。臣與在工文武河員無不額手稱慶。所有豫東黄河秋汛安瀾，除具疏題報外，謹繕摺奏聞。伏乞皇上聖鑒。謹奏。

欣慰覽之

乾隆四十二年九月二十三日

三八六

奏

江南河道總督臣薩載謹

奏為奏

聞事竊照江南黄運河湖前屆霜降安瀾平穩情形

業經會摺奏蒙

聖鑒茲查前月以来各處水勢日漸消落洪澤湖內又陸續消水九寸高堰誌樁現存水七尺八寸

清口東西壩工前因湖水消動即將東壩接築一十五丈留口門寬三十五丈仍令廳營次第接續收束今又做成九丈連前共接長二十四丈臣自揚州查勘河道回浦親往察看清水出口溜急直抵至彭家馬頭以下會黄東注就目前水勢而論清黄並流大小合宜而冬間湖水

消退時多蓄一寸次年重運經臨即多受一寸
之益臣現又督令上緊接築口門收至二十丈
時再看情形相機酌辦另行奏
聞至黄河水勢近日雖時消時長徐城誌樁現存水
一丈五寸而時逾霜降水力縣弱易長亦屬易
消兩岸埽壩工程間有平蟄段落概令緩修統
俟十一月底勘估春工時核實確估歸於来年
修做俾免糜費其外河廳屬陶莊新河仰蒙
皇上睿謨廣運在於攔黄壩工之上加築順黄壩一
道以為重門保障並將舊有木龍拆移改紮以
資挑溜護灘經臨大汛水勢節次盛長新河一
帶得以保護鞏固實賴
聖明指授機宜之所賜伏查新河自開放以来已歷
挑伏秋三汛形勢改觀大局已定目下河底深
有二丈一二尺至三丈不等均屬暢順惟河面
寬窄不同河頭河尾寬者一百一二十丈及九
十餘丈不等中段河身窄處約長三百餘丈寬
止六七十丈測量該處河底較上下各段雖屬

加深而河面形勢尚未一律臣率同道將等講
求體察該處係屬膠土刷塌較難若止藉水力
攻沙未能迅速必須設法料理擬將河面窄處
在於北岸灘上調撥兵夫順勢抽挑寬深溝槽
臨河酌留土格俟来年水長時一面放溜衝刷
一面乘勢爬撈以期河面寬闊上下相若再順
黄壩工係在兜灣處所水大時溜走中泓壩外
係屬迴溜水淺沙停邊埽均屬穩固近日水勢
消落溜勢直趨順黄壩工邊埽不時坐蟄臣詢
之道將等皆云黄河水大走灘水小走灣是以
此時溜抵壩根大概新做埽壩下面都係沙土
一經溜勢搜刷沙隨水去埽即行蟄直至蟄鑲
數次方能根底堅實今順黄壩邊埽業經隨蟄
隨鑲可保無虞再查舊河内南岸木龍三架夏
間先後修紮完竣挑溜均甚得力現因河水漸
消溜勢下移第三架木龍以下今歲所長新淤
此時漸見刷動若任其搜塌恐傷老土臣與道
將等復加籌酌春間原擬於頭架木龍以下空

檔處添紮木龍一架旋因溜已開行并下首長
有嫩灘是以
奏明將第二木龍移上改紮不復添辦今溜既掃
灣三木龍之下仍應添紮木龍一架以資挑溜
北趨不但南岸灘崖可期保護即順黃壩工溜
勢亦可鬆動更為有益現在飭令紮做木筏暫
行攩護一面即令該廳將存工木植乘時儹紮
木龍一架俾資挑護所有目下水勢情形及新
河辦理緣由謹會同大學士督臣高晉恭摺具
奏并繪圖貼說恭呈
御覽前於七月内欽奉
硃批原圖附摺恭
繳伏乞
皇上聖鑒再回空漕船渡黃南下者已有二千三百
餘隻上下運河水勢仍深五六七尺至一丈三
四尺不等遄行無滯合併陳明謹
奏
已奏俱悉此前所行皆有旨諭

乾隆四十二年十月初二日

三八七

奏

河東河道總督臣姚立德謹

奏為奏

聞事竊查豫省黄河本年伏秋水勢異漲在在漫灘
水落之後凡灘上所刷支河溝槽均應逐一查
堵時近凌汛蘭儀河勢由南灘改趨北灘之處
亦須預籌防範臣於督催回空尾幫全過南旺
將堵閉汶河壩工及覆估挑工各件飭令運河
道遵照次第料理臣即於十月二十二日起程
前赴黄河由北岸而至南岸周巡查勘河灘窪
溝隨處皆有親率該管道廳按地勢之高下估
築土壩以資攔截土方少者責成本汛兵夫擡
築土方多者查照舊例派撥就近鄉夫協同趲

辦均限明春二月望前一律完竣蘭儀汛內北灘新走之河近日水勢歸槽溜不逼堤情形頗為穩當南灘舊有之河前次雖經受淤未曾斷流其所分之流不及十分之一原欲留此為來歲汛漲分減之地茲值水冷沙輕淘刷河底十月初旬適又長水尺餘舊河內新淤易刷以是日漸寬深現在寬自數十丈至百餘丈深自數尺至丈餘察看溜勢歸舊河者已及六分河勢仍有復故之象不但凌汛易防抑且可免北岸生工之費此皆仰賴

皇上洪福

河神默佑使然在工文武官員無不同深感慶臣帶同道廳詳加籌酌應疏浚者疏浚應加培者加培看此後水勢趨向有無增減即可合二為一以歸故道矣各廳估辦春修土工業經給發五分銀數日來天氣尚和已督飭興工趲辦預備明年稭葦料物亦在開廠秤收諄諭辦員上緊運交撫臣就近督催務期依限報竣至防凌

所需樁木柳捆以及畚氶器具俱已預為置備
查驗無缺仍派定廳營汛員分住工次小心防
護俾免刷削攤阻堤外灘地於水涸時即播種
二麥今已出土青葱臣經行之處民情極其恬
豫臣現由商虞渡河順看曹單一帶工程回濟
督辦運河挑工相應一併奏
聞伏乞
皇上聖鑒謹
奏

覽奏欣慰

乾隆四十二年十一月　初五　日

三八八

奏

陝甘總督臣勒爾謹跪

奏為修理渡船遵例彙奏仰祈

聖鑒事查乾隆二十八年定例嗣後凡例限應修各
項船隻每年將實係朽壞不堪駕駛及船身尚
屬堅固堪以改修緩修各緣由於年底彙摺具

奏等因在案茲據甘肅布政使王廷贊詳稱據皋
蘭縣詳報蘭州省城西門外有黃河浮橋一道
額設船二十四隻貫以鐵索棕繩上鋪木板每
年春融搭成浮橋以濟往來車馬惟因夏則水
漲沖擊冬則冰凌磨擦易於損壞必須每歲查
明修補更造以資濟渡今於乾隆四十二年十
一月十六日黃河上流冰凌擁下沖斷繫船鐵

索棕繩船分兩岸隨勘得已經損壞難以修補必須另造者二隻已經損壞必須大修者十隻稍有擦損應略為修理者十隻以上計船二十二隻分別確估共需用工料銀二百六十五兩二錢四分零請照例在於蘭州府經手稅務銀兩及該縣抽收商木銀內動用修造工竣據實報銷又大通縣知縣王旭詳報所管大通河口額設渡船二隻已屆五年船隻損壞不堪駕駛必須拆修以資濟渡飭委西寧縣知縣詹耀璘驗勘屬實照例按造船銀十分之六估需工料銀三十六兩五錢二分請於乾隆四十二年公用銀內動支修補工竣據實報銷再查歸德縣丞所管黄河渡船救生船及毛目縣丞所管黑河渡船俱於限內依次修補完竣其餘各屬所管渡船哨船均未届滿年限船隻現俱完固等情前來臣覆核無異所有乾隆四十二年分甘省修理船隻緣由理合彙摺奏

聞伏祈

皇上睿鑒謹

奏

乾隆四十二年十二月初二日

三八九

奏

河東河道總督臣姚立德謹

奏為奏報黄河凌汛平穩仰祈

聖鑒事竊照豫東黄河凌汛臣於上年立冬後即預
飭該管道廳督率兵夫捆紮柳枝密掛埽前勤
加防範以資捍護在案茲據管河道員暨各廳
營陸續稟報去冬大河凝凍未厚雖有氷凌時
合時開隨溜而下並未壅積致礙堤埽現在氷
凌融化之後水勢亦未加長工程甚屬平穩等
情前來臣查時届立春風日晴和各廳臨河埽
工氷凌既未劃削則埽眉自屬整齊縱令底料
間有朽腐必須預估拆修者工段俱為有限用
料亦屬無多現已嚴飭該管各道先行確勘據

實估報到日臣即親往各工勘明酌辦務令工

歸實在料不虛靡理合將黃河淩汛平穩緣由

恭摺奏

聞仰慰

聖懷伏乞

皇上睿鑒謹

奏

知道了

乾隆四十三年正月 十一 日

三九〇

奏

江南河道總督臣薩載謹

奏為凌汛後工程水勢情形仰祈

聖鑒事竊照黄運湖河自上年十一月初旬天氣嚴

寒河内冰凌屢經凍結經臣飭令各廳營汛加

謹廵防凡迎溜埽工密掛柳枝椿板俾資擋護

交春數日氣候和暖積凌俱經融化各廳工程

均保平穩陶莊新河堤壩等工俱屬鞏固溜勢

仍前暢順至新河頭迤上北岸河唇灘嘴去冬

遵

旨將嫩灘設法挑切並於東身估挖引渠一道先經

督令工員上緊儹辦業據具報完工臣親往該

處詳加履勘均屬照估挑挖完竣其引渠外面

土格仍令留俟水長時相機開放以資汕刷目
下水勢黄河徐城誌樁現存三尺六寸外河老
壩口誌樁現存八尺八寸洪澤湖高堰誌樁現
存七尺俱較上年此時為小淮徐淮揚兩屬應
修春工照例先委叅遊等分往各處逐細查勘
分別緩急確估由道覆核詳定現在天和凍解
次第開工興辦并嚴飭各該廳營遵照做工章
程從根底儹修堅實以禦汛水臣仍率同淮徐
淮揚二道周歷查勘上下督辦務使料實工堅
以仰副
皇上慎重河防至意再江鎮淮揚徐海等屬具報於
正月十一二三等日均得雨澤臣從鎮江丹陽
回浦沿塗察看土膏滋潤菜麥青葱民情懽悦
理合一併奏
聞伏乞
皇上睿鑒謹
奏

覽奏俱悉

乾隆四十三年正月 十八 日

三九一

奏

河東河道總督臣姚立德謹

奏為恭報桃汛水勢平穩仰祈

聖鑒事竊照豫東黄河時屆桃汛正當春水長發之際臣赴工後逐廳查勘將應修埽壩親為確估督辦並令廳營汛員住工防守今查三月初九日交桃汛起至二十九日止黄河水勢隨長隨消惟十二三四等日接續長水二尺餘寸卑窪灘崖間有漫水之處旋即消退各處埽工高出水面三四五尺俱修守平穩儀封南岸築做草土夾壩亦已如式完竣但此後即值夏令河水長發靡常臣嚴飭管河各道董率文武員弁勤加巡查防禦務期各臻寧固仰副

聖主慎重河工保安民生之至意所有豫東黄河桃
汛已過水勢安瀾工程平穩情形除照例具
題外理合恭摺奏
聞伏乞
皇上聖鑒謹
奏

知道了

乾隆四十三年四月　初二　日

三九二

奏

暫署漕運總督臣德保謹

奏為奏

聞事竊照江南重運漕船業經全數盤驗過淮臣現

將二進船糧各數恭摺奏陳

聖鑒查糧船渡黄向由彭家馬頭一帶入楊莊運口

入春以來彭家馬頭水勢通利糧船暢行無阻

詎自三月二十四日起連日東北暴風水勢兜

阻不能暢達下注以致彭家馬頭清黄交滙處

所長有嫩淤一道斜亘河中池州幫船淺阻該

處不能遄渡臣馳赴河干查看情形彭家馬頭

沙埂水深僅有八九寸糧船難以挽渡其迤上

之高家馬頭水深一尺七八寸至二尺一二寸

不等水流平緩現經河臣督令外河廳營於高
家馬頭沙埂處所趕做柴枕夾壩兜水逼溜以
刷淤沙專委副將徐建功等駐工儹辦臣委守
備楊景千總田世㦀卭廣飈等帶領各幫船之
頭工水手各帶划船撈淺器具會同河員督令
兵夫儘力撈挖令糧船即由高家馬頭渡黄直
進楊莊口門臣仍會同河臣親督各員加緊辦
理一面飭令催船各備弁協同幫弁押令各船
全行起剥以期輕利迅渡務使河道即日通暢
糧船不致稽阻所有黄河南岸池州等幫船淺
阻情形及現在趕辦緣由臣謹恭摺奏
聞伏乞
皇上睿鑒再查邳宿一帶窰灣猫兒窩等處水勢亦
稍淺弱臣現飛飭地方官多備剥船交幫起剥
儹挽前進不使藉延合併陳明謹
奏
已有旨了

乾隆四十三年四月初四日

奏

江南河道總督臣薩載謹

奏為奏

聞事竊照外河清黃交滙處所為糧船渡黃經由之地入春以来水勢深通糧艘遄行無滯三月二十四日以後連遇東北暴風清水被風兜阻黃水漾至惠濟祠下高家馬頭與清水相頂清水不能下注以致水緩沙停淤有沙埂一道斜亙河中探量水深二尺一二寸不等糧船難以徑渡臣率同道將等上下測探惠濟祠下柳園頭起上至東西壩清水深二丈至二丈三四尺不等查從前清黃相頂浮沙間亦停積或經清水加長刷滌或黃水消退清水掣出即可深通惟

看此一阻黃水又復入運否速奏來

目下淮水長發及黃水消落遲早未定急須設
法疏通俾糧船迅速挽渡臣連日親督道将等
一面将清口東壩再加接築三丈使清水出口
有力藉以攻沙一面在於高家馬頭淺處築做
柴枕土壩逼溜刷沙并多集兵夫用鐵篦混江
龍往来拖爬儘力疏治並經漕臣德保派委備
弁協同料理務使河道及早通順糧艘遄行無
阻一俟船隻通行臣星即恭摺奏
聞仰慰
聖懷再邳宿運河全藉東省下注之水別無来源今
窑灣猫兒窩二處水深三尺餘寸未免稍淺臣
查銅沛廳屬之北岸蘇家山水線河向来每遇
運河水小之年即啟壩放水減黃濟運臣現已
飛飭淮徐道即速開放既可接濟邳宿運河不
數之水并使上游黃水稍分下游黃水亦可漸
減而清水自必暢出似更兩有裨益理合一併
奏
聞伏乞

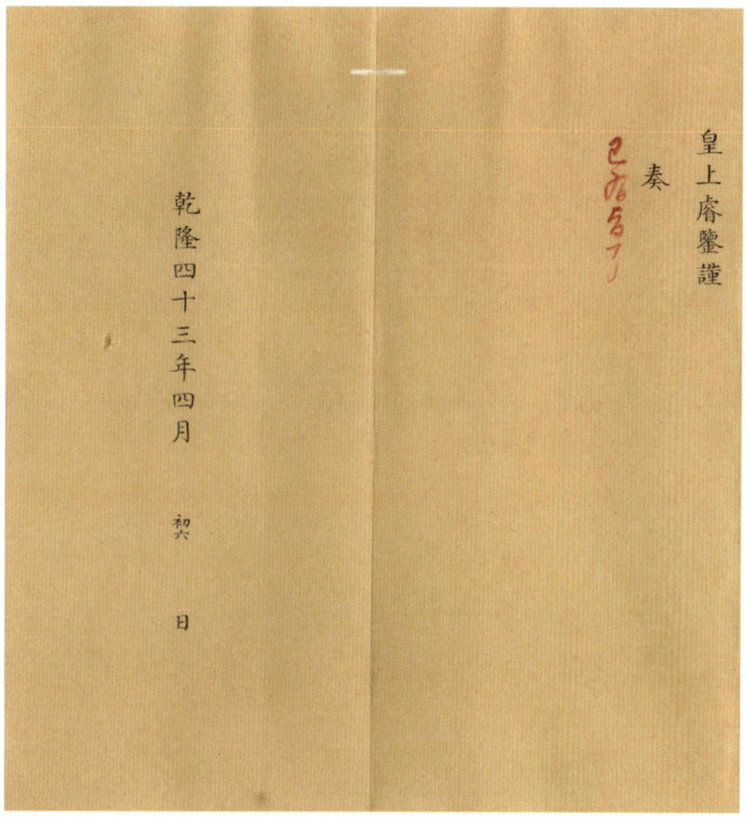

皇上睿鑒謹

奏

已有旨了

乾隆四十三年四月初六日

三九四

奏

薩載遵
旨挑空撤防情形並漕船
旁遭風沉溺由
硃
五月初四日

江南河道總督臣薩載謹
奏爲欽奉
諭旨恭摺覆
奏事竊臣於本月十七日
奏覆黄水並未入運及高家馬頭現在情形一摺茲
於二十五日奉到
硃批已有旨了欽此摺内黄河改從陶莊迤北下注句上奉
硃批幸而改流不然此番必致多入運矣欽此又於未議建
濟祠句上奉
硃批慰欽此又四月二十二日奉
上諭據薩載奏黄河改從陶庄迤北下注向東直趨距
清口東西壩已遠是以此番雖遇連日東北大風黄水不

過抵至柳園頭而止不但未曾入運亦未漾至惠濟祠欽
方寸浩覽奏精為慰懷若非前年諭令疏挑新河俾
黃河正溜徑北東注此番東北大風黃水不但倒漾且
必致入運是先事預籌已有成效矣至所稱目下出口亦
尚未暢達俟能刷出河淤所長嫩沙未能即時刷淨
須俟淮水長發暢流下注自可全行刷深等因欽此臣
伏查清黃交匯處所前遇東北大風黃水抵至柳園頭
因距清口已遠是以不但未曾入運亦未漾至惠濟祠
地方此實所賴
聖主諭挑陶莊新河俾河流徑北東注不致倒漾之明效大
驗在工文武官員莫不感頌
廟算先幾中心悅服其高家馬頭一帶業已刷出河淤重
運可以挽渡惟兩旁積有嫩淤水內爬撈未見著效
雖俟淮水一長清水暢流自可全行刷淨但水長之
期遲早難定目下漕船北上攸關緊要必須設法
疏通以利舟行以復河道臣據奉前
旨後當將實在情形及籌辦緣由繕摺由驛具
奏恭請
訓示一面董率道將廳營遵照圖內
硃筆點誌四處派委員弁調集河兵堡夫并雇民夫四百名

今段挑切帶水措挖為得尺進尺之計並於撇𨓜西上酌抽
溝槽以備清水下注沖刷惟該處在㭎園頭一帶尚為黃
水所到之地水到而沙復停是以驟難見效並復欽承
諭旨令將撇淤速行挖淨即或用帑稍多亦不必吝前歲開
挑引河之費并可令無業貧民藉資餬口仰見
聖訓周詳重工愛民至意臣惟有恪遵
指示實力辦理斷不敢恃清水能刷稍存觀望之心亦不敢因
人力難施稍有惜費之見現在照工督辦加倍人夫趕
緊疏挖以冀迅速挑除河流通順庶可行駛
聖懷所有遵
旨挑挖撇淤情形理合恭摺由驛覆
奏再本月二十一日未刻陡起暴風雷雨交作勢甚猛烈裡
河清口中河各處重運糧船有正在行走者有業經停
泊者被風刮折桅木二百餘根碰損沉溺安慶鎮海揚
州〔可惜〕泗州等幫船三十餘隻臣飛飭倫弁協同岸救並催
漕臣德保查明分別辦理二十三日午後起西北二十
四日又連遇東風甚大漕船未曾渡黃高家馬頭一
帶河湖水勢亦被風捲較前稍耗甚至淺處現存
水二尺至三四五尺不等一俟風勢稍息清水掣出即
可加長各幫船仍可挽渡前進臣現在督令將民

硃

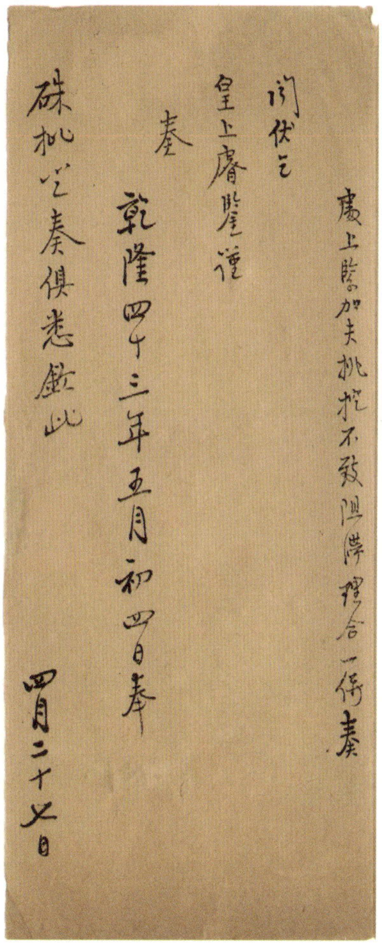

處上緊加夫挑挖不致阻滯理合一併奏
聞伏乞
皇上睿鑒謹
奏
乾隆四十三年五月初四日奉
硃批覽奏俱悉欽此
四月二十七日

三九五

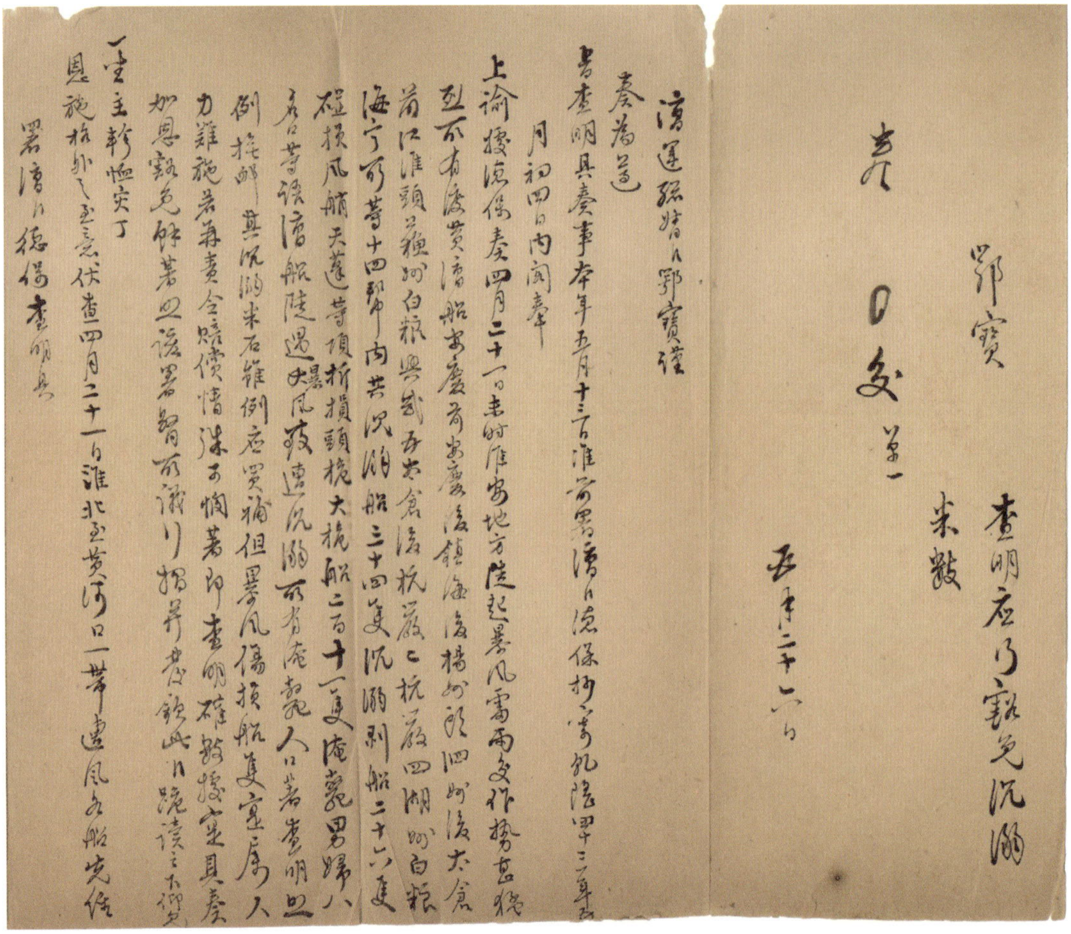

鄂寶
奏日交第一
查明應行豁免沉溺
米數
五月二十六日

漕運總督臣鄂寶謹
奏為遵
旨查明具奏事。本年五月十三日准前署漕臣德保抄寄乾隆四十二年五
月初四日內閣奉
上諭：據德保奏，四月二十一日未時淮安地方陡起暴風，雷雨交作，勢甚猛
烈。所有渡黃漕船安慶前、安慶後、鎮海後、揚州前、泗州後、太倉
前、江淮頭、蘇州白糧、興武五、太倉後、杭嚴二、杭嚴四、湖州白糧、
海寧前等十四幫內，共沉溺船三十四隻，沉溺剝船二十六隻，
碰損風篷、天篷等項，折損頭梢、大桅船二百十一隻，淹斃男婦八
名口等語。漕船陡遇暴風，致遭沉溺，所有淹斃人口著查明照
例撫卹。其沉溺米石雖例應買補，但暴風傷損船隻，實屬人
力難施，若再責令賠償，情殊可憫，著即查明確數，據實具奏，
加恩豁免。餘著照該署督所議行。摺并發。欽此。臣跪讀之下，仰見
聖主軫恤災丁
恩施格外之至意。伏查四月二十一日淮北至黃河口一帶遇風各船，先經
署漕臣德保查明具

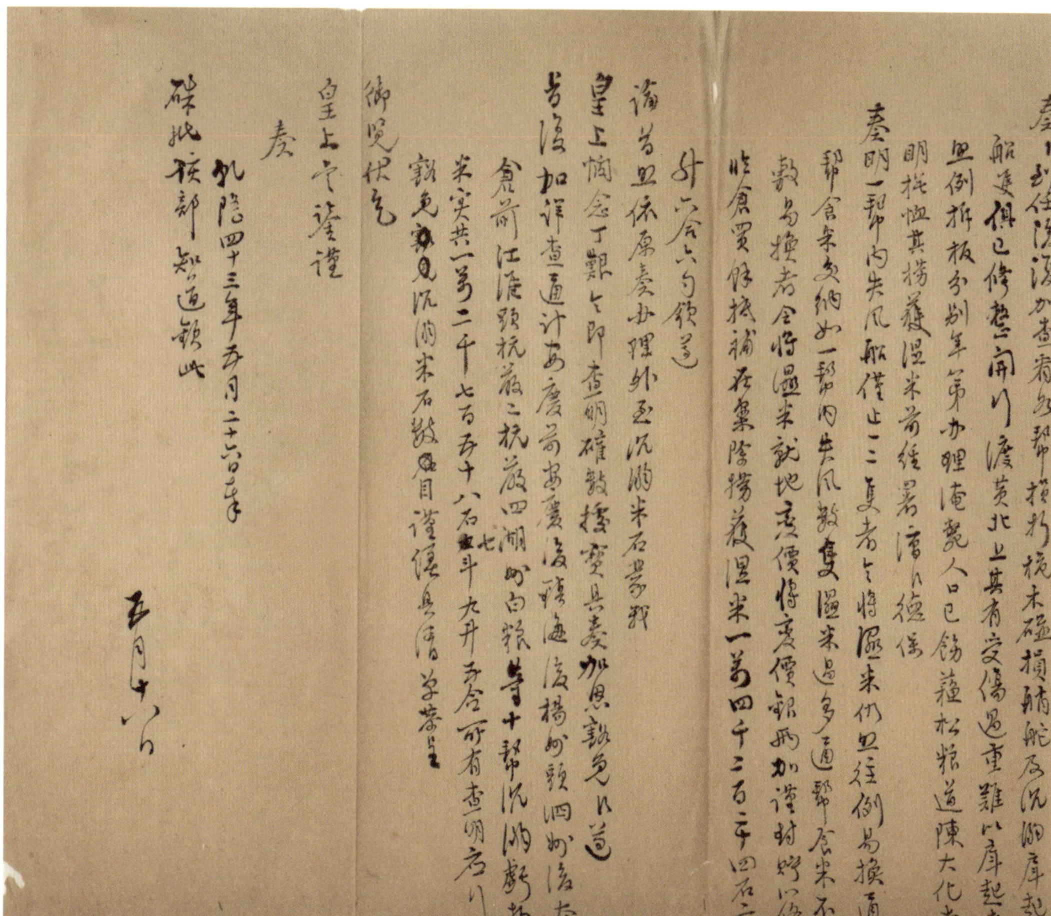

奏。到任後復加查看各幫撥打梳木碰損觸舵及沉溺摩起船隻俱已修整開行渡黃北上，其有受傷過重難以摩起者照例拆板分別年第辦理，淹斃人口已飭蘇松糧道陳大化查明撫恤，其撈獲濕米前經署漕八總保

奏明，一幫內失風船隻止一二隻者，即將濕米仍照往例易換通幫倉米交納，如一幫內失風數隻濕米過多，通幫倉米不敷易換者，全將濕米就地變價，將變價銀兩加謹封貯以備收倉買補抵補在案。除撈獲濕米一萬四千二百二十四石二升六合六勺欽遵

諭旨照依原奏辦理外，至沉溺米石業蒙

皇上憫念丁艱，即即查明確數據實具奏，加恩豁免，已遵

旨復加詳查，通計安慶前、安慶後、鎮海後、揚州頭、泗州後、太倉前、江淮頭、杭嚴二、杭嚴四、湖州白糧等十幫沉溺漕米實共一萬二千七百五十八石七斗九升五合，所有查明應行豁免實見沉溺米石數目，謹繕具清單恭呈

御覽，伏乞

皇上睿鑒，謹

奏。

乾隆四十三年五月二十六日奏

硃批：該部知道。欽此。

五月十六

三九六

鄂寶
戴第元
黃河水淺江廣粮船阻滯由
奏
六月十七日

漕運總督臣鄂寶
□儀巡漕臣戴第元謹
奏爲奏
聞事。竊照三進漕船於五月二十七日全數過淮並黃河南岸
水勢又見淺澀，江廣幫船行走較艱，緣由前經恭摺
奏明在案。查本年粮船渡黃或由惠家馬頭或由高家
馬頭，俱係分渡，要所即設法乘溜攢渡。現今惠家馬
頭水深止有一丈，高家馬頭水深亦僅一尺三四寸。總
緣天氣久晴，上游湖水不能充暢，而淮安一帶近日雖
已得雨，奈多東北頂風，以致清水日縮，黃水日侵，在在
淤淺。臣鄂寶、臣戴第元往來河口，令將各船貨物米
石以及什物等項盡行起淨，惟是江廣粮艘體質
本重，空船尚需水二尺三四寸方能運行，今水勢淺澀

現在湖南江西各幫未渡黄船尚有七百三十二隻自六月
初四日以後一船未渡臣等目擊心憂惶惧莫措河臣蔭
載猶令河員集夫疏挑無如隨淤挑隨淤未見有効今
復委員探量日内高家馬頭水勢稍深即飭多集人夫
晝夜疏濬該處水深已留一尺八寸現仍竭力挑挖以
期迅渡惟查各船販帶已久即使得水而渡者船起
剥受剥稽需時日今年雖有閏六月現已停泊日久
抵通北致遲逾倘回空未能依限有悞新漕所關洵
非淺鮮臣等惟有一面会同河臣和表商办以冀迅
速疏通一面虔誠祈請仰頼
皇上洪福毋霖大沛俾水長船行早叠
天庭寔爲厚幸如人力既盡水無增加應作何設法办理
不致貽悞新漕之處容臣鄂寶[illegible]籌妥議另行
奏請
聖裁所有現在江廣漕船淺阻不能渡黄情形理合恭摺由驛
馳
奏伏祈
皇上睿鑒謹
奏

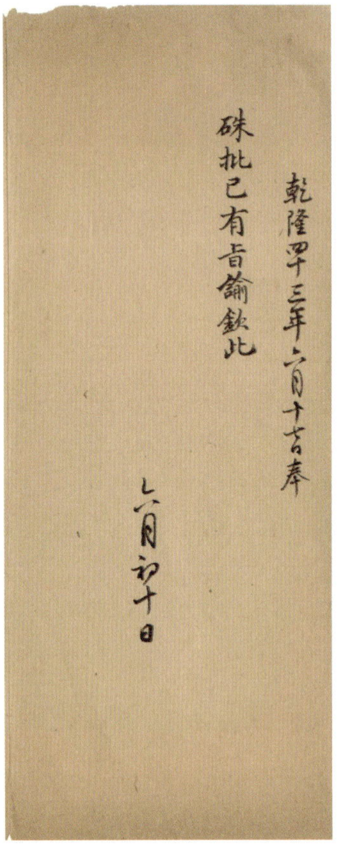

乾隆四十三年六月十一日奉

硃批已有旨諭欽此

六月初十日

三九七

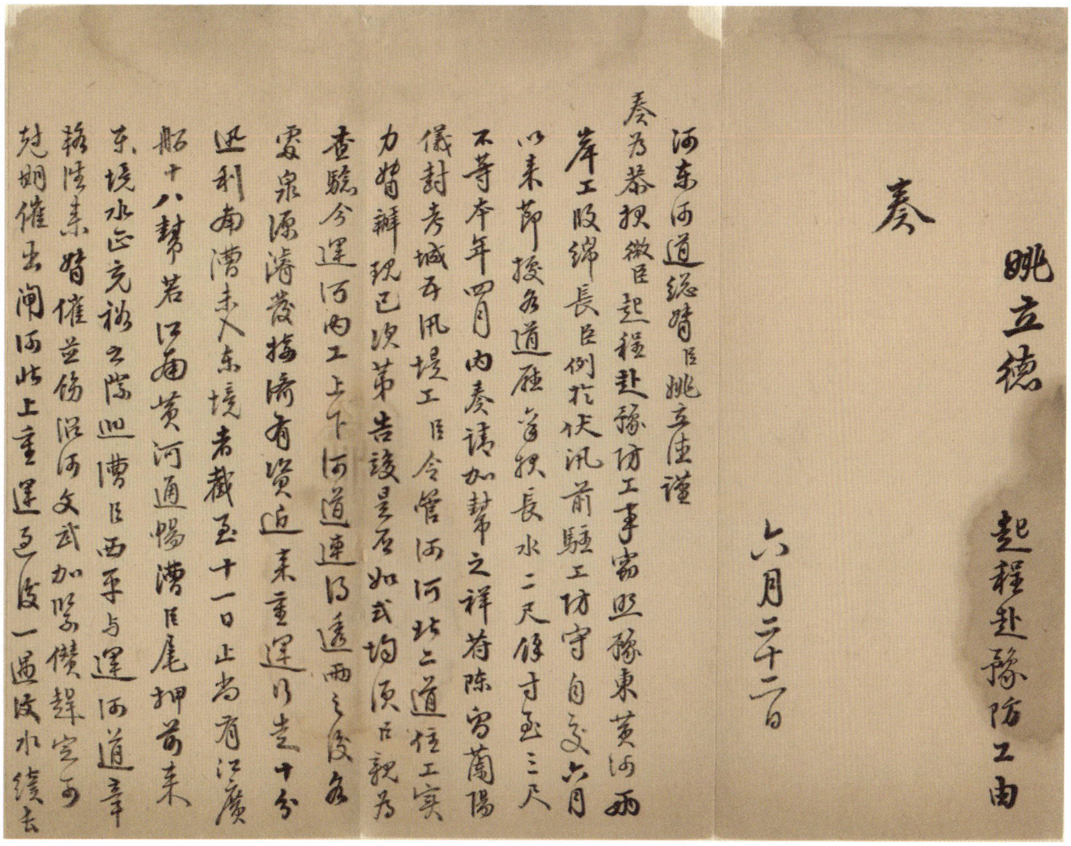
姚立德

奏

起程赴豫防工由

六月二十二日

河東河道總督臣姚立德謹

奏爲恭報微臣起程赴豫防工事。竊照豫東黄河兩岸工段綿長，臣例於伏汛前馳工防守。自交六月以來，節接各道廳節報長水二尺餘寸至三尺不等。本年四月内奏請加幫之祥符、陳留、蘭陽、儀封、考城各汛堤工，臣令管河河北二道督工實力督辦，現已次第告竣，是否如式，均須臣親爲查驗。今運河内工上下河道速治，透雨之後，各處泉源漲發，接濟有資，近來重運行走十分迅利，南漕未入東境者，截至十一日止，尚有江廣船十八幫。若江南黄河通暢，漕臣尾押前來，東境水匹充裕之際，迴漕臣西平與運河道章輔隨來督催，並飭沿河文武加緊儹辦，定可尅期催出閘河。此上重運過後，一遇汛水續長

亟宜乘時收入湖中如蜀山馬踏二湖於伏秋汛内
先收大半其餘俟冬間悉涸後收足至微山馬場
南旺諸湖全額伏秋汛漲之水儘蓄以備來
年濟運之用如遇汛水盛漲則開放渠水各閘
壩使之由大清馬頰徒駭等河分洩入海以保隄
工凡此蓄洩機宜不容稍有遲緩臣立定程預飭
運河道章輅遵照妥辦該道素所諳悉可以辦
理妥協茲查本月二十六日即屆入伏之期臣於十六
日在濟寧束裝就道由曹單歷屬之六堡工
後渡河從南岸至北岸挨歷查看水勢驗收土
工駐劄適中之地防禦大汛所有臣起程赴豫
日期理合恭摺
奏報伏乞
皇上聖鑒謹
奏
乾隆四十三年六月二十一日奉
硃批知道了欽此

六月十六日

奏

河東河道總督臣姚立德謹

奏為恭報微臣起程赴豫防工事竊照豫東黃河兩岸工段綿長臣例於伏汛前駐工防守自交六月以來節據各道廳稟報長水二尺餘寸至三尺不等本年四月內奏請加幫之祥符陳留蘭陽儀封考城五汛堤工臣令管河河北二道住工實力督辦現已次第告竣是否如式均須臣親為查驗今運河內上下河道連得透雨之後各處泉源濬發接濟有資近來重運行走十分迅利南漕未入東境者截至十一日止尚有江廣船十八幫若江南黃河通暢漕臣尾押前來東境水正充裕之際巡漕臣西平與運河道

章輅往來督催並飭沿河文武加緊儹趕定可尅期催出閘河北上重運過後一遇汶水續長亟宜乘時收入湖中如蜀山馬踏二湖於伏秋汛內先收大半其餘俟冬間煞壩後收足至微山馬場南旺諸湖全賴伏秋汛漲之水儲蓄以備來年濟運之用如遇汛水盛漲則開放洩水各閘壩使之由大清馬頰徒駭等河分洩入海以保堤工凡此蓄洩機宜不容稍有遲緩臣立定章程預飭運河道章輅遵照妥辦該道素所熟悉可以辦理無悞茲查本月二十二日即屆入伏之期臣於十六日在濟寧束裝就道由曹單廳屬之六堡工渡河從南岸而至北岸挨廳查看水勢驗收土工駐劄適中之地防禦大汛所有臣起程赴豫日期理合恭摺

奏報伏乞

皇上聖鑒謹

奏

知道了

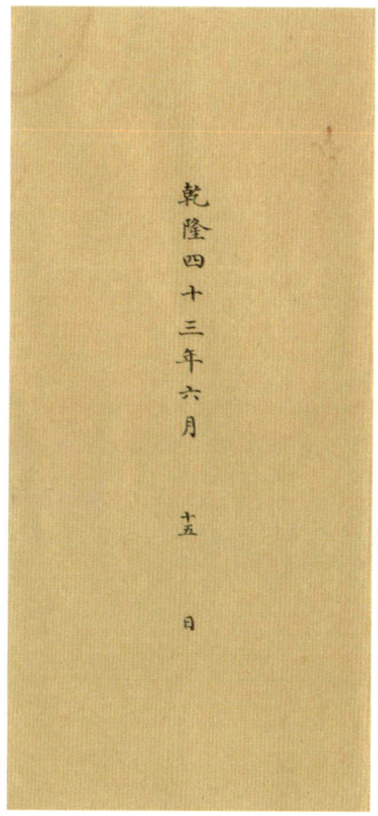
乾隆四十三年六月 十五 日

三九九

奏

河東河道總督臣姚立德謹

奏為奏報加幫堤工完竣事竊查豫省祥符陳留蘭陽儀封考城五汛內黃河兩岸堤工較他處為矮前經臣奏請借給司庫銀四萬兩將應行增高培厚各段一律加幫仰蒙

聖恩俞允臣奉到

硃批一面咨撫行司遵照一面督同河南河北兩道逐細確估時值撫臣鄭大進進京

陛見護撫臣榮柱知工程緊急且可為乏食貧民工作餬口之計刻即解銀到工并督沿河各縣廣集人夫實力幫辦臣於估定後派委廳營縣汛領銀分段僨築勒限四十日完工該道等住宿

工次往來催督不遺餘力據各辦員先後呈報
完竣茲臣到工防汛逐段量驗丈尺俱足錐試
亦無滲漏間有頂硪坡硪尚欠如式之處飭令
乘此雨後加硪套打以期十分堅實并令預積
土牛防備隨時填補雨淋溝槽之用所有加幫
祥符等汛堤工完竣緣由理合恭摺奏
聞伏乞
皇上聖鑒謹
奏

知道了

乾隆四十三年六月 二十七 日

四〇〇

高晉　奏覆黃河毛城鋪峯山閘等處情形並漕船陸續渡黃由

奏

閏六月初八日

臣高晉、臣鄂寶、臣薩載謹
奏爲欽奉
諭旨據實覆奏仰祈
聖鑒事。竊臣高晉、薩載於六月二十七日
奏覆高家馬頭一帶挑挖淤淺及清水未能暢出情形一摺，閏六
月初三日申刻奉到
硃批：覽奏俱悉。欽此。又奉有旨諭欽此，並准大學士公阿、大學士于字寄乾
隆四十三年六月三十日奉
上諭：據高晉等覆奏高家馬頭一帶挑挖淤淺，清水未能暢出云云
欽此。臣鄂寶正在河口，同時奉到
諭旨。臣等跪誦之下，並仰我
聖主厪念河漕，多方
指示，凡可轉輸濟運之處
垂詢周詳，無微不至，臣等不能預爲籌畫妥協經理，以致糧艘渡河
稽阻，上厪
宸衷，悚惕慚惶，莫能名狀。伏查黃河毛城鋪、峯山閘在洪澤湖之
上游。毛城鋪之水由洪溏河達睢河流至五湖，匯歸洪澤湖，計
遠七百餘里，地勢高下，係逆流而上。且毛城鋪設有碎石滾
壩，以爲限制，難以通運。峯山閘之水由閘下引河流至盖

山等湖滙收洪澤湖計遠四百餘里盡山等湖水勢散漫平行
小船尚可往來巨艘難以行走該閘係因山閘鑿為閘門只寬
丈許勢若建瓴漕船更難出閘況糧船經由洪澤湖而行或
出毛城鋪或出蔣山閘仍走黄河由陶莊新河繞至楊家
莊入運北上通計多走一千四五百里之遙似有未
便現在外河高家馬頭一帶日來竭力簽撈雖黄水漸
洄舊漲清水仍未暢出而河流漸深漕船已可通行前月
二十八九三十等日渡黄船三十九隻業經奏
聞在案今初一日起至初三日又陸續渡黄船六十六隻湖南各
幫已經全過現在江西漕船跟幫挽渡惟因連日東風稍
大挽拖爲難是以行走較遲臣等仍在河口
惠濟祠並
河神
風神各廟虔誠祈禱如日內甘霖大沛清水暢流則尾
船渡黄自可迅速完竣所有欽奉
諭旨垂詢臣等謹將實在情形繕摺由驛覆
奏伏乞
皇上睿鑒謹
奏
乾隆四十三年閏六月初八日奉
硃批知道了想近來亦得優渥雨澤矣欽此
閏六月初三日

四〇一

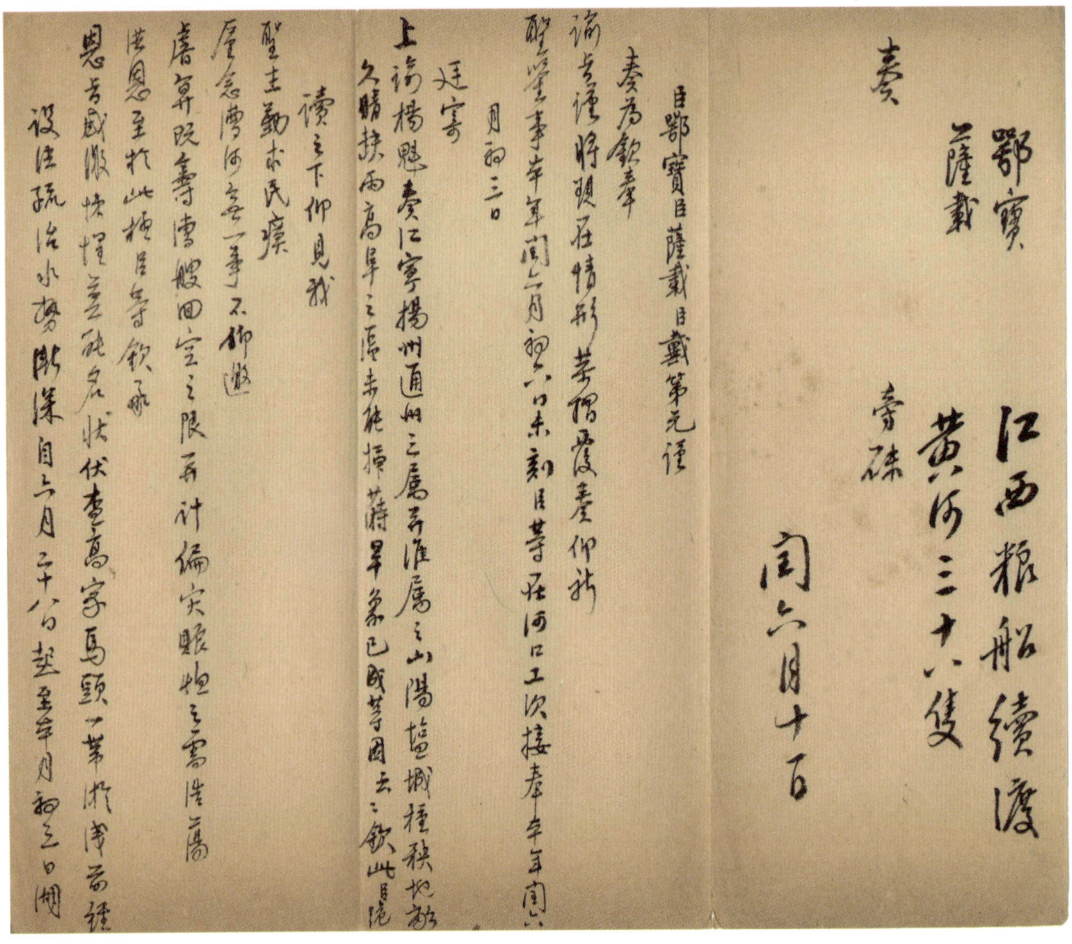

江西糧船續渡黃河三十六隻

鄂寶
薩載
奏

寄硃

閏六月十日

臣鄂寶、臣薩載、臣戴第元謹

奏爲欽奉

諭旨，謹將現在情形恭摺覆奏，仰祈

聖鑒事。本年閏六月初六日未刻，臣等在河口工次接奉本年閏六月初三日

廷寄

上諭：楊魁奏江寧、揚州、通州三屬暨淮屬之山陽、鹽城，種秧地畝久晴缺雨，高阜之區未能插蒔，旱象已成等因。去之欽此。臣跪讀之下，仰見我

聖主勤求民瘼，

屢念漕河，無一事不仰邀

宸算，既籌漕艘回空之限，兼計偏災賑恤之需，浩蕩

洪恩，至於此極。臣等欽承

恩旨，感激悚惶，無能名狀。伏查高家馬頭一帶，撇溜前經

設法疏治，水勢斷深。自六月二十八日起至本月初三日，閘

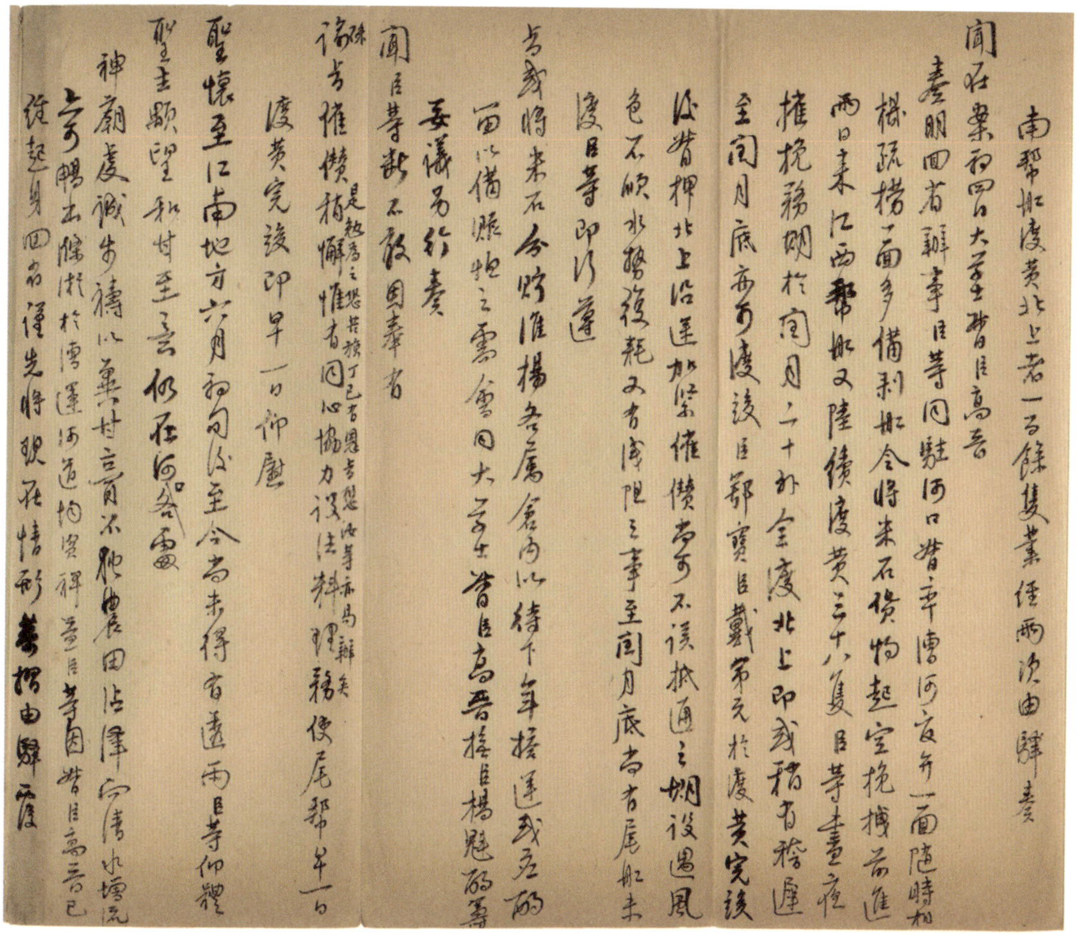

南帮挑渡黄北上者一百余只，业经两次由驿奏
闻在案。初四日大学士暨臣高晋
奏明回省办事，臣等同驻河口督率漕河文武一面随时相
机疏浚，一面多备剥船，令将来不致物起空挽携前进。
两日来江西帮船又陆续渡黄三十八只，臣等尽夜
催挽，务期于闰月二十外全渡北上，即或稍有稽迟，
至闰月底亦可渡竣。臣鄂宝、臣戴第元于渡黄完竣后，
督押北上，沿途加紧催攒，亦可不误抵通之期。设遇风
色不顺，水势复耗，又有沙阻之事，至闰月底尚有尾船未
渡，臣等即行遵
旨，或将来不令赴淮扬各属仓内，以待下年接运，或应酌
留以备赈粜之需，会同大学士臣高晋、抚臣杨魁酌筹
妥议，另行具奏。
闻。臣等敬不敢因奉有
谕旨催攒稍懈，惟有同心协力设法料理，务使尾帮早一日
渡黄完竣，即早一日仰慰
圣怀。至江南地方六月初旬后至今尚未得有透雨，臣等仰体
圣主殷望秋甘至意，现在河干各庙
神祠虔诚步祷，以冀甘霖普沛，俾农田沾泽。所有水势流
行畅出情形于漕运河道均有裨益。臣等因臣高晋已
经起身回省，谨先将现在情形恭折由驿覆

朱批：是。勉为之。恐其预丁已有恩旨，恐汝等亦为难矣。

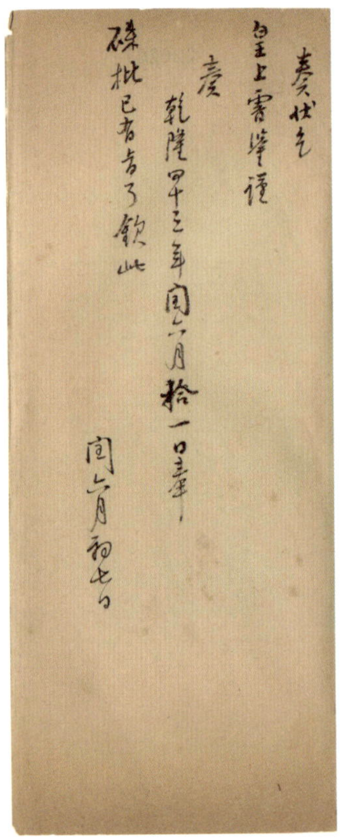

奏伏乞
皇上睿鑒謹
奏
乾隆四十三年閏六月拾一日奏
硃批已有旨了欽此
閏六月初七日

四〇二

奏

臣薩載謹

奏為黃河水勢盛長各工穩固緣由仰祈

聖鑒事竊照江南黃運河湖伏汛平穩情形業經臣

會摺

奏報在案交秋後復據河南陝州及武陟縣先後摺報沁河內於閏六月十四日陡長水二尺九寸二十日又陡長水三尺一寸萬錦灘亦於二十日陡長水四尺滙歸下注既大且驟茲據淮徐道韓鑅稟報黃河內伏汛盛長之後前水未消後水踵至十九日起又接續增長徐城誌樁二十五日已長至一丈四尺毛城鋪滚壩過水八尺五寸蘇家山滚壩壩面二百餘丈過水八

九寸及一尺三四寸不等水線引河過水八尺
七寸峯山祥符等閘水勢暢流均資宣洩但水
勢有長無消豐銅邳宿一帶處處漫灘平堤拍
岸兩岸埽壩工程在在險要遇有行蟄段落隨
時搶鑲現俱穩固等情臣查黃河水勢徐城誌
樁長至一丈四尺近年来未有如此之盛大者

上游各工俱當吃緊之時現准大學士督臣高
晉札會於日内自省起程来工臣現自河口起
身先赴上游徐屬各廳廵查策應其重運尾船
止有九十餘隻未經渡黃已委河庫道李奉翰
副将徐建功隨同漕臣鄂寳廵漕臣戴第元實
力督催兩三日内即可全竣下游黃水老壩口

誌樁現亦長至一丈九尺六寸外河山安海防
等廳一切工程亦關緊要已委道将等往来查
勘督率料理再邳州宿遷桃源運中河内亦因
閏月中旬上游大泛口盧口壩駱馬湖等處先
後發水滙注運河水勢亦大臣将東岸劉老澗
九孔石閘外壩照例啟放酌開壩門寬六丈使

有餘之水洩入六塘河內會流歸海堤埽工程
亦俱穩固洪澤湖清水交秋後陸續增長八寸
高堰誌樁連前存水八尺五寸惟因黃水有長
無消是以清水仍未能暢出一俟黃水消退清
水下注另行奏
聞外所有黃河水勢盛長臣赴徐屬各廳查勘料理
緣由謹恭摺附驛具
奏伏乞
皇上睿鑒謹
奏
另有旨諭
乾隆四十三年閏六月　二十八　日

四〇三

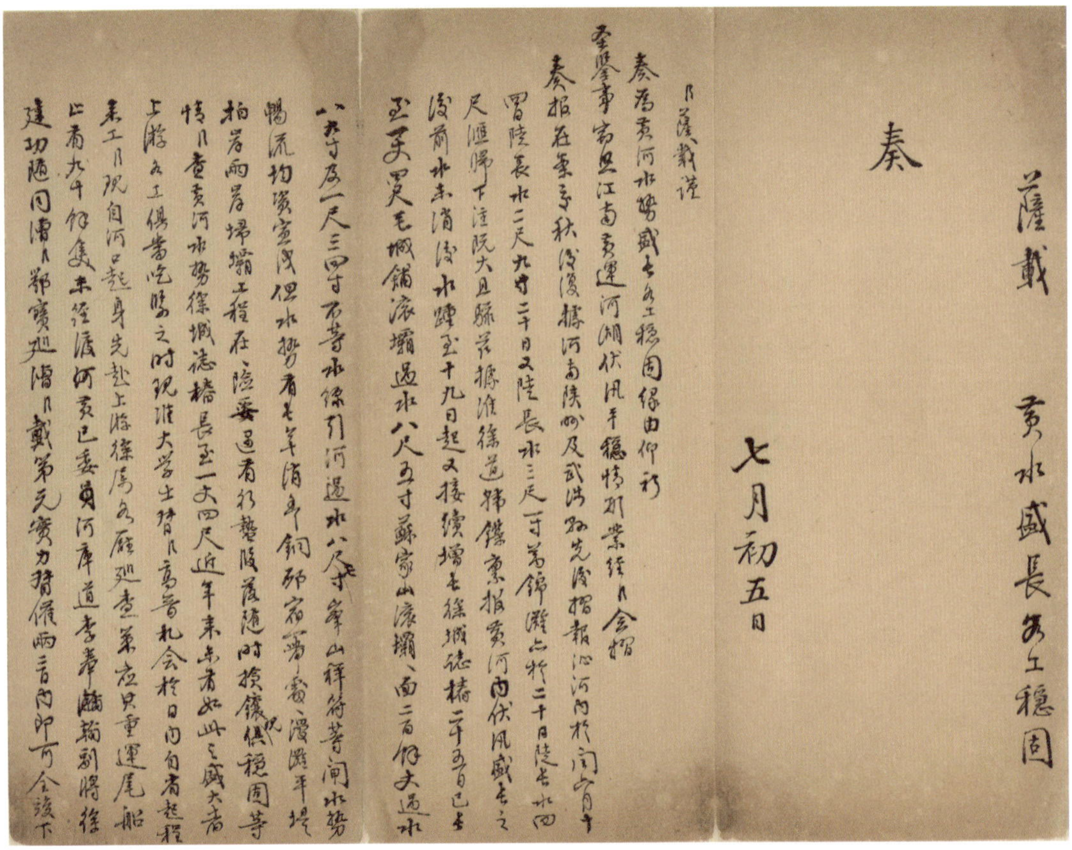

薩載　黄水盛長各工穩固

奏

七月初五日

臣薩載謹

奏爲黄河水勢盛長各工穩固緣由仰祈

聖鑒事。竊照江南黄運河湖伏汛平穩情形，業經臣會摺

奏報在案。本年秋汛後，據河南陝州及武陟縣先後摺報沁河内於閏六月十四日陡長水二尺九寸，二十日又陡長水三尺一寸，萬錦灘亦於二十日陡長水四尺。滙歸下注，既大且驟。旋據淮徐道韓鑅稟報，黄河内伏汛盛長之後，前水未消，後水踵至，十九日起又接續增長，徐城誌樁一丈五尺，已長至一丈□尺，毛城鋪滚壩過水八尺五寸，蘇家山滚壩、西二壩俱大過水八寸，及一尺三四寸不等，水係引河過水八尺五寸，峰山祥符等閘水勢暢流，均資宣洩，但水勢看來未消，銅沛、宿遷、睢寧、邳州、平堤柏岸兩岸埽壩工程在在險要，通省緊緊搶護，隨時接鑲，俱穩固等情。臣查黄河水勢，徐城誌樁長至一丈四尺，近年來未有如此之盛大，當上游各工俱當吃緊之時，現准大學士督臣高晉札會，於日内自清起程來工。臣現自河口起身，先赴上游徐屬各廳巡查，第應只重運尾船比有九千餘隻，未經渡河，責已委員河庫道李奉翰、副將徐建功，隨同漕臣鄂寶、巡漕臣戴第元，實力督催，兩三日内即可全渡　下

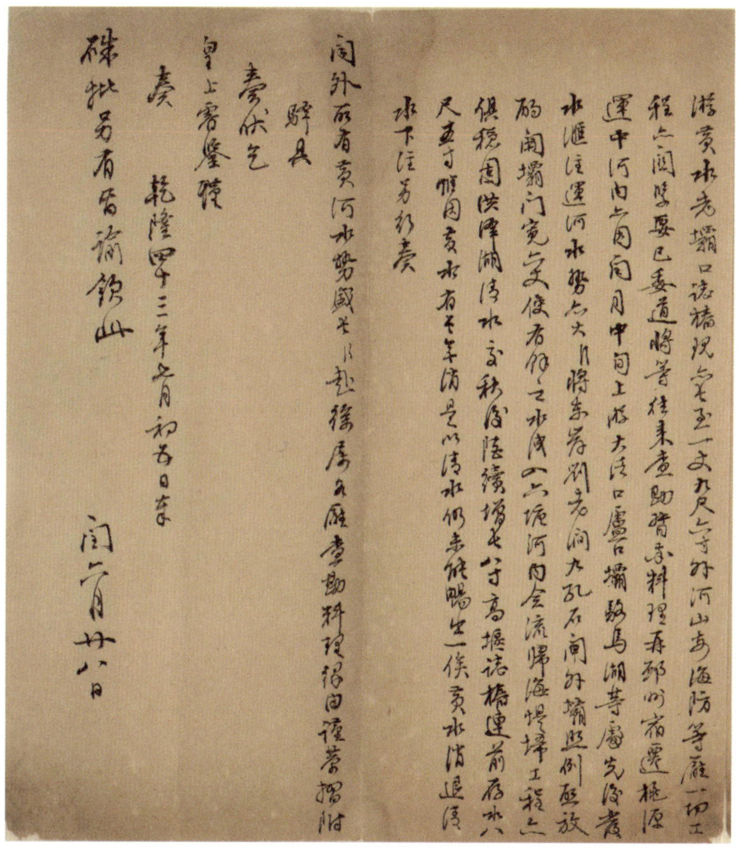

溜黃水先堵口諸樁現長至一丈九尺六寸外河山安海防等廳一切工程亦關緊要已委道將等往來查勘督率料理再邳州宿遷桃源運中河內今自閏月中旬上游大清口盧口壩駱馬湖等處先後盡水匯注運河水勢亦大將來若劉老澗九孔石閘外壩照例啟放爾閘壩門寬定使有餘之水仍入六塘河內會流歸海堤埽工程亦俱穩固洪澤湖清水交秋後陸續增長八寸高堰諸樁連前存水八尺五寸惟因黃水有長無消是以清水仍未能暢出一俟黃水消退清水下注另行奏

聞外所有黃河水勢盛長及趕緊屬各廳查勘料理緣由謹繕摺附

驛具

奏伏乞

皇上睿鑒謹

奏

乾隆四十三年六月初五日奏

硃批另有旨諭欽此

閏六月廿八日

四〇四

奏

臣姚立德臣鄭大進謹

奏為河水異漲南岸儀考二汛堤工平漫事竊查
立秋以後黄河水勢有長無消近因上游寧夏
於閏六月十八至二十三日接續長水八尺二
寸下游之沁丹伊洛瀍澗諸河又因雨後同時
漲發滙黄而下二十七八日連宵達旦大雨如
注更兼東北風勢狂烈異常臣等在時和驛赶
築外越未竣工段值此風雨水漲中心不勝驚
悸查看誌樁兩日内計陡長水三尺八寸旋據
儀考廳馳報所管汛内前長未消後長踵至先
後積存長水九尺六寸在在盈堤現在水未平
定分投儘力搶築子堰保護等情臣姚立德察

其情詞險要即率同管河道忠德星夜前赴督
辦途次前後據兵目逆報二十八日丑時起至
午時風狂浪大水頭高於堤面儀封汛内十六
堡十七堡二十二堡二十四堡三十六堡共漫
水六處考城汛三堡五堡共漫水三處每處約
寬三十餘丈至六七十丈不等臣鄭大進於次
日抵工即會同查勘内中惟儀封十六堡一處
最為喫重緣地居諸口之上逼近大河掣溜湍
急已刷寬七十餘丈尚未塌定該處向無工程
並無存貯料物現在赶運稭草蔴擫俟水勢稍
平即刻動手盤做裹頭其以下之漫口八處水
落後自可以次掛淤考城縣適處漫口之下城
垣本屬殘缺一時未能堵禦幸距大堤不過數
十丈人民俱遷移堤上棲止所漫之水由賈魯
河故道自豫省考城睢州寧陵永城入安省之
亳州達淮堵築所需料物人夫臣等通盤籌算
發銀僨辦運工備用其被水地方臣鄭大進分
委幹員確查撫恤不使失所至儀考二汛堤工

原較別處為矮臣姚立德今春奏請加高均以
出水一丈為度今長水九尺六寸即為風浪漫
過悚惶恐懼莫知所措且前已有時和驛之漫
工蒙
恩寬宥深切感慚今復有儀考汛之漫工疎忽之譴
實出無奈何必過懼
百喙難辭伏懇
皇上將臣嚴加治罪用示懲儆臣鄭大進有兼理之
責不能協同守護亦屬咎有應得並乞一併
勅部嚴加議處其文武各員疎防職名臣等照例另
疏
題參謹先會摺由驛六百里馳
奏仰祈
聖鑒再時和驛工程因風雨所阻稍稽日時現派護
河北道王啟緒住工督率廳營趕辦三四日即
可妥竣合併奏
聞謹
奏
另有旨諭

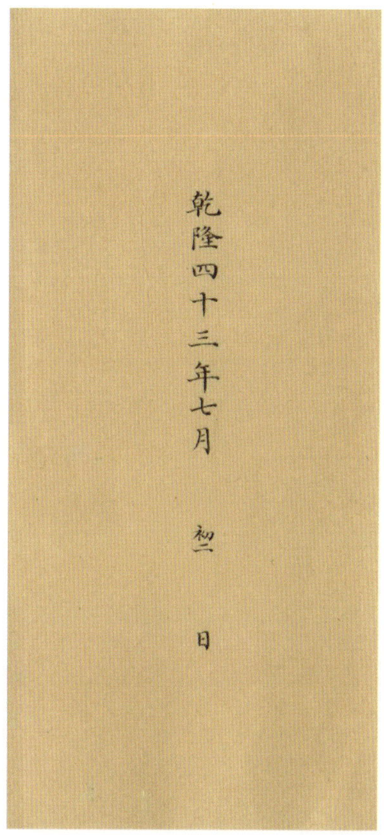
乾隆四十三年七月　廿　日

四〇五

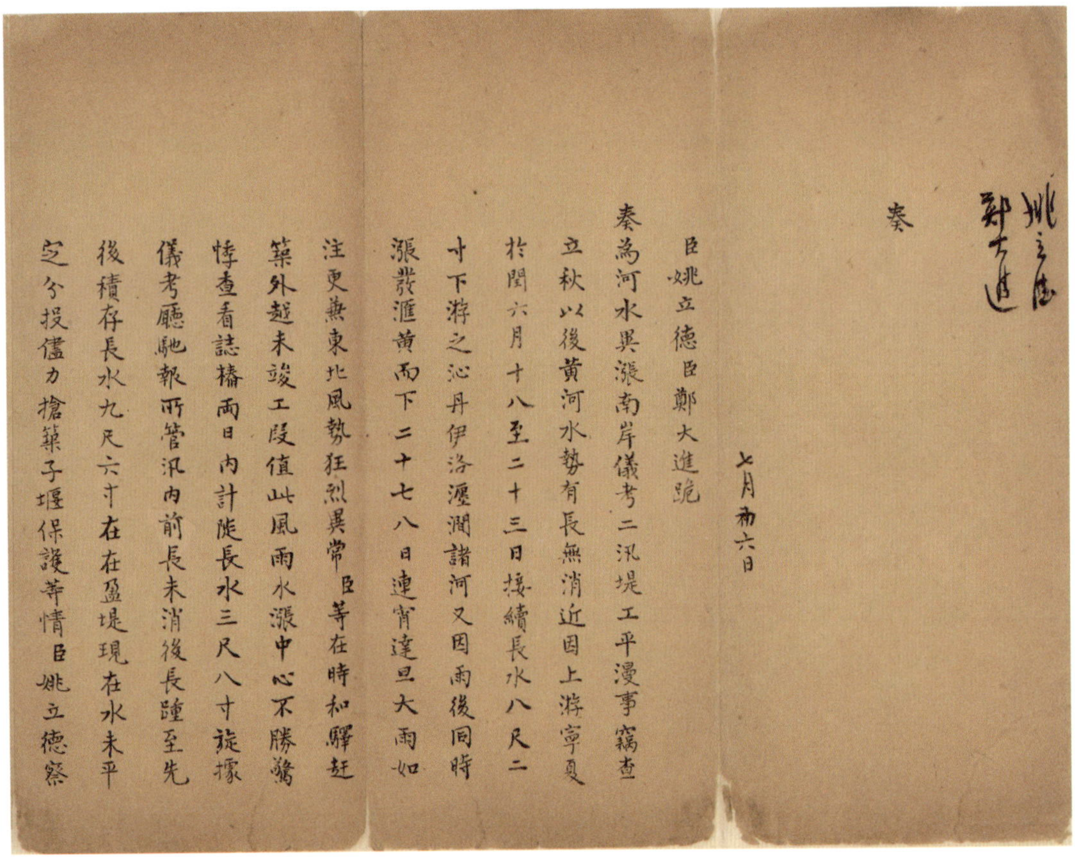

姚立德
鄭大進

奏

七月初六日

臣姚立德臣鄭大進跪

奏為河水異漲南岸儀考二汛堤工平漫事竊查

立秋以後黄河水勢有長無消近因上游寧夏

於閏六月十八至二十三日接續長水八尺二

寸下游之沁丹伊洛瀍澗諸河又因雨後同時

漲發滙黄而下二十七八日連宵達旦大雨如

注更兼東北風勢狂烈異常臣等在時和驛趕

築外越未竣工段值此風雨水漲中心不勝驚

悸查看誌樁兩日内計陡長水三尺八寸旋據

儀考廳馳報所管汛内前長未消後長踵至先

後積存長水九尺六寸在在盈堤現在水未平

定之分投儘力搶築子堰保護等情臣姚立德察

其情詞險要即率同管河道忠德星夜前赴督
辦遂次前後據兵目迎報二十八日丑時起至
午時風浪陡大水頭高於堤面儀封汛內十六
堡十七堡二十二堡二十四堡三十六堡共漫
水六處考城汛三堡五堡共漫水三處每處約
寬三十餘丈至六七十丈不等臣鄭大進於次
日抵工即會同查勘內中惟儀封十六堡一處
最為喫重緣地居諸口之上逼近大河掣溜湍
急已刷寬七十餘丈尚未塌定該處向無工程
並無存貯料物現趕運稭草蔴觔俟水勢稍平
即刻動手盤做裹頭其以下之漫口八處水落
後自可以次掛淤考城縣適處漫口之下城垣
本屬殘缺一時未能堵禦幸距大堤不過數十
大民人俱遷移堤上棲止所漫之水由賈魯河
故道自豫省考城睢州寧陵永城入安省之亳
州達淮堵築所需物料人夫臣等通盤籌算發
銀備辦運工備用其被水地方臣鄭大進分委
硃
幹員確查撫卹不使（此為最要）失所至儀考二汛堤工原

較別處爲矮臣姚立德今春奏請加高均以出
水一丈爲度今長水九尺六寸即爲風浪漫過
悚惶悲懼莫知所措且前已有時和驛之漫工
蒙
硃
恩寛宥深切感懒今復有儀考汛之漫工疏忽之譴
實屬無法何必過懼
百喙難辭伏懇
皇上將臣嚴加治罪用示懲儆臣鄭大進有兼理之
責不能協同守護亦屬咎有應得並乞一并
勅部嚴加議處其文武各員疎防職名臣等照例另
疏
題恭謹先會摺由驛六百里馳
奏仰祈
聖鑒再時和驛工程因風雨所阻稍稽日時現派護
河北道王啓緒住工督率廳營赶辦三四日即
可妥竣合并奏
聞謹
奏
乾隆四十三年七月初六日奉

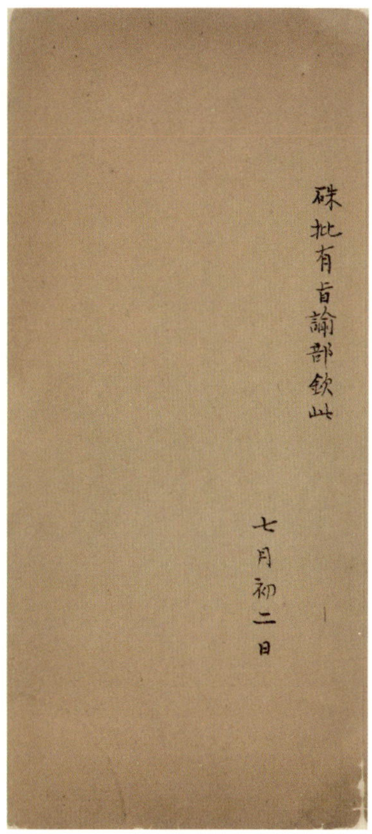

硃批有旨諭部欽此

七月初二日

四〇六

奏

大學士仍管兩江總督臣高晋謹

奏爲奏

聞事竊查上下兩江地方高田被旱於閏六月内節次得

雨補種雜粮情形經臣隨時恭摺由驛覆

奏均蒙

聖鑒江寧於二十四五兩日得有透雨後二十九日丑時

起至辰時復得雨澤甚爲稠密低田已種秋禾正在

抽穗得此雨水滋培長發益覺暢茂高田補種雜粮

亦在發榮滋長其不及補種之區一州一縣之中多

寡不等臣與各撫臣現飭各藩司委員會同地方官

確勘一俟勘定核實即將成災州縣分數詳細奏

聞遵

旨盡心妥辦不敢稍存諱飾玩忽清黄交滙處水勢深通漕船源源挽渡日内即可全數渡完洪澤湖水漸長高堰誌樁現存水八尺五寸清力日旺惟目下尚未暢出蓋緣湖水比上年此時原小三尺九寸黄水比上年此時又大一尺六寸清不敵黄職是之故至黄水伏汛内徐城誌樁長至一丈三尺三寸旋已消落尺許正望續消而入秋後上游河南沁河并萬錦灘之水又復陡長接據道將廳營稟報徐城誌樁又長至一丈四尺以上臣查豐碭廳屬之毛城鋪銅沛廳屬之蘇家山邳睢廳屬之峯山二三兩閘桃源廳屬之祥符閘早經開放減黄今黄水既又加長自應再行廣籌去路以洩異漲查上游豐碭廳屬北岸潘家屯壩工原備分濟微湖之不足本年微山湖存水本小而潘家屯壩外因河南漫灘之水澄清由順堤河南下過潘家屯滙注於蘇家山水線河既碍蘇家山減黄之路而北岸一帶純係清水以致黄流偏趨南岸若將潘家屯開放將順堤清水洩入微湖既不致淤墊湖身而蘇家山水線河減黄可暢黄河正溜亦

[illegible]

可不致南趨洵為兩有裨益又峯山原有閘四座除

二三兩閘開放外尚有頭閘四閘未開若一併開放

更可增其分洩之路臣與河臣札商意見相同已飛

飭道廳分投開放宣洩並咨明河東河臣姚立德知

照從此正河水勢自可望消臣將現審各案趕緊勘

辦定於初四日起程遄赴河工與河臣薩載分投查

勘督率道將廳營實力防護務保無虞以仰副

聖主慎重河防至意所有地方雨水疊沛黄河水勢加長

酌籌分洩情形并臣赴工督率防護緣由理合繕摺

由驛奏

聞伏乞

皇上睿鑒謹

奏

已有旨了

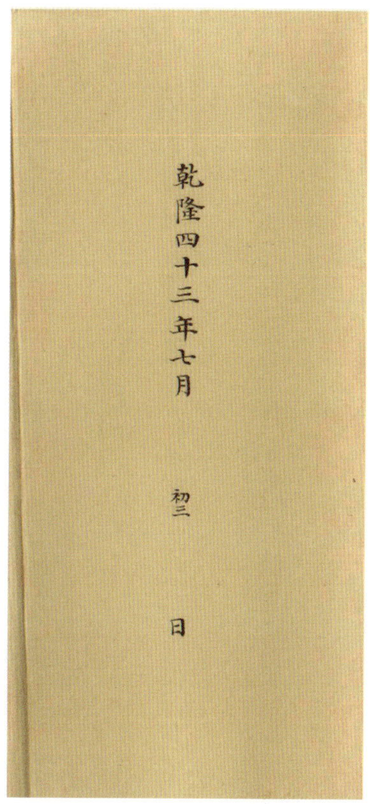
乾隆四十三年七月　初三　日

四〇七

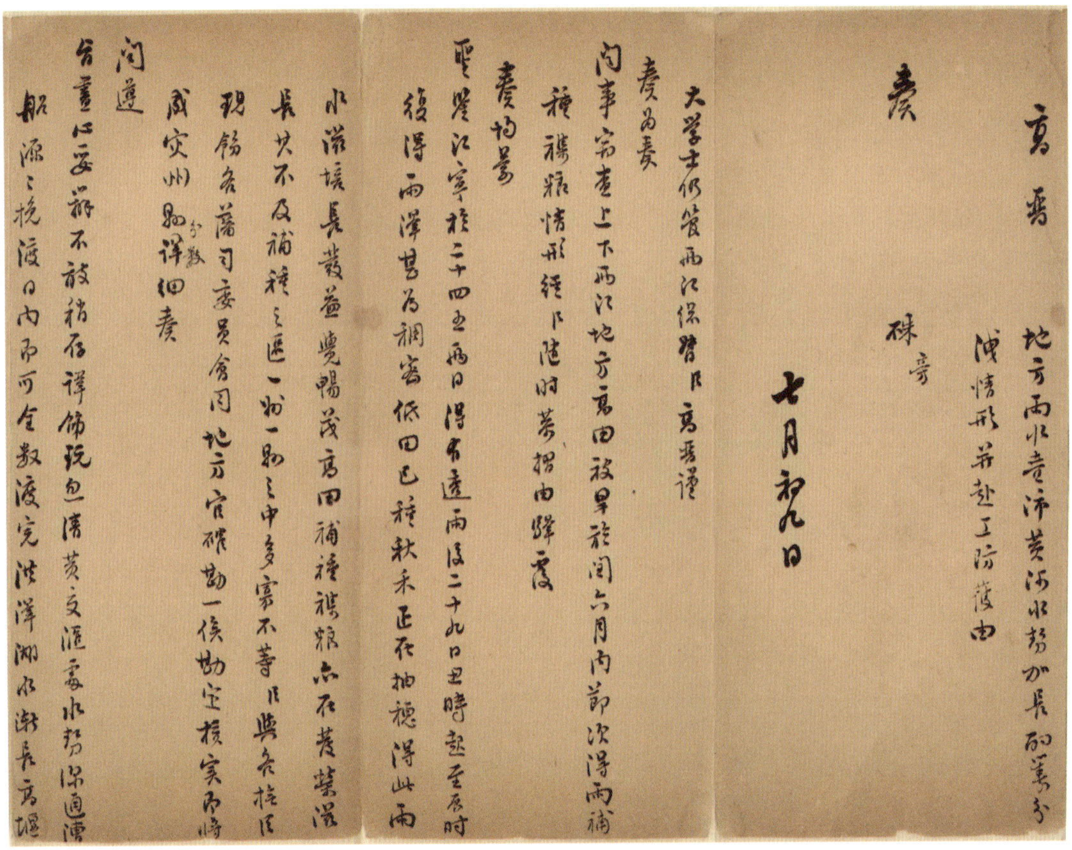

奏爲
地方雨水普沛黄河水勢加長所屬分
洩情形並赴工防護由
奏
硃旁
七月初九日

大學士仍管兩江總督臣高晉謹
奏爲奏
聞事竊查上下兩江地方高田被旱於閏六月內節次得雨補
種雜糧情形經臣隨時恭摺由驛覆
奏在案
聖鑒江寧於二十四五兩日得有透雨復二十九日丑時起至辰時
後得雨滂沛甚爲調暢低田已種秋禾正在抽穗得此雨
水滋培長發益覺暢茂高田補種雜糧亦在發葉滋
長其不及補種之區一州一縣之中多寡不等臣與各督臣
現飭各藩司委員會同地方官確勘一俟勘定核實分數將
成災州縣詳細奏
聞外
皇上仁愛蒼黎不敢稍存諱飾現在清黄交匯處水勢深通漕
船源源挽渡日內當可全數渡完洪澤湖水漸長高堰

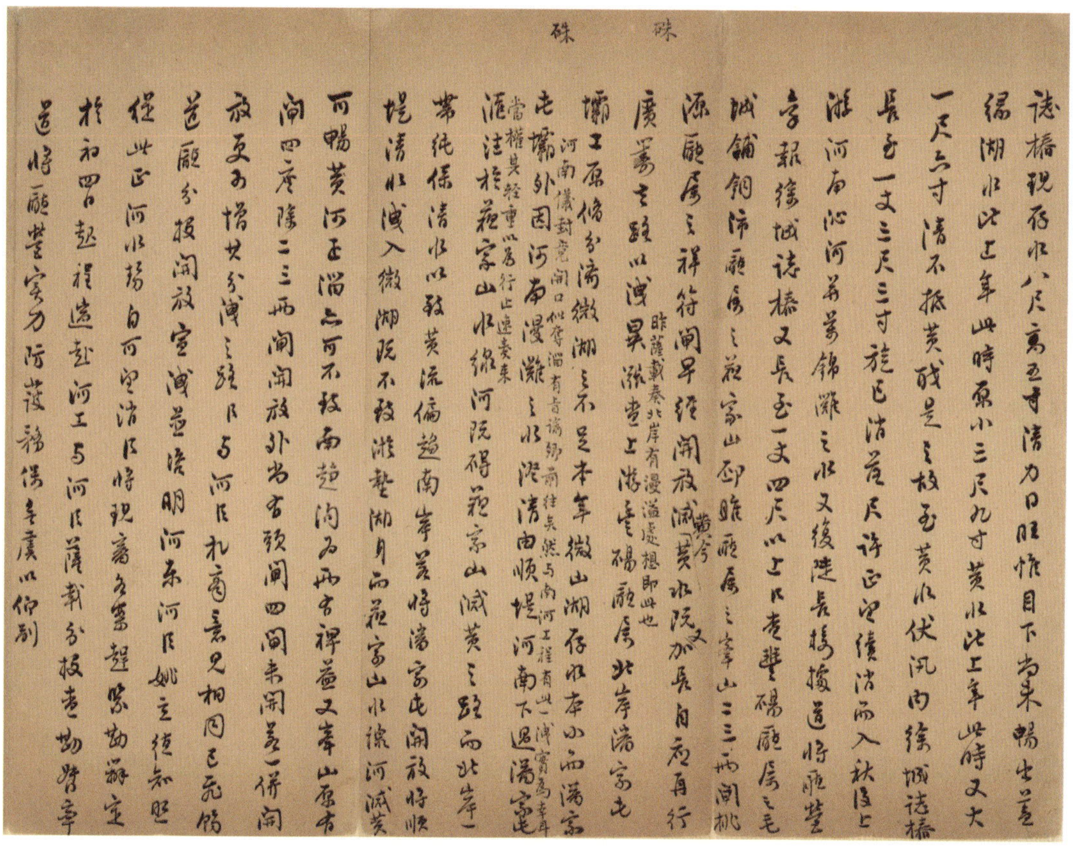
誌橋現存水八尺五寸清力日旺惟目下尚未暢出是
偏湖水比上年此時原小三尺九寸黄水比上年此時又大
一尺六寸清不抵黄職是之故至黄水伏汛內徐城誌橋
長至一丈三尺三寸較上年清黄尺寸正相懸殊而入秋後上
游河南沁河并滎錦灘之水又復陡長旋據道將廳營
稟報徐城誌橋又長至一丈四尺以上臣查碭廳屬之毛
城鋪銅沛廳屬之王家山邳睢廳屬之峰山三四兩閘桃
源廳屬之祥符閘早經開放減黄今黄水既又加長自應再行
硃 昨據載奏北岸有漫溢處想即此也
廣籌去路以洩異漲查上游碭廳屬北岸滿家屯
壩工原係分洩微湖之不足本年微山湖存水本小而滿家
硃 河南儀封竟開口似奪溜有旨論鄉南往矣然与南河工程有此一决實為幸耳
屯壩外因河南漫灘之水混清由順堤河南下遂滿寬
硃 當權其輕重以為行止速奏來
滙注於王家山水線河既得王家山減黄之路而北岸一
帶純係清水以敵黄流偏趨南岸是將滿家屯閘放將順
堤清水減入微湖既不致淤墊湖身而王家山水線河減黄
可暢黄河正溜亦可不致南趨內逼兩岸埽埝又峰山原有
閘四座除二三兩閘開放外尚有頭閘四閘未開是以併開
放更可增其分洩之勢臣與河臣札商意見相同已飭
道廳分投開放宣洩並咨明河東河臣姚立德知照
但此正河水勢自可望消臣將現辦各案趕緊協辦定
於初四日起程遠赴河工與河臣薩載分投查勘督率
道將廳營實力防護務保無虞以仰副

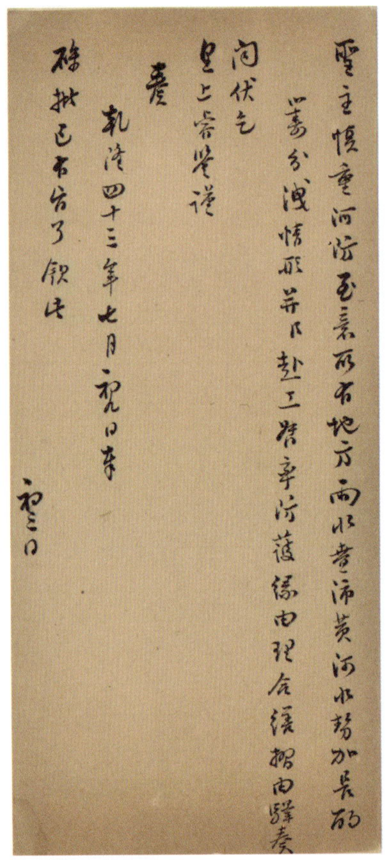

聖主慎重河防至意所有地方雨水普沛黃河水勢加長酌量分洩情形并卑職赴工督率防護緣由理合繕摺由驛奏
聞伏乞
皇上睿鑒謹
奏
乾隆四十三年七月初九日奉
硃批已有旨了欽此
初二日

四〇八

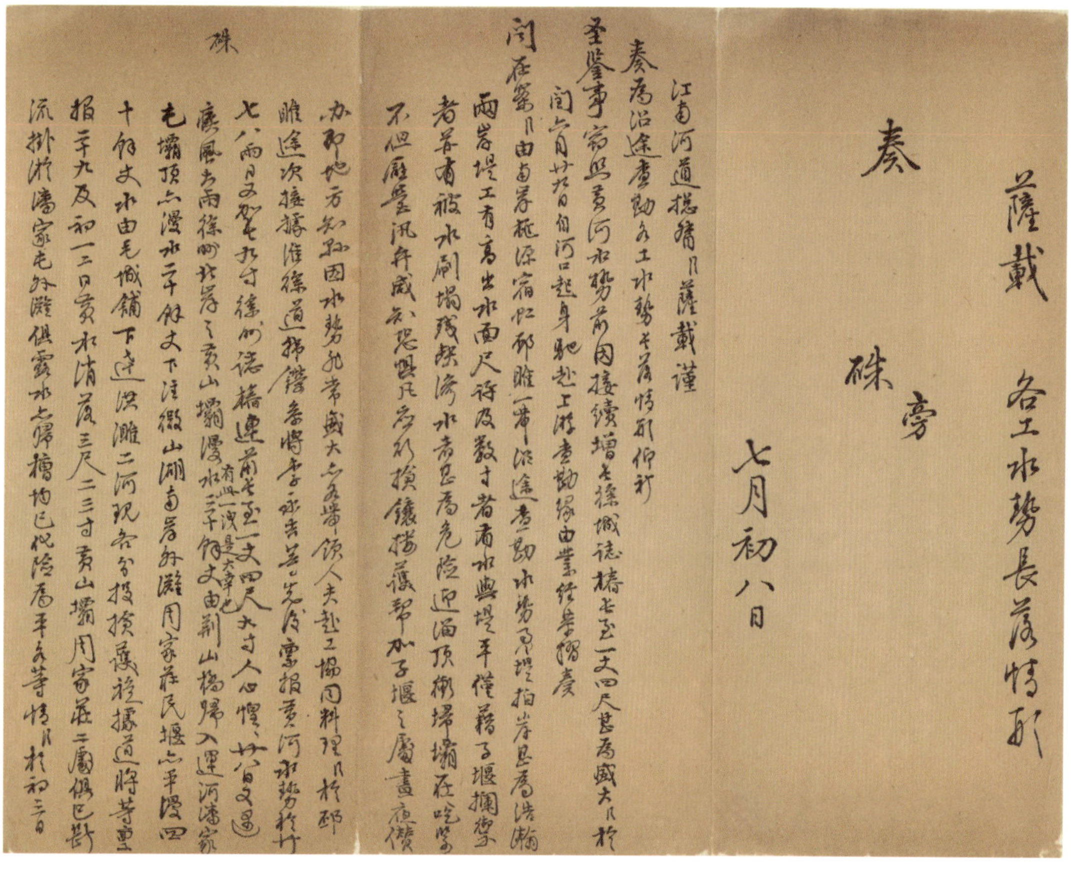

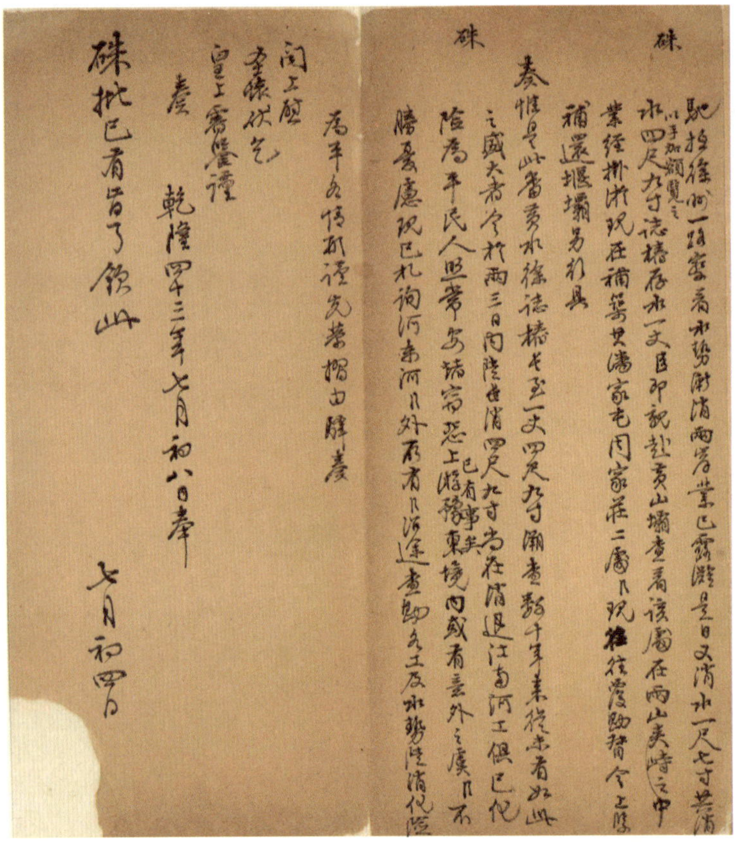

硃　　硃

馳抵徐州一路察看水勢漸消兩岸業已露灘是日又消水一尺七寸共消水四尺九寸以手加額覽之誌樁存水一丈臣即親赴黃山墻查看該處在兩山夾峙之中業經挑浚現在補築其潘家屯閆家莊二處凡現在催辦趲令上緊補還堰壩另行具

奏惟是此番徐州誌樁長至一丈四尺九寸溯查數十年來從未有如此之盛大者今於兩三日內陸續消四尺九寸尚在消退江南河工俱已化險為平民人照常安堵竊恐上游豫東境內或有意外之虞已有事矣凡不勝憂慮現已札詢河東河凡外有凡沿途查訪各工及水勢陸續消化隨

為此先將情形先繕摺由驛奏

聞上慰

聖懷伏乞

皇上睿鑒謹

奏　　乾隆四十三年七月初八日奉

硃批已有旨了欽此

七月初四日

四〇九

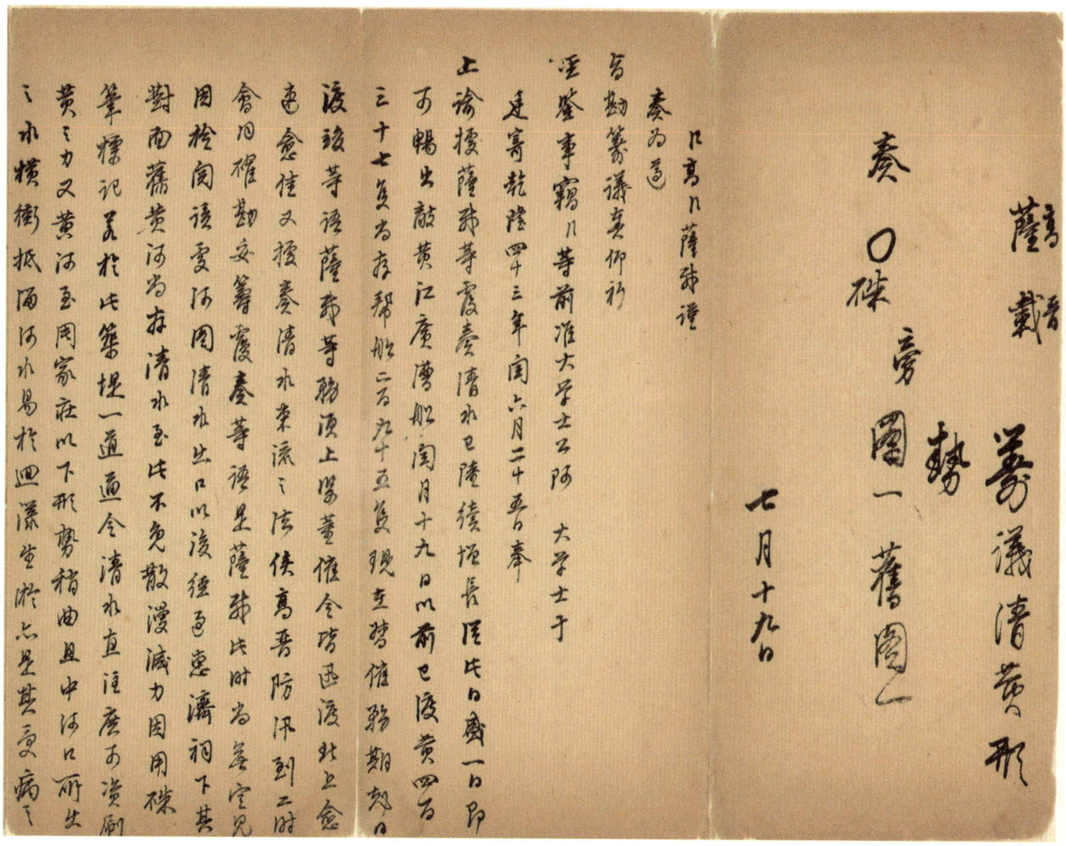

高晉
薩載
籌議清黃形勢
奏
〇硃旁圖一　舊圖一
七月十九日

臣高晉、臣薩載謹
奏為遵
旨籌議具奏仰祈
聖鑒事。竊臣等前准大學士公阿、大學士于
廷寄乾隆四十三年閏六月二十五日奉
上諭：據薩載等覆奏清水已陸續增長，現在日盛一日，即可暢出敵黃，江廣漕船閏月十九日以前已渡黃四百三十七隻，尚存幫船二百九十五隻，現在趕催，務期剋日
渡竣等語。薩載等務須上緊董催，令該幫迅渡北上，愈速愈佳。又據奏清水東流之法，俟高晉防汛到工時會同雅德勘妥籌覆奏等語。是薩載此時尚無定見，因檢閱該處河圖，清水出口以後，徑至惠濟祠下，其對面舊黃河尚存清水至此不免散漫減力，因用硃筆標記，若於此築堤一道，逼令清水直注，庶可資刷黃之力。又黃河至周家莊以下形勢稍曲，且中河口所出之水橫衝抵隔，河水易於迴漾，實於此亦是其受病

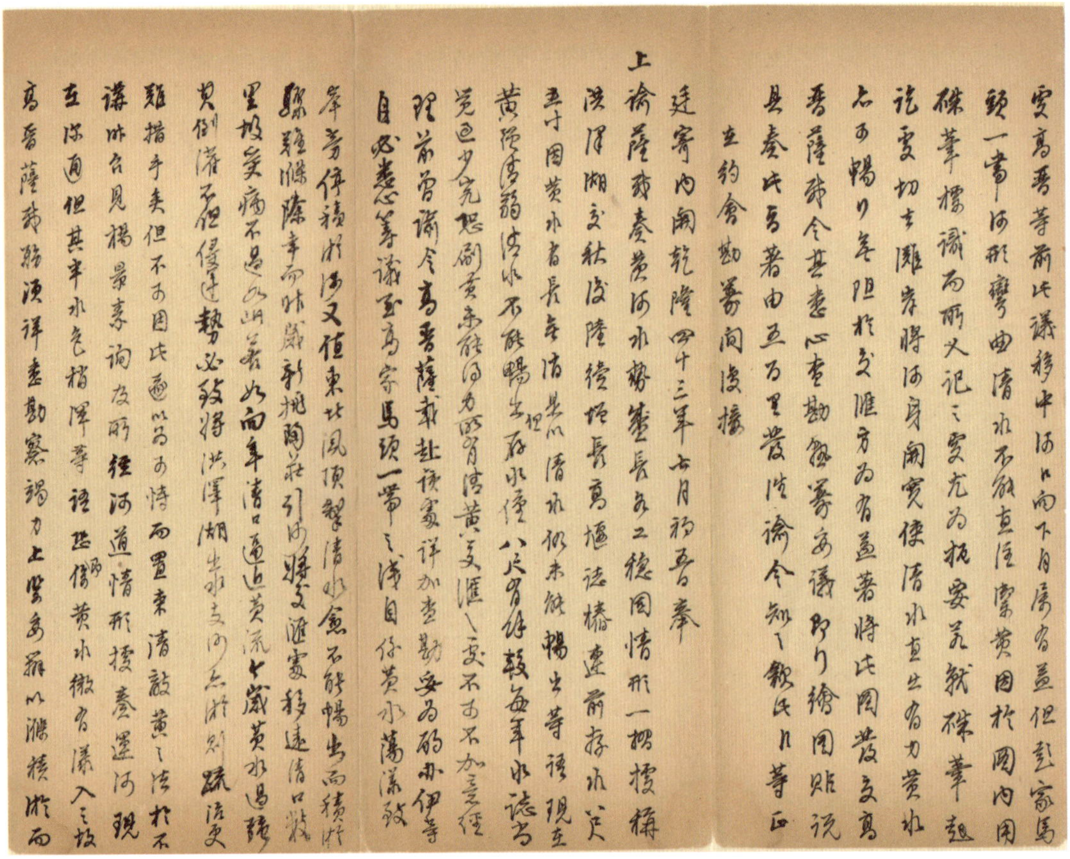

實高晉等前此議移中河口而下，自應有益。但彭家馬頭一帶河形彎曲，清水不能直注，實黃因於圖內用秫稭標識為兩火記之。實尤為穩妥。若就秫稭趨從更切去灘嘴，將河身開寬，使清水直出，有力黃水亦可暢行無阻於交匯，方為有益。著將此圖發交高晉、薩載，令其悉心查勘，熟籌妥議，即行繪圖貼說具奏。此旨著由五百里發往。諭令知之。欽此。臣等正在約會勘籌間，復接

廷寄內閣乾隆四十三年六月初五日奉

上諭：薩載奏黃河水勢暨長各工穩固情形一摺，摺內稱洪澤湖交秋後陸續增長，高堰誌樁連前存水八尺五寸，因黃水有長無消，是以清水仍未能暢出等語。現在黃強清弱，清水不能暢出，但存水僅八尺有餘，較每年水誌尚覺過少，究恐倒黃，未能得力。所有清黃交匯之處，不可不加意經理。前曾諭令高晉、薩載赴清口詳加查勘，妥為籌辦。伊等自必悉心籌議。至高家馬頭一帶之淺，自係黃水蕩漾致岸旁停積淤沙，又值東北風頂禦清水，愈不能暢出，而積淤驟難滌除。幸而此時業已挑開陶莊引河，將交匯處移遠清口數里，尚坡矣。倘不急為此籌，如向年清口逼近黃流之際，黃水過強，更倒灌入湖，便達勢必致將洪澤湖出水支河亦淤斷，既疏浚更難措手矣。但不可因此遂以為可恃，而置東清敵黃之法於不講。昨召見楊景素，詢及所經河道情形，據奏還河現在深通，但其中水色稍渾等語。然係黃水微有瀠入之故。高晉、薩載務須詳悉勘察，竭力上緊妥籌，以濬積淤而

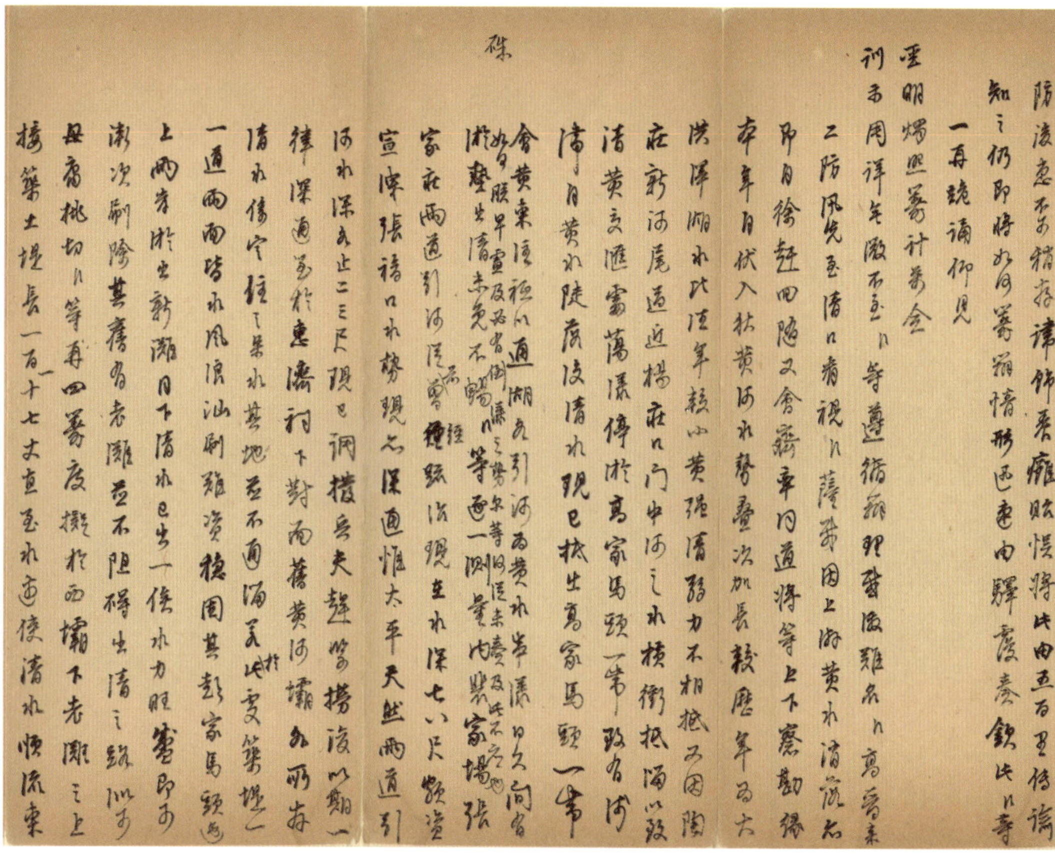

防護恐不甚精詳，謹飭要難賅悉，將此由五百里傳諭
知之。仍即將如何籌辦情形迅速由驛覆奏。欽此。欽遵
一再跪誦，仰見
聖明燭照，籌計萬全，
訓示周詳，無微不至。臣等遵循辦理，曾經雖名臣嵩未
二防風先至清口看視，臣潘錫恩因上游黃水消落，亦
即日赴徐四廳又會齊常河道將等上下察勘。緣
本年自伏入秋，黃河水勢疊次加長，較歷年為大，
洪澤湖水比往年較小，黃強清弱，力不相抵，又因陶
莊新河尾逼近楊莊之門，中河之水橫衝抵溜，以致
清黃交匯處溝漲停於高家馬頭一帶，致令湖
清之自黃水陡長後，清水現已抽出高家馬頭一帶
會黃東注，祗以通湖各引河為黃水嵌漲日久，向有
淤墊，出清未免不暢。臣等逐一測量，由家場張
家莊兩道引河從前原曾挑經，沿現在水深七八尺，欲冀
宣洩。張福口水勢較為深通，惟太平、天然兩道引
河水深只止二三尺，現已酌撥兵夫趕緊撈浚，以期一
律深通。至於東壩稍下對面舊黃河灘分列，[illegible]
清水傍守經之，黃水其地並不通溜，至此變築堤一
一道，兩面皆水，風浪汕刷，難資穩固。其彭家馬頭迤
上兩岸淤出新灘，目下清水已出一條，水力旺處即可
漸次刷除。其舊有老灘並不阻礙出清之路，似可
毋庸挑切。臣等再四籌度，擬於西壩下老灘之上
接築土堤長一百十七丈，直至水邊，使清水順流東

硃

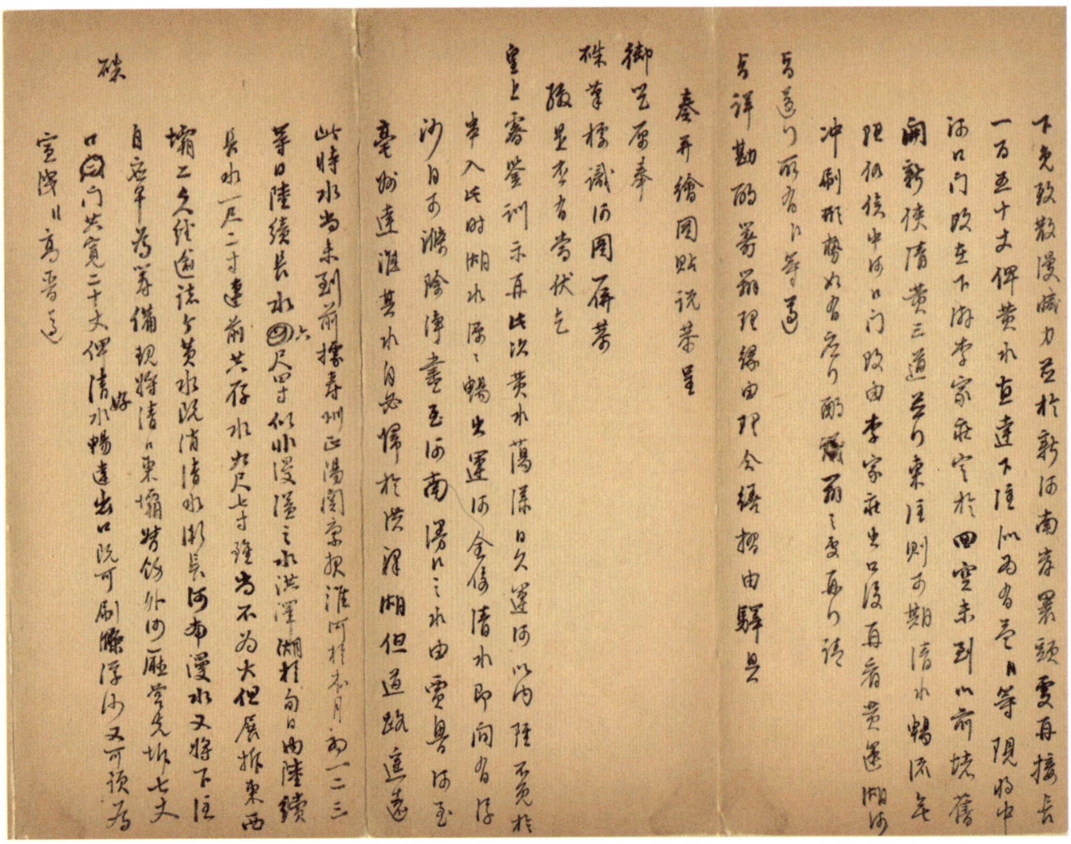

不免致散漫減力至於新河南岸裹頭需再接長
一百五十丈俾黄水直達下注似爲省費且等候將中
河口門改在下游李家莊空於四雲未到以前堵舊
開新使清黄三道分門東注則可期清水暢流無
阻抑俟中河口門改由李家莊出口後再看黄過湖河
沖刷形勢如有應行酌辦之處再行請
旨遵行所有臣等籌議
旨詳勘酌籌辦理緣由理合繕摺由驛具
奏並繪圖貼說恭呈
御覽伏乞
硃筆標識河圖屏夢
發臣等奉以遵辦伏乞
皇上睿鑒訓示再此次黄水驟漲日久運河以內難免於
串入此時湖水深深暢出運河全係清水即向南流
沙自可滌除淨盡至河南漫口之水由靈璧泗至
亳州達淮其水自然歸於洪澤湖但道路遙遠
此時水尚未到前據壽州正陽關等報淮河於本月初一二三
等日陸續長水六尺四寸仍非漫溢之水洪澤湖於初四日陸續
長水一尺二寸連前共存水七尺七寸雖尚不爲大但展拆東西
壩二丈經過清黄水既清清水漸長河南漫水又將下注
自應早爲籌備現將清口東壩將啟外河廳尚需拆寬七丈
口門共寬二十丈俾清水暢達出口既可刷滌淤沙又可預爲
宣洩之需謹奏
硃

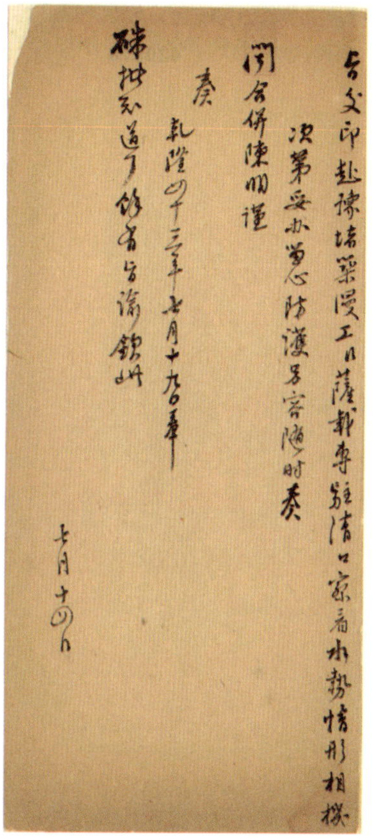

臣又即赴豫協築漫工，與薩載等籌議清口宣洩水勢情形，相機
次第妥辦，並當心防護。另容隨時奏
聞。合併陳明，謹
奏。
乾隆四十三年七月十九日
硃批：知道了。餘有旨諭。欽此。
七月十四日

四一〇

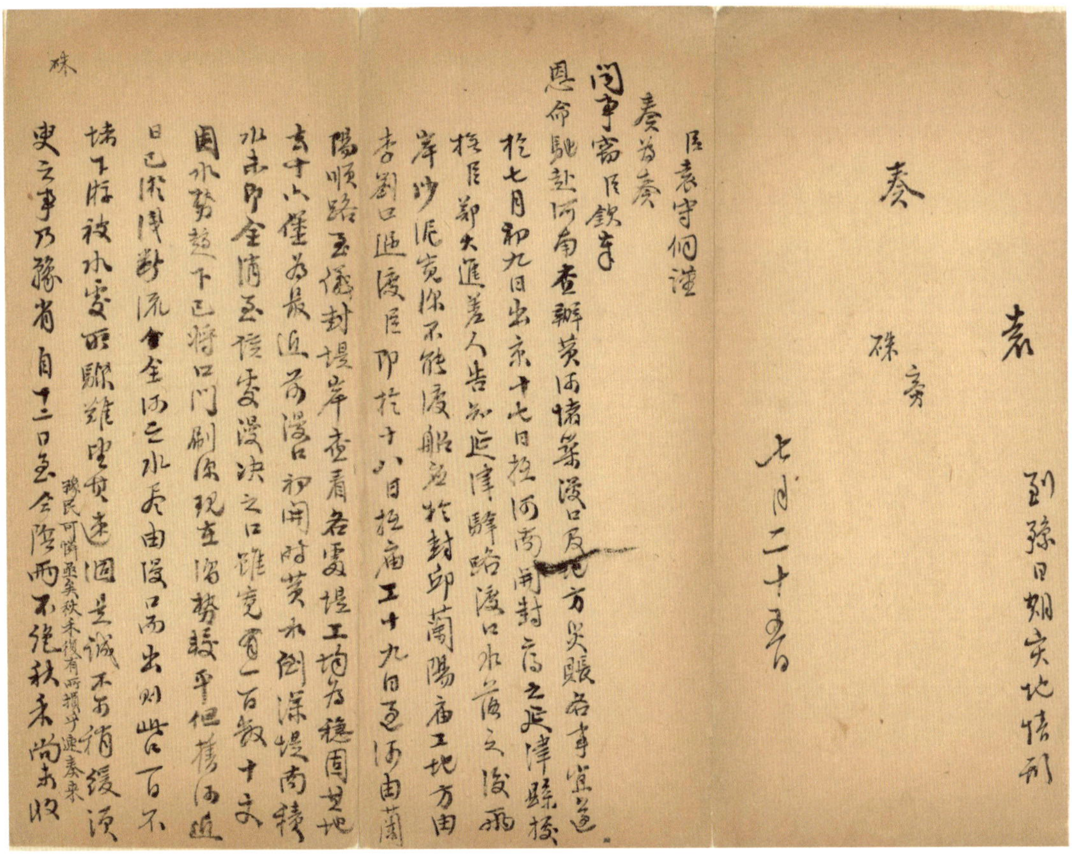

奏

袁

硃旁

到豫日期實地情形

七月二十五日

臣袁守侗謹

奏爲奏

聞事。竊臣欽奉

恩命馳赴河南查辦黄河堵築漫口及地方災賑各事宜。遵

於七月初九日出京，十七日抵河南開封府之延津縣。接

據臣鄭大進差人告知，延津縣路漫口水深之後，兩

岸沙泥寬深，不能渡船，應於封邱蘭陽廟工地方由

李劉口過渡。臣即於十八日抵廟工，十九日至河，由蘭

陽順路至儀封堤岸查看各處堤工，均爲穩固，其地

去十六堡爲最近。前漫口初開時，黄水倒漾，堤南積

水未即全消。至該處漫決之口，雖寬有一百數十丈，

因水勢趨下，已將口門刷深。現在溜勢稍平，但據河道

日已淤淺斷流，會全河之水長由漫口而出，則皆百不

諸下游被水處所州縣，雖望賚速，迴是誠不可稍緩，須（豫民可謂亟矣，秋禾復有所損，得速奏求）

史之事。乃豫省自十二日至今，陰雨不絕，秋禾尚未收

硃

該工次亟須運料堵築甚切，乃所過沿堤一帶遇見附近運料車輛俱遇泥濘，行走甚遲。其河之北岸銅瓦廂等處現有備貯舊料，當與河臣姚立德面商，將來興工之後，倘新料一時不能接濟，即酌將該處所存舊料借用，俟新料運到再行歸還。至於被水處所情形，面詢撫臣鄭大進，據藩司榮柱接稱，儀考汛漫口之處，惟考城因地勢低窪，較儀封被災為重。考城被水時，即委員帶銀六千兩，雇船紮筏，分路赴該城查看救護。該城逼近大堤，居民俱遷居堤上。城內坍塌房屋甚多，瓦屋存者十之三四，倉內穀石已經浸濕，即將濕米分散堤上避水居民，庫項亦經撈獲。又歸德府知府杜寔於二十九日聞報，即馳赴考城，並攜帶錢一千串、饃二千斤前往撫卹，並將城內監獄人犯押赴商邱縣收禁。至初八九日，該縣因水勢漸趨商邱，即馳回郡城保護。其儀封一縣因漫水灌注，四面被圍，城內並未入水，城外鄉民俱遷居堤上及高埠之處，亦委員帶銀六千兩，分路散給安頓。其下游商邱、寧陵、睢州及鹿邑、永城、柘城、亳州，俱已委陳州府知府陳步瀛帶銀三千兩，會同杜寔前往查辦等語。查儀封、考城等州縣猝被水患，上厪

宸衷，念切民艱，撥餉截漕，

恩施備至，地方官自當加意撫卹，實力妥辦，毋使一夫失所。今儀封被水災民，已於沿堤經過時

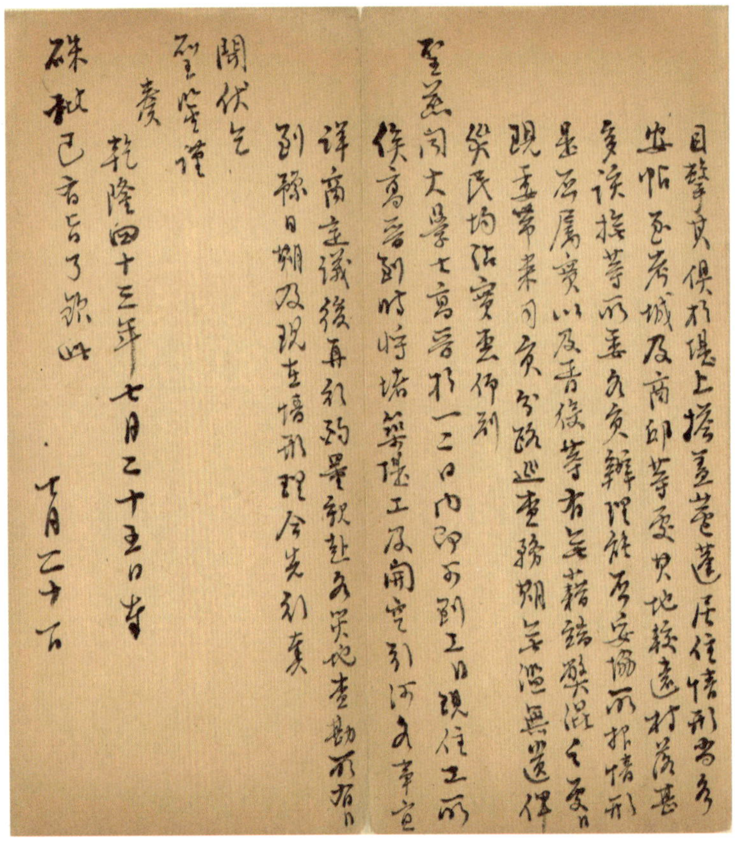

目擊貧俱於堤上搭蓋菴蓬居住情形甚多
安帖至考城及商邱等處其地較遠村莊甚
多該撫等所委各員辦理能否妥協所报情形
是否屬實以及胥役等有無藉端蒙混冒日
現委常來司員分路巡查務期無濫無遺俾
災民均沾實惠仰副
聖慈聞大學士高晉於一二日内即可到工日現住工所
俟高晉到時將堵築堤工及開挖引河各事宜
詳商定議後再行酌量親赴各災地查勘所有
到豫日期及現在情形理合先行奏
聞伏乞
聖鑒謹
奏
乾隆四十三年七月二十五日奏
硃批已有旨了欽此
七月二十七日

四一一

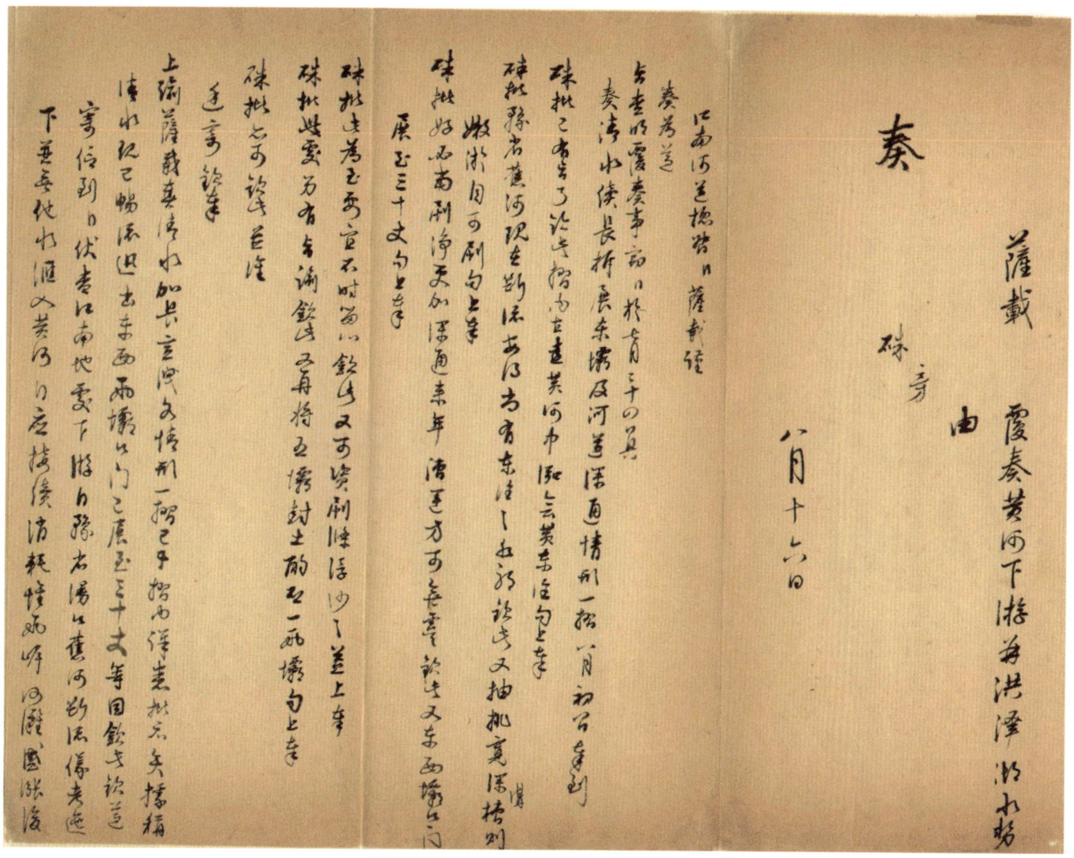
奏
薩載覆奏黃河下游并洪澤湖水勢由
硃旁
八月十六日

積水甚多。縱以七月中旬陰雨連綿，坡水加增，豫東境內由睢
河注清下注之水，先經大學士臣高晉令將清家屯壩之石
放洩入湖，由湖內歸黃濟運，其餘兩岸外灘坡水，復經臣飭各
廳營在於灘上抽溝宣洩，悉歸黃河。至山徐城諸橋於七月下旬
均落水五尺三寸。上洪澤湖水據倍加長，運中河內水勢又大，兩
岸清水出口暢達，與石無稍遜。黃河今交八月以來，湖水漸次
消涸，係減諸橋所存水一尺五寸，邳宿桃源等存水六七尺，水勢
淮清並未源旺，斷而上水為底，下口清江南黃河直口，水勢實甚
清利也。其豫省陽下之水據報四涸散漫入淮內，淮以達洪澤湖。
至江河水挾河而來，又係黃流前往，自淮入湖，受所查勘，尚已
純係清水，洪澤湖內甚好，不致更淤，亦茲事

硃

諭旨垂詢，謹查明
奏覆，仰慰
聖懷。至洪澤湖水勢，七月底至一丈二尺八寸，請以東壩長實至五十丈
並不敢此時開壩封土，交情形。經臣於八月初十日恭摺由驛具
奏在案。嗣據河南陳州折報黃水溢灘黃河內七月十四、二十一、二十七等日先後
陸長水一丈五尺，武陟縣折報七月二十日沁河內陸長水四尺三寸，俱
經儀封陽上下注，並據安徽壽州折報，正陽關淮河內七月二十
三日起至三十日後長水七尺五寸，匯注洪澤湖內，每日長水三寸
來勢洶湧，臣先將清口西壩督飭外河廳營拆展十二丈，口門共
寬六十二丈，以存壩基，各長十丈，留護崖埽，並將山盱智壩封土，其
仁、信二壩並前經啓放，口寬水勢仍在旺長，復飭該營將義壩
封土拆除開放，各壩皆過水五尺餘寸，兩日來湖水每日加長三寸

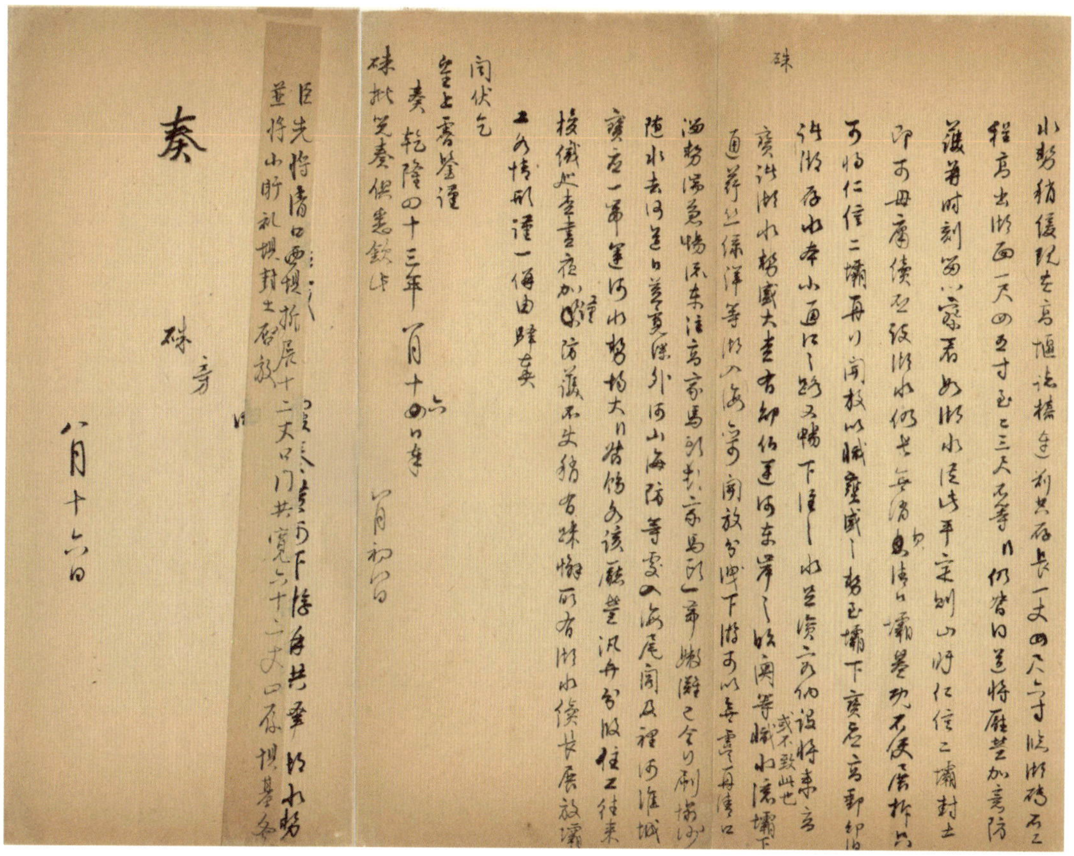
奏
八月十六日
聞伏乞
皇上睿鑒謹
奏 乾隆四十三年 月十六日
硃批 覽奏俱悉欽此

四一二

奏

大學士仍管兩江總督臣高晋謹

奏爲遵

旨據實覆奏事竊臣在儀封工次接到大學士于敏中寄

字乾隆四十三年八月初二日奉

上諭以薩載奏稱清水出口直達黄河中泓會黄東注之

語不解其故黄河自儀封十六堡漫口奪溜舊河現已

斷流安得復有東注之水或豫省以下另有他水滙入

黄河仍由江南入海亦未可定著薩載即將此等情形

即行查明覆奏至於黄河必挾泥沙非有蕩漾之處不

能清澈驗之毛城鋪減下之水其故可見彼減水且然

況大溜乎今儀封漫水由賈魯河達淮由淮以達洪澤

湖雖經行之路甚長而河流濁勢不能驟改中間又不

聞有蕩漾之所是賈魯及淮必有受淤者若更淤及於
湖則所係甚大著高晉悉心籌勘無論何處受淤急宜
酌量疏濬以為善後之計斷不可稍事因循致滋貽悮
欽此臣跪讀之下仰見我
皇上聖明遠照洞徹幾微臣中誠欽服莫可名言伏查黄
河漫溢奪溜則水歸漫口下注舊河勢必斷流即漫
口迤下或有兩岸灘水歸入正河流至南河亦必無
多自儀封漫口奪溜之後臣自清口赴豫一路留心
查看各工水勢日消一日及過徐州則水勢已平經
由北岸雖有順堤河之水亦屬甚微臣即令道廳將
潘家屯引河開放歸入微山湖濟運南岸放水又有
毛城鋪等處可以分注此外委無另有他水滙歸黄
河臣細思薩載所稱會黄東注字句必是因湖水暢
出拘於河工成語未加檢點以致錯謬至儀封漫口
奪溜下注始則普面四散繼必刷成溝槽經數州縣
地方由賈魯河入淮經行之路既長則泥沙隨處停
積迨入淮河以達洪澤湖已非濁流從前豫省揚橋
奪溜即由賈魯河下注淮河洪湖並無淤墊之處此

自是如此若清水向黄河而行耳

此處要去看

其明驗惟自漫口而下經由之數州縣境（信）內凡有關
於水利之支河汊港溝洫難免淤墊臣現委員自儀
封漫口循流查勘何處淤墊阻礙詳晰繪圖記明如
有阻礙水勢處立即委員疏導倘無阻礙不過漫水
若無阻礙水勢處莫如不辦或反受其益也
淤墊一俟大工告成則入於歲修水利河道案內兩
省督撫委員勘明照例妥協辦理以仰副
聖主垂念河道民生之至意不敢稍事因循致滋貽悞除
俟查明另奏請
旨外所有臣遵辦緣由理合先行繕摺附驛覆
奏伏乞
皇上睿鑒謹
奏
已有旨了
乾隆四十三年八月　　十一　　日

四一三

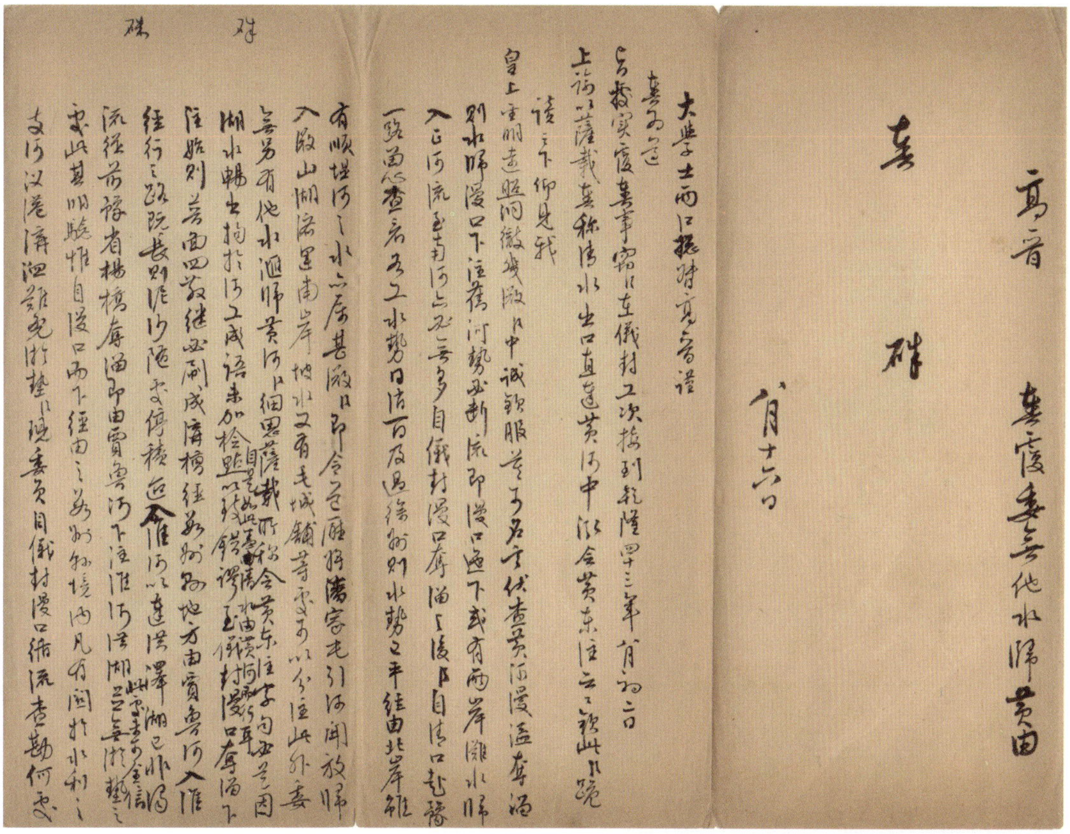
高晉
奏
硃
八月十六日

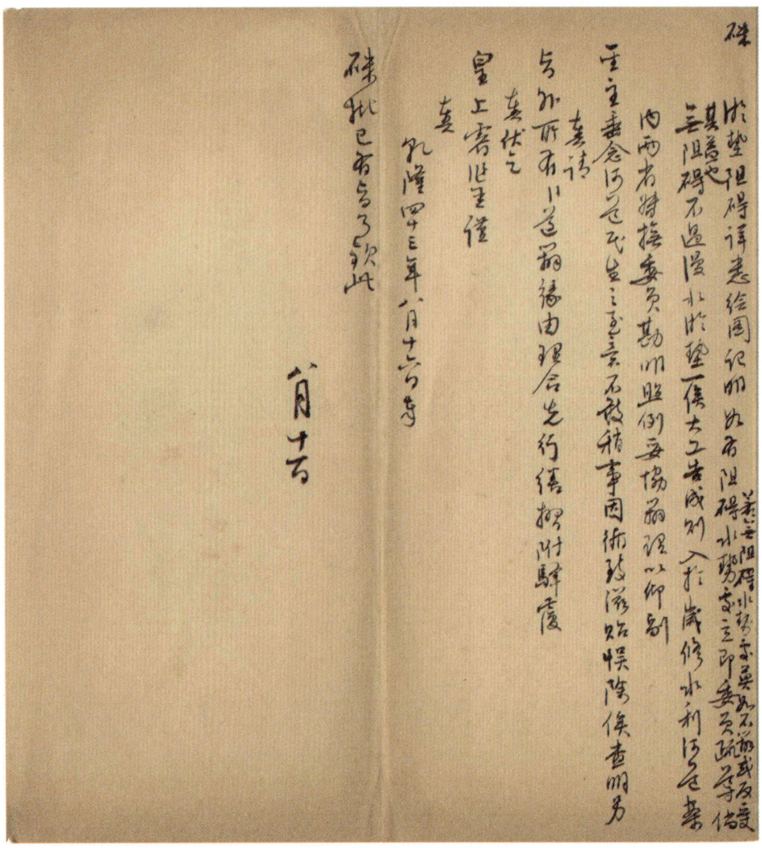

硃

於壅阻礙，詳悉繪圖記明。如有阻礙水勢，並無阻礙水勢亦無甚不便或反受（者），即委員疏濬修復。其善也。

無阻礙，不過侵水。於壅一條，大工告成，列入於歲修水利河道案

内，兩省將接委員勘明，照例妥協辦理，以仰副

聖主垂念河道民生之至意。臣不敢稍事因循，致滋貽悞。除俟查明，另

奏請

旨外，所有川[illegible]辦緣由，理合先行繕摺附驛覆

奏，伏乞

皇上睿鑒謹

奏。

乾隆四十三年八月十六日

硃批：已有旨了。欽此。

八月十六

四一四

奏

陝甘總督臣勒爾謹跪

奏為遵

旨覆奏事竊臣於本年七月三十日行抵嘉峪關欽

奉

上諭勒爾謹奏甘省雨水情形一摺覽奏已悉甘省皐蘭等州縣被旱成有偏災業經該撫勘辦題報今寧夏所屬三縣又因河水泛漲被淹而秦州秦安縣亦因山水瀑發田禾間有冲淤之處自應飭屬實力勘查照例分別妥辦使被災遺黎不致失所毋稍粉飾至黃河未入龍門以前向來從無泛溢何以前歲陝西之朝邑縣及今歲甘肅之寧夏等縣俱有黃河泛漲為災之事其故安在並著該

督查明具奏此旨由四百里發往諭令知之欽此
遵
旨寄信到臣伏查寧夏等縣因黄河泛漲間被災傷
及秦州秦安縣山水瀑發田禾間有冲淤之處
臣已飭屬實力確查惟有於一切撫卹事宜認
真妥辦以仰副我
皇上軫恤邊氓之至意至黄河發源於星宿海入西
寧府屬之歸德境經皋蘭靖遠二縣以至中衛
靈州寧夏平羅查西寧蘭州二府屬地方黄河
兩岸率皆山峽河水無從泛濫即入中衛後水
勢平衍且有渠流宣洩以資灌溉誠如
聖諭黄河未入龍門以前從無泛溢惟因本年蘭州
等府屬秋雨過多以致山水滙入黄流宣洩不
及遂致一入寧夏府屬地方水勢散漫其平灘
臨河地畝間被淹浸實因衆水滙合以致瀑漲
也至前歲朝邑縣田禾被水因黄河由龍門徑
行朝邑直注潼關始折而東下朝邑在潼關上
游又因彼時渭洛二河之水同時並漲滙入黄

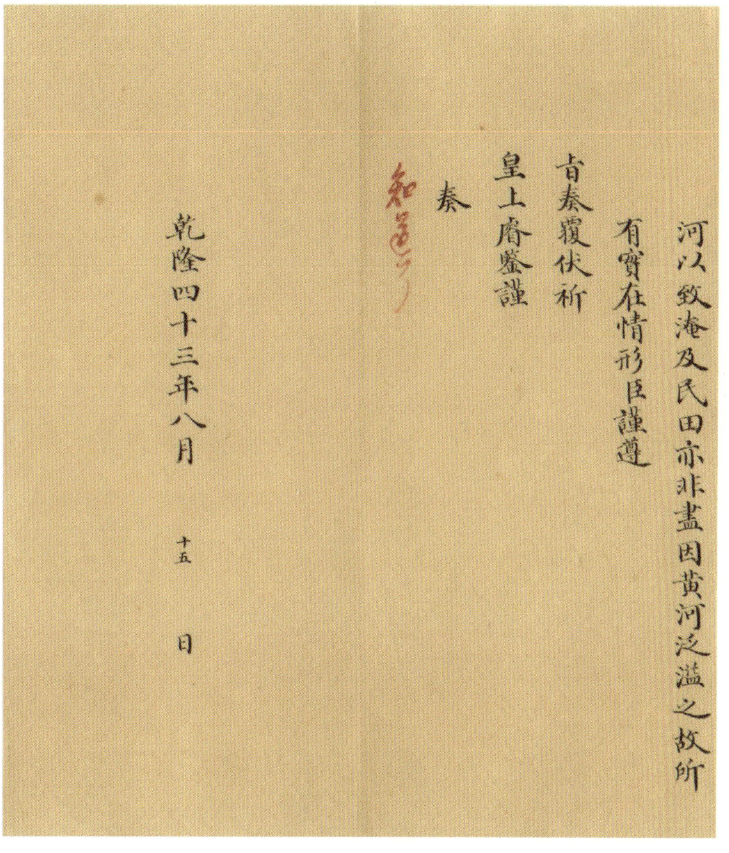
河以致淹及民田亦非盡因黄河泛溢之故所

有實在情形臣謹遵

旨奏覆伏祈

皇上睿鑒謹

奏

知道了

乾隆四十三年八月　十五　日

四一五

奏

勒爾謹

覆奏寧夏府屬被水非黃河泛溢由

九月十八日

陝甘總督臣勒爾謹跪

奏為遵

旨覆奏事。竊臣於本年七月二十日行抵嘉峪關，欽奉

上諭：勒爾謹奏甘省雨水情形一摺，覽奏已悉。等因。臣伏查寧

夏等州因黃河泛漲，間被沖傷，及秦州秦安等州山水漲發，

田禾間有沖淤之處，臣已飭屬實力確查，惟有於一切撫

卹事宜認真妥辦，以仰副我

皇上軫恤災黎之至意。至黃河發源於星宿海，由西寧府屬

一路入境，經皋蘭、靖遠二縣，以至中衛、靈州、寧夏、平

羅等處。西寧、蘭州二府屬地方，黃河兩岸皆山，凡河水

每從注瀉，及入中衛後，水勢平衍，且有渠流宣洩以資

灌溉，誠如

聖諭黃河未入龍門以前從無泛溢。惟因本年蘭州等府屬

秋雨過多，以致山水匯入黃流，宣洩不及，遂致一入寧夏及

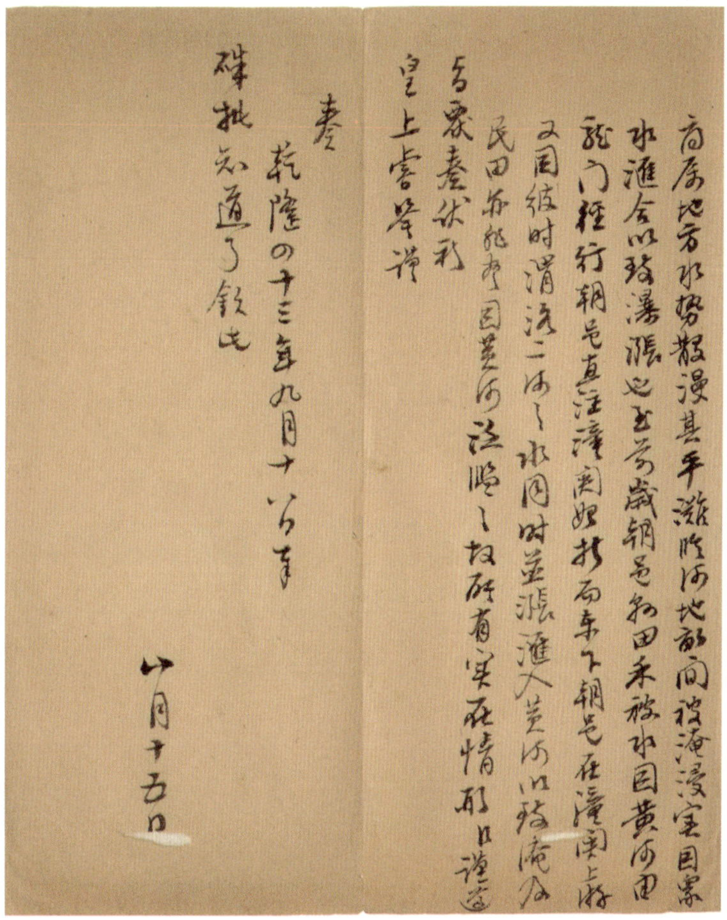

商虞地方水勢散漫甚平，濉河地勢向被淹浸，實因衆
水匯合以致漲溢，至今歲銅邑秋田禾被水，因黃河由
龍門經行銅邑，直注潼閘，迎折而東下，銅邑在潼閘上游，
又因彼時濉消二河之水同時並漲，匯入黃河，以致淹及
民田，亦非專因黃河注漲之故。所有實在情形，理合謹遵
旨覆奏，伏祈
皇上睿鑒，謹
奏
乾隆四十三年九月十六日
硃批：知道了。欽此
十月十五日

四一六

奏

江南河道總督臣薩載謹

奏為奏

聞事竊照中河楊家莊運口前經大學士督臣高晉

會摺

奏請移在李家莊地方建設於漕船回空時堵舊
開新迨挑河築壩工程辦就後因七月內東省
蒙沂諸河發水下注中河水大楊莊舊口尚難
堵閉應俟水勢平定辦理緣由復經臣附摺

奏明在案茲查中河水勢前月以來漸次消退堵
閉楊莊舊口已可施工惟因洪澤湖水暢出清
口黃河內清水盛大老壩口誌樁現存水一丈
八尺四寸較比上年此時水大四尺二寸測量

黄河水面現高李家莊新河底一丈五尺三寸
中河水面現高新河底一丈五尺水勢相等而
李家莊新挑河内面寬一十六丈深一丈一尺
及一丈七尺不等臣與道將等公同勘度悉心
籌酌此時若將李家莊新運口開放水勢内外
相平新河出水不能迅流暢注沖刷寬深竊恐
新河難以容納自應慎重辦理目下回空漕船
已經南下仍由楊莊出口渡河遄行無阻其中
河運口俟黄河内水勢消定或冬間或春初相
機閉舊開新另行奏
聞再查桃源一帶黄河内因清水盛大由陶莊新河
上漾直抵高家灣地方計三四十里其迤上之
臨河集陳家樓李家莊及祥符閘迤下黄河内
舊有崗土淺灘五處水力既不能刷除人力又
難以撈挖實為隱患今該處砂礓崗土業已露
出較河底高有三尺餘寸各寬二十餘丈共長
二百五十餘丈臣與大學士督臣高晉往来札
商應乘時挑挖俾河底一律相平業已嵩委淮

是緊要之也

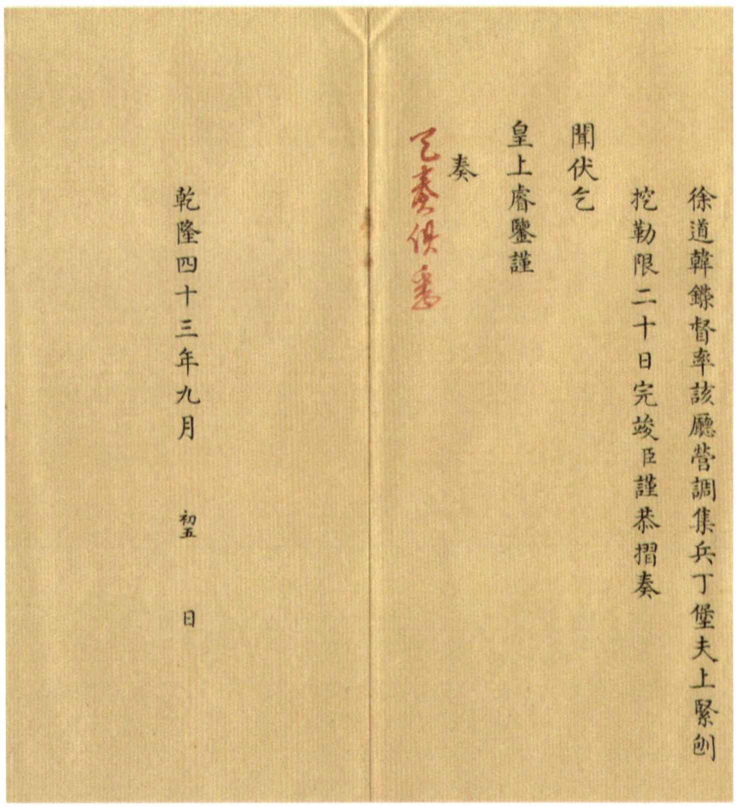
徐道韓鑅督率該廳營調集兵丁堡夫上緊刨
挖勒限二十日完竣臣謹恭摺奏
聞伏乞
皇上睿鑒謹
奏
已奏俱悉
乾隆四十三年九月 初五 日

四一七

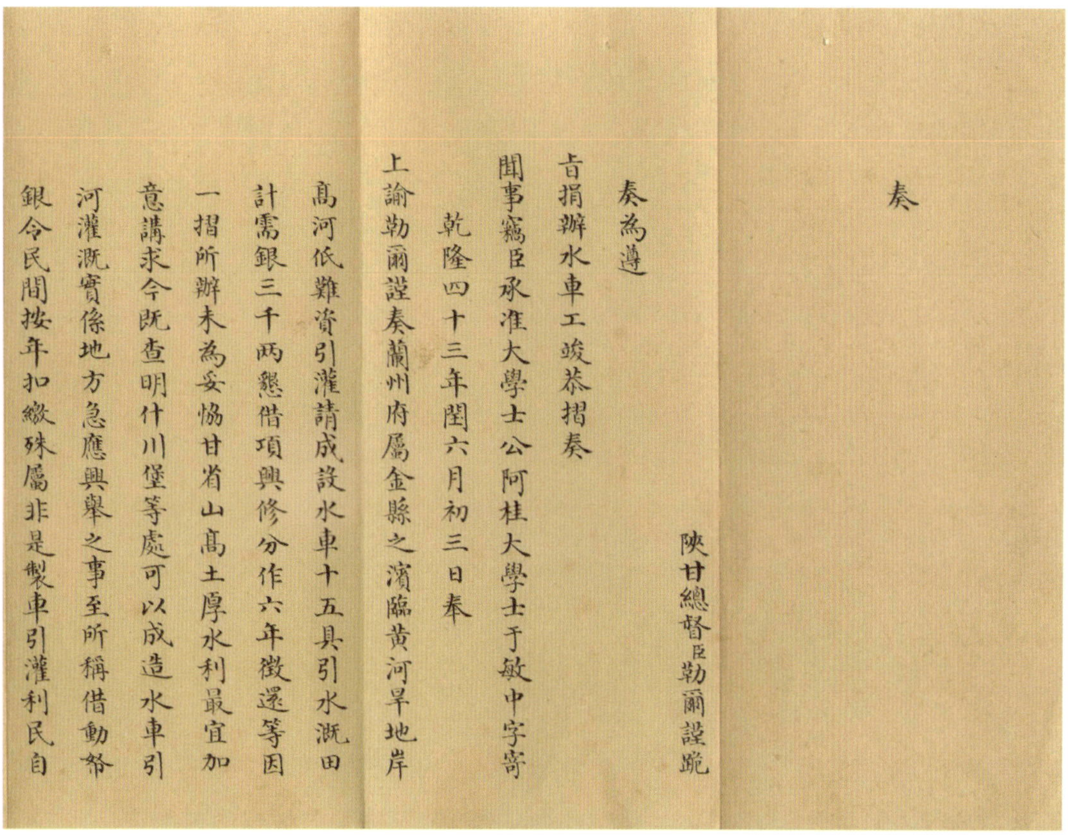

奏

陝甘總督臣勒爾謹跪

奏為遵

旨捐辦水車工竣恭摺奏

聞事竊臣承准大學士公阿桂大學士于敏中字寄

乾隆四十三年閏六月初三日奉

上諭勒爾謹奏蘭州府屬金縣之濱臨黃河旱地岸高河低難資引灌請成設水車十五具引水溉田計需銀三千兩懇借項興修分作六年徵還等因一摺所辦未為妥協甘省山高土厚水利最宜加意講求今既查明什川堡等處可以成造水車引河灌溉實係地方急應興舉之事至所稱借動帑銀令民間按年扣繳殊屬非是製車引灌利民自

宜官為經理豈可復以所費累及閭閻府縣官各
有養廉理應捐辦以盡牧民之責即或守令力難
獨辦而總督歲入養廉豐厚尤宜捐貲濟公方無
忝封疆重寄乃勒爾謹即知事屬應辦復請借項
應用令民繳還吝已背而罔恤民隱實屬見小若
費至數萬之事朕即賞給矣此項工費銀不過三
千兩即着勒爾謹於養廉内全行捐出上緊成造
以利民用不得復令小民扣繳滋累將此傳諭知
之仍着將捐辦完竣情形即行覆奏欽此遵
旨寄信到臣臣跪讀之下不勝惶悚伏查成造水車
引河灌溉乃地方急應興舉之事誠如
聖諭自宜官為經理豈可累及閭閻臣仰蒙
聖恩畀以封圻重任歲入養廉豐厚更應捐貲濟公
臣未能早見及此實屬糊塗今凜遵
聖主訓示當即於養廉内捐銀三千兩飭發金縣知
縣卲大英轉發里民收領并檄委狄道州州判
吳詵就近督率各該里民購料鳩工上緊興修
據報於七月初六日興工起至九月十六日工

竣共用工料銀三千一百六十三兩現在金縣
所屬之什川堡起至一條城止沿河架立水車
一十五具汲流而上旱地四千餘畝均資灌溉
閭閻實沾水利之益除將不敷銀兩找發并飭
司查造工料銀兩册籍依限送部外所有臣遵
旨捐辦水車完竣緣由理合恭摺覆
奏伏祈
皇上睿鑒謹
奏
乾隆四十三年十月　初九　日

四一八

奏

臣福隆安和珅謹

奏爲請

旨事據河南偃師縣民人李惠元易遇天呈控該縣因黄河漫口派累民間採買物料折交錢文等情臣等詳加審訊據李惠元供我係河南偃師縣人年二十二歲充當仁里庄糧頭本年因黄河漫口需用物料派各州縣辦運原係

皇上發帑公買本縣設立木場收料本年七月内本縣汪知縣出票派糧頭一千名將我們都傳到衙門吩咐所辦物料派令民間採買每有錢糧一兩之户派蔴二觔四兩穀草二十五觔起初令民間赴場交蔴因秤大總收不足随每户折

交大制錢七百文又按三十兩錢糧之數向糧
頭要夫一名折交大制錢四千八百文總派我
們糧頭彙總交完又八月内二次續派有糧一
兩之户交蔴二觔四兩秫稭十七觔半並鐵木
數根共折交大制錢九百文我因鄉民窮苦的
多實不能如數交納若遲延不交縣官不依我
無奈賠交過錢二十二千文兩次賠交過銀一
百五十一兩聞説以後每月總要照前派交我
因身當糧頭自己賠累一縣之人又受累不堪
實在情急無奈所以帶了民人易遇天來京控
告的易遇天供我係河南偃師縣人年四十六
歲在安家灘居住本年因年成荒旱又黄河漫
口民食無望蒙
皇上發帑賑濟每人一口賑給銀一錢八分乃本縣
汪知縣將無地貧民按户止散給一半銀子其
有地之户不給賑濟借給籽種銀六分本縣也
是按地減半散給又本縣將倉内穀子發城内
糶賣其所賣錢文不知汪知縣如何用了現在

民間貧苦不堪又有派買蔴觔草稭等項每錢糧一兩之户初次折交大制錢七百文二次折交大制錢九百文如民間交不出的着落糧頭賠交我們一縣之民受累不堪所以我跟着糧頭李惠元來京控告的各等語　查本年豫省黄河漫口工程荷蒙

皇上動用帑金修築其所用一切物料於常例之外

又

恩加價五分如此疊沛

恩施該地方官自應善爲經理不得絲毫派累閭閻今李惠元等所控偃師縣派令民間採買物料按應納錢糧之户每兩俱折交制錢七百九百不等是豫省各州縣當此漫工既得開銷帑項又復派委民間若李惠元等所控如果屬實則該縣藉公派累以肥囊槖殊干法紀必當嚴審究治以儆貪玩但李惠元所稱該縣現在派出糧頭一千名赴鄉科歛錢文何以此一千人內並未有控訴者而該二犯又不在本省官員處

控告乃遠涉來京越訴其中恐有挾嫌包攬唆訟情事至易遇天所稱該縣於賑濟時並不按戶散給乃減半發給銀穀並將倉穀發出糶賣各款詰其該縣從中有無侵蝕之處該犯又不能指出實據亦恐有架詞砌款别情均須徹底查審務使水落石出以辯真偽現在大學士高晉尚書袁守侗尚在豫省相應請

旨或將此案即交高晉等就近提齊人犯嚴審明確定擬具奏抑或另派大員前往審辦之處伏候

欽定為此謹

奏請

旨

乾隆四十三年十月　二十七　日

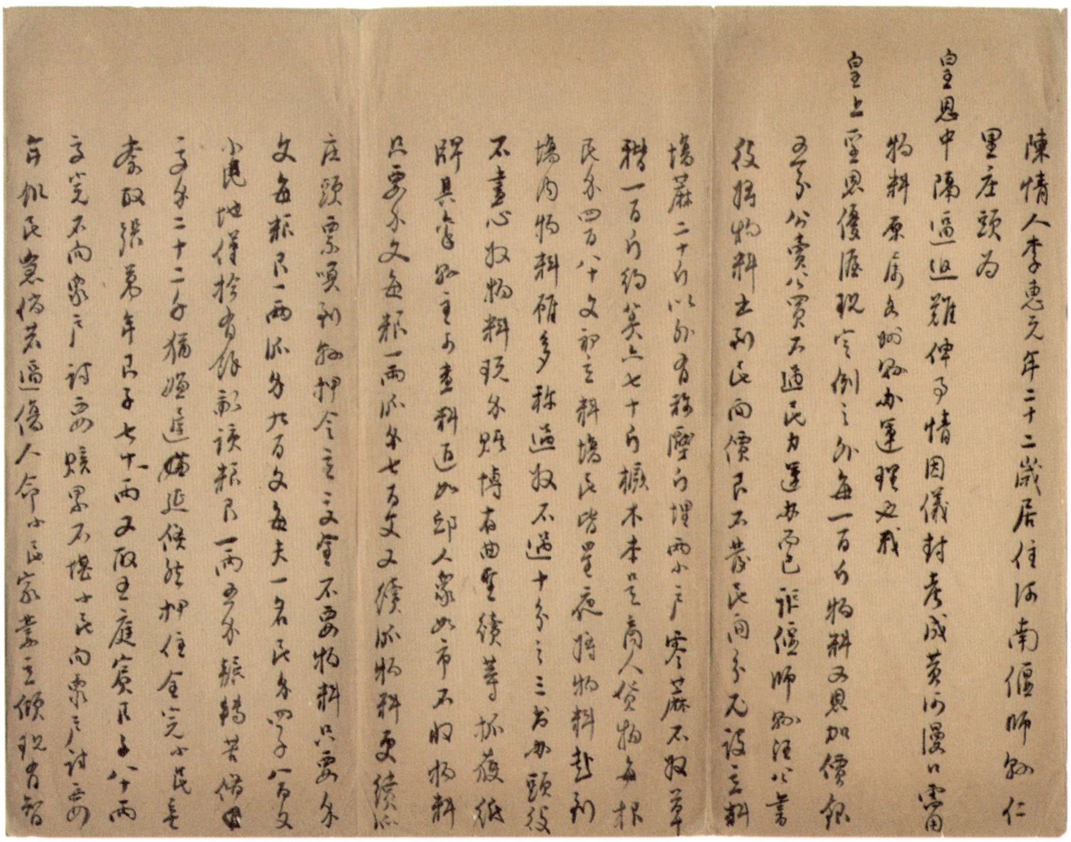
陳情人李惠元，年二十二歲，居住河南偃師縣仁
里莊頭，為
皇恩中隔逼迫難伸事。情因儀封考城黃河漫口，需用
物料，原奉文派縣辦運，惟又我
皇上聖恩優渥，按定例之外每一百斤物料又恩加價銀
五分，委公買不適民力，運為帑已，詎偃師縣汪公書
役按物料出於民，向價民不發，民向多有議立料
場，每二十斤以外有折摩斤償兩小戶，零星麻不收，草
稭一百斤約算六七十斤，致不來之商人貨物無根
民每四百八十文。初立料場，民皆畏應，按物料赴利
場內物料，頗多殊過，收不過十分之三，各莊頭役
不盡心收物料，強分賤博，有曲聖續等折藏紙
牌，具實私查料，直如卻人家如市，不收物料，
只要分文，每根一兩，派錢七百文，又續派物料，更續派
莊頭要領，利物押令之交實，不要物料，只要錢
文，每根民一兩，派錢九百文，每夫一名，民錢四千八百文
小民地僅於無錢記，該根民一兩要錢賬積甚錢
二千錢二十二千，猶逼催迫，使領押住全完，小民是
李敢張萬年，民要七十兩，又敢王庭賓，民要八十兩
子完，不向眾之人討要，賤累不堪，小民向眾之人討要
爭執，民竟仍若逼傷人命，小民家業已傾，現有諸

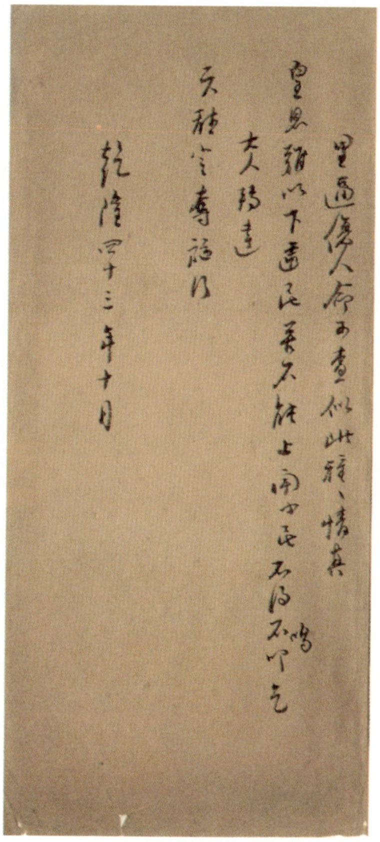

里遍傳人命而查似此種種情真
皇恩雖以下盡民業不能上聞而民不得不鳴叩乞
大人轉達
天聽定奪施行
乾隆四十三年十月

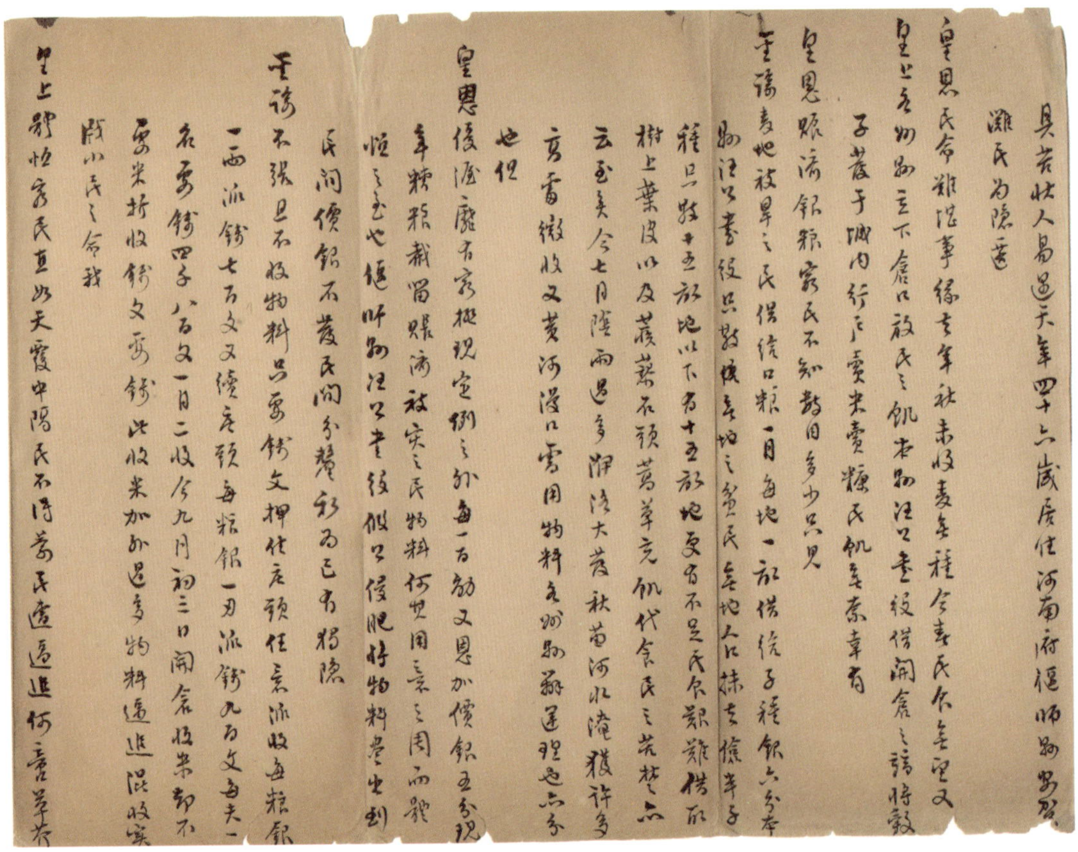
具呈状人易遇天年四十六岁居住河南府偃师县安明
灾民为陈恩
皇恩民命难保事缘去年秋未收麦冬种今春民尽无望又
皇上爱物县主不愈日放民之饥本县任口重役借开仓之谣将谷
子发于城内行户卖米卖糠民饥无奈幸有
皇恩赈济银粮穷民不知数目多少只见
圣谕麦地被旱之民借给口粮一月每地一亩借给子种银六分本
县任口书役只将该县地之富民有地人口抹去余牢子
种只数十五亩地以下有十五亩地更有不足民食艰难借取
树上叶皮以及蒺藜不顾蒿草充饥代食民之荒楚亦
云至矣今七月陆雨过多渭洛大发秋苗河水淹获许多
亦尚征收又黄河漫口需用物料见县办运理也亦系
也但
皇恩优渥废百穷极现定例之外每一亩动又恩加价银五分现
年穷种粮栽留账济被灾之民物料何其用意之周而亲
恤之至也但听县任口书役假口侵肥将物料尽生刮
民间价银不发民间分厘分毫已为独隐
圣谕不张且不收物料只要钱文押往庄头任意派收每粮银
一两派钱七百文又续庄头每粮银一两派钱九百文每夫一
名要钱四千八百文一日二收今九月初三日开仓收米却不
要米折收钱文要钱比收米加外过多物料远进限收实
贱小民之命哉
皇上体恤穷民直如天覆中阳民不得荡民远隔进何意草芥

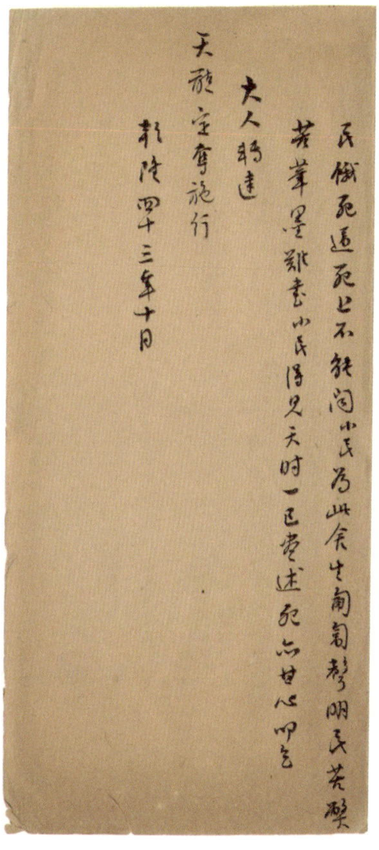

民餓死逃死亡不能聞小民為此余生匍匐聲明民若槩

若華墨鄰壹小民得見天时一邑查述死亦甘心叩乞

大人將達

天顏宝尊施行

乾隆四十三年十月

四一九

奏

河南巡撫降一級又降三級留任臣鄭大進跪

奏為欽奉

上諭事竊臣承准大學士公阿桂大學士于敏中寄

字內開乾隆四十三年十月初七日奉

上諭本年豫省黃河漫口奪溜儀封考城等屬被災

較重業經降旨截留漕糧二十萬石并留豫省新

漕十萬石又先後撥運兩淮鹽課銀一百萬兩並

命尚書袁守侗前往查辦董飭有司實心賑卹而

安徽之亳州等處因淮水漲溢田廬淹浸被災亦

重且有先被旱而復被水者又甘肅本屬積歉之

區今年皋蘭等三十六廳州縣夏間亦有因旱成

災者及湖北之漢陽安陸荊州各府屬夏禾被旱

入秋漢江盛漲又被淹浸灾分亦重雖屢經降旨
該督撫等統率各屬切實查勘妥協賑卹灾黎均
可不致失所但恐明春正賑已畢尚屆青黄不接
之時民食不無拮据是否尚需加賑以資接濟著
傳諭該督撫等即行妥酌覆奏候朕於新正降旨
至江蘇上元等三十六州縣及湖南湘陰等十四
州縣高阜地畝被旱成灾者不過一隅業據該撫
題報分别給賑明春是否尚須量予加恩或酌借
口糧牛具之處亦著該撫查明覆奏候朕酌量降
旨此旨甘肅湖南由五百里發往湖北江蘇安徽
河南由三百里發往仍各按原發里數由驛覆奏
欽此欽遵寄信到臣跪讀之下仰見我
皇上恩恤灾區有加無已之至意伏查豫省本年黄
河漫口奪溜儀封考城等屬被灾較重仰荷
聖恩發帑截漕優加賑恤並命尚書臣袁守侗來豫
董率查辦臣等欽遵
諭旨督同司道及印委各員按户確查計口給賑不
使稍有遺漏小民頂戴

皇仁已無不共慶生全咸登衽席今復以明春正賑
已畢尚屆青黃不接之時民食不無拮据將是
否尚需加賑之處降
旨查詢臣與袁守侗暨藩司榮柱逐加體察灾輕之
户得有撫賑又經借給牛工麥種停賑之後尚
可支持灾重之户既鮮蓋藏並有田地未經涸
復一遇青黃不接口食不無拮据似應加賑一
兩月以資接濟臣等公同妥酌應請將儀封考
城祥符陳留杞縣商邱寧陵睢州鹿邑柘城十
州縣十分灾之極貧加賑兩個月十分灾之次
貧同九分灾之極次貧各加賑一個月則當青
黃不接之際灾黎接濟有資更感沐
鴻慈於無既矣此外尚有永城淮寧太康三縣成灾
不過七八分地畝久經涸復應同儀封等十州
縣八分灾以下之極次貧均毋庸加賑仍俟來
春察看情形如有應酌借口糧之處另行
奏明辦理緣奉
諭旨查詢合將灾重之户應請酌量加賑緣由遵

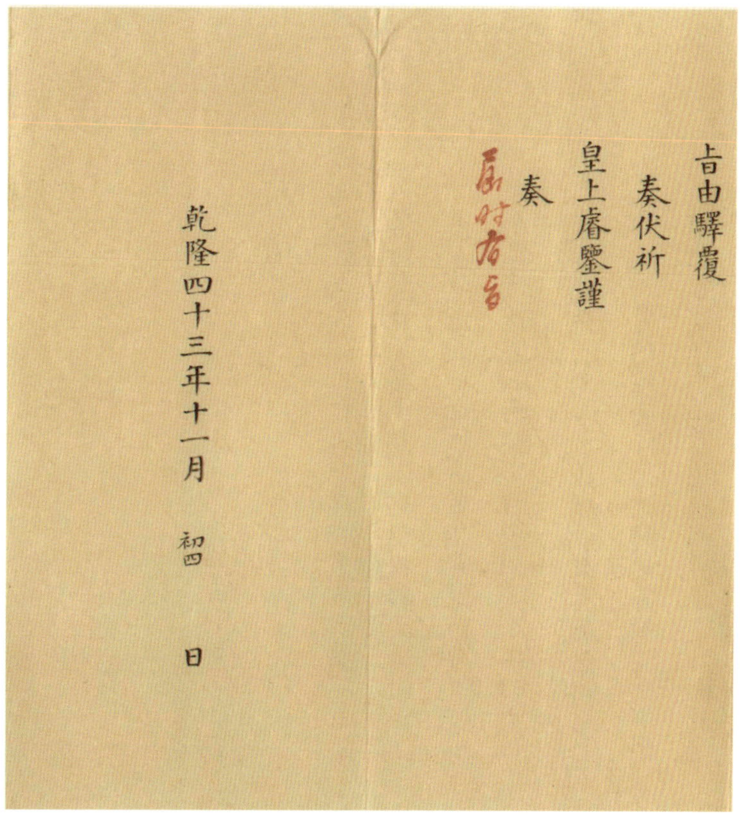
旨由驛覆
奏伏祈
皇上睿鑒謹
奏
另將有旨
乾隆四十三年十一月　初四　日

四二〇

奏

臣福隆安和珅謹

奏爲請

旨事據山西壺關縣民人張九錫呈控河南一省因
黄河漫口派累民間辦料折收錢文並首出山
東直隸有邪教聚衆情事臣等詳加審訊據張
九錫供我係山西潞安府壺關縣人年四十八
歲我向在河南山東直隸等處推車賣烟爲生
本年六月内河南祥符縣時和驛黄河堤工開
口地方官並未堅實堵築只就水退沙漲補添
秋稭了事以致二次又開口子隨後儀封考城
堤工亦開各處民間被淹蒙

皇上發

帑採料修築乃河南一省除被災的歸德府不派
外其餘八府俱是派民間採辦秫稭草束椿鐝
等項若辦料去交甚是勒掯難交隨要折收銀
兩每草稭千斤交銀十四兩上下不等每種地
一畝之戶出大錢二百數十文並一百幾十文
不等如此派累過兩次以致怨聲載道實在民
力難以支持況且我路過堤工看見堆貯秫稭
甚多若盡數堵築尚有多餘又有

皇上所發
帑項乃承辦官員藉此派累肥己苦害民間實屬
可恨又今年夏間彰德府內黃縣年成荒旱有
地方窮民聚衆强借富戶糧石如不借給就聚
衆搶奪不計其數曾有人在內黃縣控告並不
照搶奪治罪俱從輕杖責完案我因親見河南
一省百姓受累實在氣忿不平所以來京呈告
的又我去年在山東直隸做買賣時聽見山東
東昌府冠縣地方有民人楊姓聚集多人立義
和拳邪教邀請村人每人出錢三五百文不等

教學邪拳共聚有一千餘人又直隸大名府元
城縣有一童娃也起義和拳邪教聚有數百人
我恐怕他們將來日久像王倫一樣其害不淺
所以一併首出的只求查辦等語　查豫省
黃河堤工漫口現在奉
旨發
帑修築前有偃師縣民人李會元等呈控該縣有
藉端派累民間折收錢文之事已蒙
欽差侍郎胡季堂喀寧阿前往查審今又有張九錫
以河南八府俱皆如此科派民間採辦物料藉
端折收錢文入己情事並內黃縣有貧民搶奪
富戶糧食從輕責放之案如果屬實則地方官
藉公派累閭閻侵蝕肥己實堪髮指必當嚴加
究辦且該省屢有以此情節來京呈控者恐其
所告未必盡虛但張九錫係山西民人乃訐告
河南之事其中或有受人唆使包攬情弊相應
請
旨將張九錫解往河南交與侍郎胡季堂喀寧阿併

案東公查審定擬具奏至張九錫所控山東冠縣及直隸元城縣有民人楊姓等起立義和拳邪教聚集多人之處倘果有其事則邪教聚衆所關甚大該縣理當查拿懲治何以漫無見聞但其所稱係得自聽聞並無實據雖未可遽信亦不可不嚴行查辦並請

勅交山東巡撫直隸總督選派明幹員弁速即密行前往詳細查辦據實覆奏爲此謹

奏請

旨

乾隆四十三年十一月二十日

乾隆四十三年十一月二十日奉

旨此案著交胡季堂喀寧阿一併查審具奏所有原

告張九鎬著刑部派司官一員押帶前往交胡季

堂等查收質訊至所控山東冠縣及直隸元城縣

有民人楊姓等起立義和拳邪教聚集多人之處

並著周元理國泰迅速嚴查據實覆奏其原控

邪教等情節俱著抄寄閱看欽此

四二一

奏

臣喀寧阿臣胡季堂跪

奏為遵

旨查審具奏事據提督衙門具奏河南偃師縣民人李會元易遇天呈控該縣因黄河漫口派累民人採買物料折交錢文等情一案乾隆四十三年十月二十七日奉

旨此案著派侍郎喀寧阿胡季堂馳驛前往河南秉公查審具奏所有隨帶司員并著一體馳驛其原控之李會元等著交部照例解往質訊欽此當經臣等奏帶司員郎中英善員外郎若伊即日

起程並遵面奉

諭旨將所控折收錢文之事既兩口一詞自必確有

所攄於途次先向該二人詳細詢問攄稱該縣
先後派有首事生監三十人及先後莊頭一千
人均係經手收錢之人可証臣等因証佐既多
不難質訊得實隨於十一月初七日馳抵偃師
因該府縣守令均於控案大有干碍未便令其
伺候先經撫臣鄭大進委有驛鹽道赫爾敬阿
河陝道張有年在縣當即面諭該道等將首事
莊頭人等傳齊並提取卷宗到案隨率同司員
秉公查審緣偃師一邑向分仁義禮智信五里
每里十畄每畄十莊每莊設莊頭一名凡督催
錢粮承辦公事皆其經理一年期滿舊莊頭舉
報新户接充相沿已久本年七月内儀封等處
黃河漫口需用夫料該縣初次奉文派辦麻七
萬斤草八十萬斤橛木四百根夫三百名八月
内二次奉文續派麻七萬斤秫稭五十五萬斤
橛木一千根夫四百九十名該縣知縣汪瞻屺
檢查二十六年楊橋漫口舊案仿照辦理按五
里錢粮多寡均匀攤派通縣共粮銀三萬二千

餘兩計每粮銀一兩派麻四斤零草二十四斤
零稭十七斤零至橛木則粮銀二十三兩派辦
一根夫則粮銀四十兩零派出一名該縣因奉
文需用緊急當即票傳五里各莊頭照数派辦
刻期催交並於五里内選擇粮数較多殷實士
民二十人倡首辦交嗣因續辦料多又加派十
人共勷厰事均於洛河水次楊村地方設厰稱
收麻草秫稭均登記賬簿其應出之夫因值農
忙之際不能派撥里下係莊頭按粮攤收錢文
僱覔交差押赴工所應徭橛木亦係按粮派錢
向木商購買商人代為運工交納其書辦在署
止司辦理文票衙役亦止在厰稽查火燭盗賊
均不經手料物此該縣辦理河工夫料之原委
也迺初次辦料之後正莊頭簽換之期有仁里
七啚二莊莊頭黄玉簽報粮民李會元頂充甫
經接管即奉續派料物李會元見催追緊急大
中各户雖自行交清其零户散澳驟難催齊恐
干比責隨自墊銀七十兩又與同啚莊頭曲完

性齊夥高景合借王庭賓錢七十一千文買備
物料將各該莊所管小户未完料物代為全數
交清各自回里向花户催收詎李會元代完之
後各小户未能清還曾被伊父詢知墊銀之事
將其責打李會元代完小户內有易遇天即易
謨者該還錢二百四十文被李會元催討料價
甚急輙稱智里地方現有莊頭催料逼死人命
之語向其恐嚇李會元因所墊料價收討不齊
又恐催逼生出事端甚為焦急易遇天復稱所
派物料原有應發官價領出即可補還墊項令
官不發價必係知縣侵蝕慫恿李會元控告冀
圖騙賴料價李會元糊塗情急即浼令代寫呈
詞相帮赴控易遇天復以近在本省情偽易見
控難准理遂相商揑砌多款寫就呈稿李會元
照依謄清設措盤費一同赴京在提督衙門投
遞奏交臣等查審當將呈內各條逐一質訊如
所控物料盡出民間價銀不發分厘一款訊之
該縣工房書辦擄稱領到初派價銀一千六百

四十两零并該縣自墊續泒料價銀一千八百
一十两零均於九月十月初間先後發交辦料
首事大户三十人總領核算細数散給各里畨
莊頭分領現有首事及各莊頭領狀可查傳訊
首事人等據稱領出分散屬實摘傳各里莊頭
二十餘人查詢均已照料領過價銀有已經換
錢散給花户者有正在核算細數尚未分散者
傳到仁里七畨莊頭黄玉高景曲完性齊閏據
稱伊等七畨應領料價已向大户領出現在算
賬分散花户連李會元應領之項亦在其内弔
查縣卷現有各首事及莊頭領狀在卷均係照
依例價及

恩加價銀給發並無尅扣是李會元等所控價銀不
發分厘已屬虚誣又所控設立料厰稱麻壓斤
埋两草稭百斤約算六七十斤一欵據各首事
人等供稱伊等稱收草稭水陸搬運不無折耗
每百斤約高收五六斤並無止算六七十斤之
事傳訊各里莊頭供俱相同質之李會元亦供

所交料物雖有壓短斤兩但百斤只算六七十斤之語原屬隨意填寫以圖聳聽易邀天並未親交其所控尤屬子虛又所控不收物料只要錢文每粮銀一兩派錢七百文又續派物料更續莊頭押令交錢全不要料每粮銀一兩派錢九百文一欵訊據各首事堅稱彼時奉文緊急若百姓交料不收只要錢文一時從何處購買豈不悞事實係收料並未折錢至七百九百之說因所收料物運赴儀考計水程七百餘里每千斤須給舡户水脚錢七百文是以收料時每斤收錢七毫後因舡抵儀考搬運赴廠陸運泥濘雇值更貴每千斤須錢九百文二次收料時每斤加收陸運錢九毫共收錢一文六毫並無每粮銀一兩收錢七百九百之事傳問各莊頭供亦相符質之李會元則稱係將每料物千斤出錢七百九百指為每粮銀一兩出錢七百九百張大其詞以圖准理又所控每橛一根民錢四百八十文每夫一名民錢四千八百丈一欵

查夫橛二項係莊頭承辦首事並不經手該縣
濱臨洛河時有木商通行共派橛木一千四百
根各莊頭因各户按糧攤派有一户該出木一
根者亦有兩三户及四五户合算該出木一根
者勢難分辦且花户所出之木亦恐長短不齊
難以適用照依文行丈尺長短粗細自與木商
議定代為紮筏運交工次每橛木一根連木價
運腳共錢四百八十文隨按糧銀二十三兩應
辦橛木一根之數攤算每糧銀一兩該錢二十
一文向各糧户應完糧銀多寡照收交給木商
其夫因值七八月農忙之際里民不肯遠出該
莊頭等恐悮急工即重價雇募每名僱值連往
来盤費共給錢四千八百文仍照四十兩零糧
銀應出夫一名之數合算每銀一兩該錢一百
十九文亦按各糧户銀數多寡照收交夫應用
是夫橛出錢之處雖查訊屬實但係莊頭自行
湊錢買雇即李會元亦稱係伊等自辦自收並
非官派即無官吏侵肥之事又呈內牽連書役

在料廠賭博被曲勝緒抓獲紙牌具稟及智里
逼傷人命二條傳訊曲勝緒係因車載麻草赴
廠交料適道旁有夫役賭博被伊草束掐掛致
相角口投告巡廠差役未經拿獲是以具稟並
非差役收料賭博至智里人命係袁勝生投井
身死訊因將賣穀錢四千文私行借給族兄袁
大興向討無償被伊母催逼責罵袁勝生短見
自盡經縣訊詳通報在案傳喚屍母袁秦氏及
袁大興到案供俱無異並與工料無涉質之李
會元則稱係易遇天寫呈時風聞添砌其實差
役原止在廠巡查並不收料伊亦不知智里人
命是何姓名即易遇天呈内所列籽種口粮糶
賣米穀折收漕粮等三款俱係易遇天一人主
意與伊無干詰問易遇天如本年五月内仰蒙
特旨借給籽種口粮奉文行知酌定二十畝以下每
畝借給籽種銀六分地少及無地貧民每大口
借給口粮銀一錢八分小口減半該縣遵照章
程辦理易遇天混稱借給籽種者仍應兼借口

糧並捏稱十五畝以上不借籽種令弔查底簿
領狀及摘傳莊頭士民查問各里均有十八九
畝領借籽種者即易遇天有地三畝亦自稱借
過銀一錢八分並無短少又如常平倉穀例分
糶借本年春間該縣詳明出借穀七千三百八
石零又減價平糶穀五千四百九十三石零易
遇天混稱年歲歉收理應全借不應糶錢并指
稱該縣係碾米糶賣及傳訊士民查核簿籍俱
係糶穀易遇天又不能指出糶米証據至本年
漕糧除豆麥照例運京外其粟米一項蒙
皇上截留本省賑濟灾民該縣業將漕米三千五百
四十八石零運交祥符取有倉收在卷若如易
遇天所控全不收米折收錢文則被灾之邑斷
難買米交納而祥符近在省會其賑濟灾民豈
敢竟不給米是全折之説似屬虚捏復摘傳各
里交糧花户數人到案細加詢問僉稱交米屬
實詰問易遇天伊本身應納漕米若干實係折
交何人伊亦不能指出惟稱當時寫呈原為料

物起見餘款不過臨時添寫實在並無憑証臣
等伏查今年儀考及時和驛等處黄河漫決工
費浩繁仰蒙
皇上軫念被水災黎誠恐一夫不獲其所
特發帑銀百餘萬兩並截留漕米三十萬石工賑兼
施仍
欽派大臣督理其事所以奠安百姓
恩施至渥至於工用夫料例應派之附近州縣公同
雇辦又蒙
皇上念及各州縣春麥歉收於採買物料定價之外
恩加價值五分則凡應出夫料之士民自應踴躍輸
將若復抗延玩愒辜負
天恩即罪無可逭若不肖州縣官吏藉端科歛侵肥
入已尤當重治其罪今易遇天李會元二人所
控該縣不要料物折收錢文各款臣等連日查
審首事莊頭及花户人等僉稱實係交料運工
現有工所收料實收為據即收錢雇夫買楔亦
係各莊頭自行雇辦官吏並未經手令歲正值

普免錢粮之年我等士民仰沐
皇上鴻恩即帮貼些微脚費夫價均屬衆人情愿其
初次領回官價銀兩業已照數給發二次應領
官價尚未領回亦經該縣照數墊給臣等前於
經過地方沿途體察派辦夫料各州縣亦係先
按粮銀出派民間交工後將領回銀兩照數給
發不但偃師一縣為然且自從前河决需料之
時均係如此辦理亦不獨此次為始是該縣此
次奉派夫料並無侵肥擾累情事易遇天等所
控實屬虚捏似無疑義惟是闔縣人衆何他人
並無一言該二犯乃驀地赴京越訴在李會元
因墊銀借欠催收不齊一時情急尚屬情理易
遇天有何不得已之情輙慫恿同往復將易遇
天等再加研訊據易遇天供稱實因應交夫料
錢文不能完納經李會元代墊逼索緊急遂唆
令具控希圖抵賴實屬冒昧並無别情再加究
詰惟同李會元俯首認罪無詞置辯　查例載
驀越赴京告重事不實并全誣十人以上發近

邊充軍等語令易遇天李會元揑砌多款赴京
控遞既審屬虛誣即應照赴京告重事不實并
全誣十人以上例發近邊充軍但易遇天於河
工夫料既未全交乃因李會元向索代墊料錢
輒藉端恐嚇慫恿控告并自寫呈稿牽砌漕米
倉穀賭博命案等情入詞尤屬刁頑易遇天應
改發烏魯木齊給種地兵丁為奴李會元定地
充軍餘屬無干均予省釋其各莊頭所領官價
除已經分給花户者毋庸議外其已領未散銀
兩訊係零星小户應交料物有托莊頭代買代
交者亦有所出夫𣙜價值不足應行扣抵者賬
目未經算明尚未散給臣等已諭令河陝道張
有年押令莊頭人等速行清算散給花户務使
小民均沾實惠不得遲延致起扣尅之弊至自
盡命案先已通詳應聽該撫查核完結賭博夫
役飭令該縣查獲照例辦理失察職名應聽該
撫查叅除另繕供单恭呈
御覽外所有臣等查審緣由理合據實具

奏伏祈
皇上睿鑒飭部議覆施行再臣等拜發
奏摺後即日帶同司員英善郎若伊馳赴太康縣
查審陳王氏控案合併聲明為此謹
奏

依部議奏

乾隆四十三年十一月 二十二 日

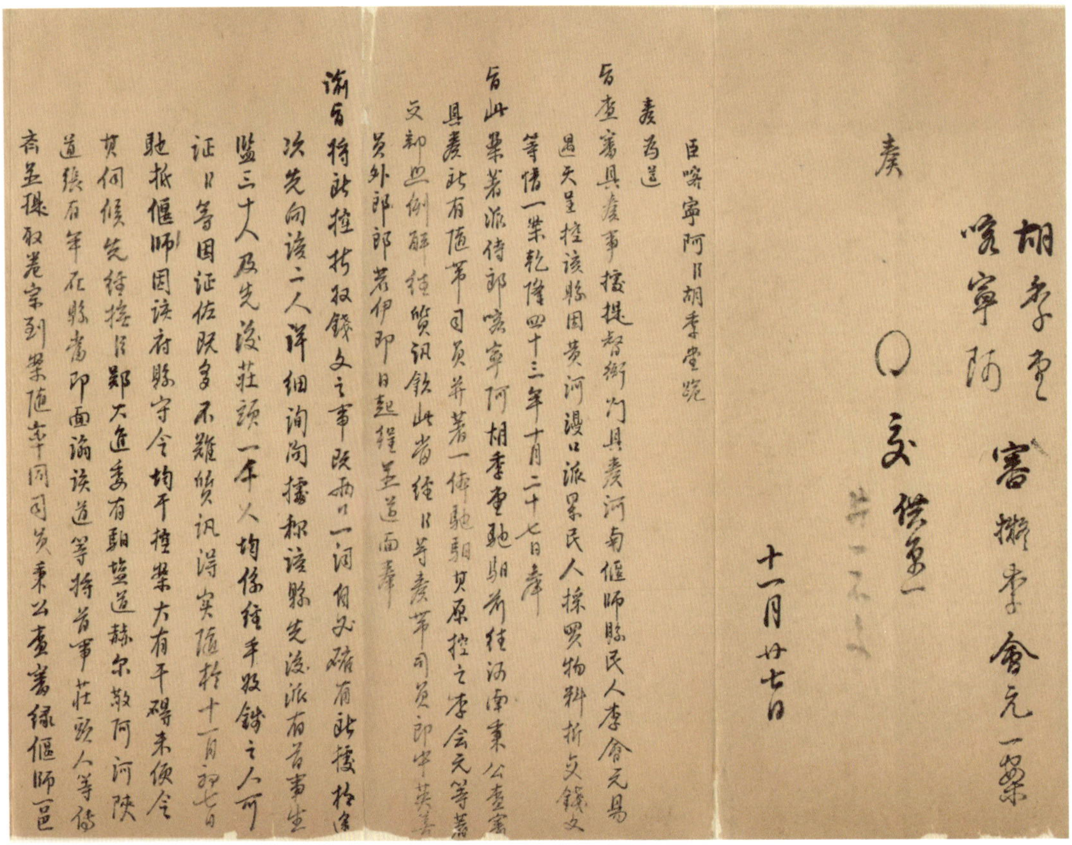

胡季堂
喀寧阿　審擬李會元一案

奏

〇　交
侯旨

十一月廿七日

臣喀寧阿、胡季堂跪

奏爲遵

旨查審具奏事。接提督衙門具奏河南偃師縣民人李會元呈遞天呈，控該縣因黃河漫口派累民人採買物料、折交錢文等情一案。乾隆四十三年十月二十七日奉

旨：此案著派侍郎喀寧阿、胡季堂馳驛前往河南秉公查審具奏。所有隨帶司員，並著一併馳驛。其原控之李會元等，著交部照例解往質訊。欽此。當經臣等奏帶司員郎中英善、員外郎郎若伊，即日起程，並遵

諭旨將所控折收錢文之事，既兩次一詞，自必確有所據，於途次先向該二人詳細詢問。據稱：該縣先後派有首事生監三十人，及先後莊頭一千人，均係經手收錢之人，可證。臣等因證佐既多，不難質訊得實，隨於十一月初七日馳抵偃師。因該府縣守令均干控案，大有干礙，未便令其伺候，先經撫臣鄭大進委有驛鹽道赫爾敦阿、河陝道張□□，每年在縣。當即面諭該道等將首事、莊頭人等傳齊，並撥取卷宗到案，隨率同司員秉公查審。緣偃師一邑

向系仁義禮智信五里每里十啚每啚十莊每莊設莊頭一名凡督催錢糧派辦公事皆其經理一年期滿舊莊頭舉報新户接充相沿已久本年七月内儀封等處黄河漫口需用夫料該縣初次奉文派辦麻七萬斤草八十萬斤檾木四百根夫三百名八月内二次奉文續派麻七萬斤秫稭五十五萬斤檾木一千根夫四百九十名該縣知縣汪曙此檢查二十六年楊橋漫口舊案仿照辦理按五里錢糧多寡均匀攤派通縣共糧銀三萬二千餘兩計每糧銀一兩派麻四斤零草二十四斤零稭十七斤零至檾木則糧銀二十三兩派辦一根夫則糧銀四十兩零派出一名該縣因奉文需用緊急當即票傳五里各莊頭照數派辦刻期催交並於五里内選擇糧數較多殷實士民二十人倡首辦交嗣因續辦料多又加派十人共勷廠事均於洛河水次楊村地方設廠採收麻草秫稭均登記號簿其應交之夫因值衆忙之際不能派撥里下係莊頭按糧攤收錢文僱覔交差押赴工所應役檾木亦係按糧派錢向木商購買商人代爲運工交納其書辦在署止司辦理文票衙役示止在廠稽查火燭盜賊均不經手料物此該縣辦理河工夫料之原委也迨初次辦料之後西莊頭僉換之期有仁里七啚二莊莊頭黄玉麓報糧民李会元頂充甫經接當即奉續派料物李会元畏懼追緊急大中各户雖自行交清其零户散漫難催會恐干比責隨自墊銀七十兩又与同啚莊頭曲完性喬魁高景合僱王庭賓錢七十一千文買備物料將各該莊所管小户未完料物代爲全數交清各自回

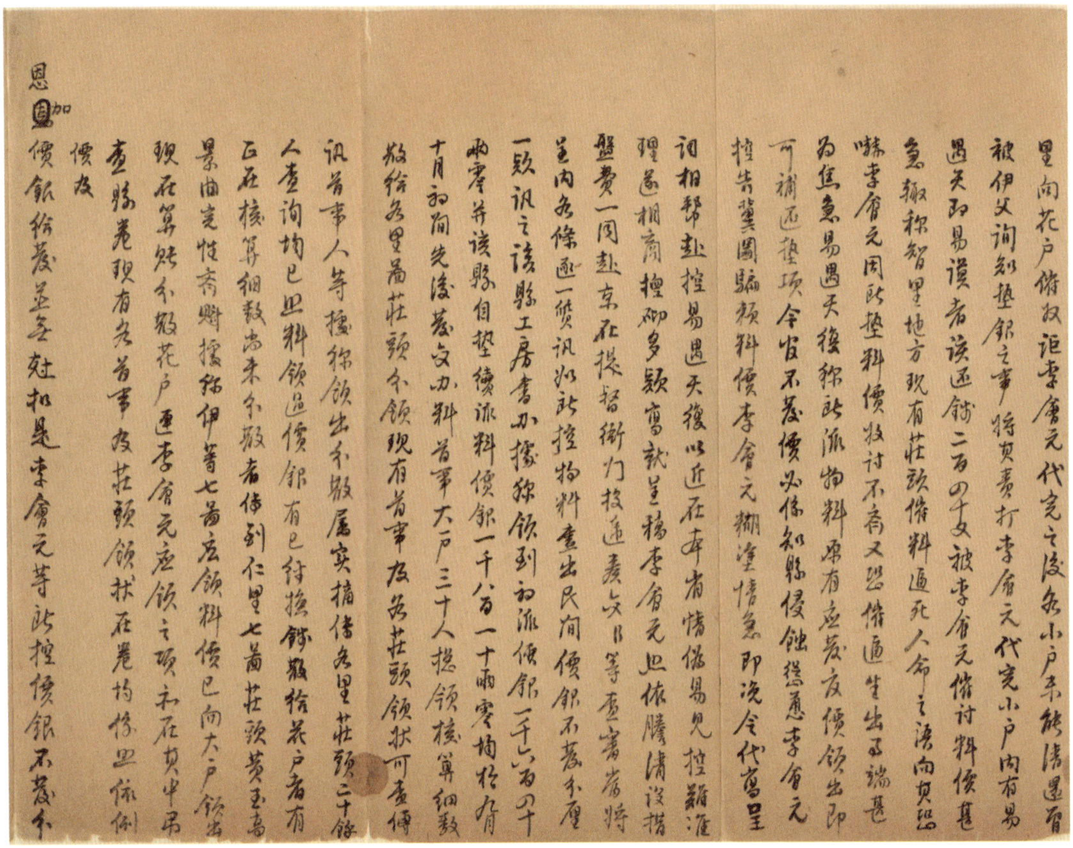
呈向花户催收，讵李会元代完之后，各小户未能清还，质
被伊父询知垫银之事，将其责打。李会元代完小户内有易
遇天即易谟者，该匠铺二百四千文，被李会元催讨料价甚
急，辄称智里地方现有庄头借料逼死人命之说，向其恐
吓。李会元因所垫料价收讨不齐，又恐借逼生出事端，甚
为焦急。易遇天复称所派物料原有应发皮价领出，即
可补还垫项，今皆不发价，必系知县侵蚀，怂恿李会元
控告，冀图骗领料价。李会元糊涂情急，即浼令代写呈
词相帮赴控。易遇天复以近在本省，情伪易见，控难准
理，遂相商擅砌多款，写就呈稿。李会元照依誊清，设措
盘费，一同赴京，在提督衙门投递。奏交臣等查审。臣将
呈内各条逐一质讯，据所控物料查出民间价银不发，不厘
一致。讯之该县工房书办，据称领到初派价银一千六百四十
两零，并该县自垫续派料价银一千八百一十两零，均于九月
十月初间先后发交办料首事大户三十人，据领核算细数
散给各里各庄头，不领现有首事各庄头领状可查。传
讯首事人等，据称领出不敷属实，摘传各里庄头二十余
人查询，均已照料领过价银，有已付换钱散给花户者，有
正在核算细数尚未分散者，传到仁里七甲庄头黄玉高
果由宪性齐断，据称伊等七甲应领料价已向大户领出，
现在算账分散花户。质之李会元，应领之项亦在其中，另
查县卷，现有各首事及庄头领状在卷，均系照依例
价收
恩加
价银给发，并无短扣。是李会元等所控侵银不发，亦

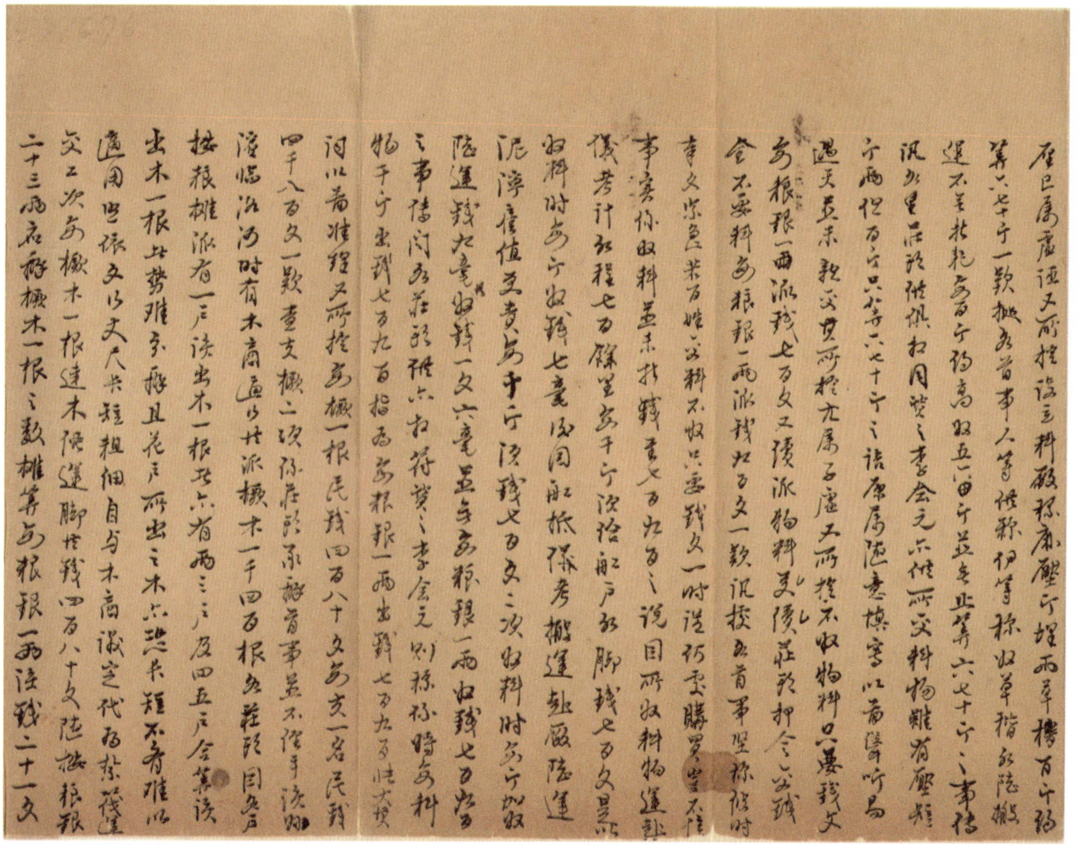

厘巳廣盧德又所控該主料發標康壓斤埋兩草撈百斤錢
第六七十斤一款，據各首事人等供稱，伊等採收草稭，向隨撥
運不等，非托每百斤給高銀五六四斤，並無止第六七十斤之事。詰
訊外里莊頭供稱，伊因莊之李金元亦供，所交料物雖有壓較
斤兩，但每百只合等六七十斤之語。康居德意填寫，以前讚聽為
過矣。至未報交收所控九厘子虛，又所控不收物料只要錢文
每根銀一兩，派錢七百文，又續派物料，續莊頭押令交錢
會不要料，每根銀一兩，派錢九百文一款，訊據各首事堅稱，從前時
事久，以來每年均有料，不收只要錢文，一時從何處購買，豈不推
事實係收料並未折錢。查九百之說，因所收料物運赴
儀考計程七百餘里，每千斤給船戶運腳錢七百文，是以
收料時每斤收錢七毫，係因船戶無抵擬運赴廠，陸運
泥濘，價值更貴，每千斤給錢七百文之次，收料時每斤加收
陸運錢九毫，共收錢一文六毫，並無每根銀一兩收錢七百九百
之事。詰問各莊頭張六、李發貴、李金元，則稱係將每料
物千斤出錢七百九百，指為每根銀一兩出錢七百九百，特大異
詞以前推程。又所控每椽一根，民錢四百八十文，每交一名民錢
四千八百文一款，查支椽之說，係莊頭承辦，首事並不經手。該御
從臨河時有木商逼令廿派椽木一千四百根，每莊頭因每戶
按粮攤派，有一戶該出木一根者，亦有兩三戶及四五戶合算該
出木一根者，勢難分攤，且花戶所出之木亦恐長短不齊，難以
適用，出張文以丈尺長短粗細，自與木商議定，代為採辦運
交工次，每椽木一根，連木價運腳共錢四百八十文，除攤根銀
二十三兩，各莊椽木一根之數攤算，每根銀一兩該錢二十一文

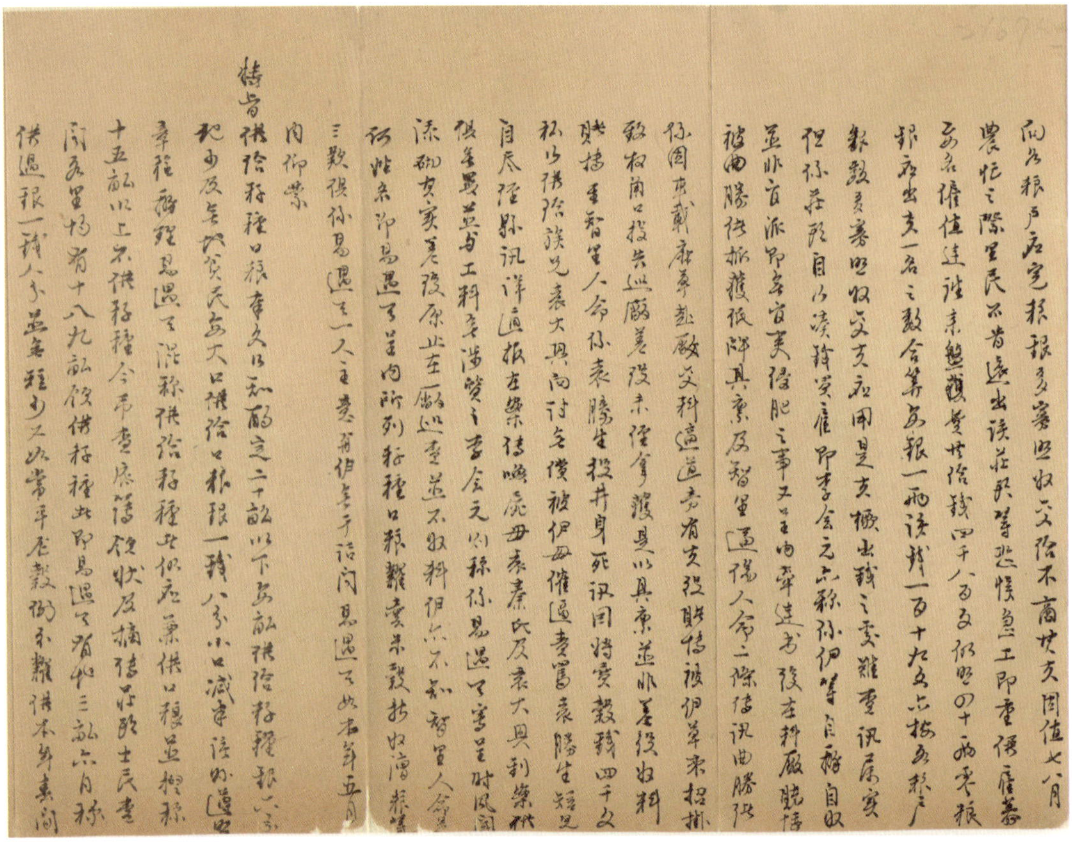

該縣詳明出借穀七千三百八石零，又減價平糶穀五千四百九十三石零，是遇天限於年歲歉收，理應全借，不應糶錢，并指稱該縣係碾米糶賣。及傳訊士民查核，籌議俱係糶谷，是遇天又不能指出糶米証據。至本年漕糧，除豆麥照例運京外，其粟米一項，蒙

皇上截留本省賑濟災民。該縣業將漕米三千五百四十八石零運交祥符，取有倉收在卷。若如是遇天所控全不收米，折收錢文，則被災之邑斷難買米交納，而祥符近在省會，其賑濟災民豈敢竟不給米？是全折之說似屬虛捏。復摘傳各里交納花戶數人，到案細加詢問，僉稱交米屬實。詰問是遇天伊本身應納米若干，實係折交，伊亦不能指出，惟稱當時寫呈原為料物起見，餘款不過臨時添寫，實在並無憑証。臣等伏查今年儀考及時和驛等處黃河漫決，工費浩繁，仰蒙

皇上軫念被水災黎民，微瑕一夫不獲其所，

特發帑銀百餘萬兩，並截留漕米三十萬石，工賑兼施，仍

欽派大臣督理其事，所以奠安百姓

恩施至渥。至於工用之料，例應派之附近州縣公同雇辦，又蒙

皇上念及各州縣春麥歉收，於採買物料定價之外

恩加價值，務令凡應出之料，士民自應踴躍輸將，若復抗延，抗悞辜負

天恩，即罪無可逭。若不肖州縣官吏藉端科斂，侵肥入己，尤當重治其罪。今是遇天、李會元二人所控該縣不要料物，折收錢文各款，臣等連日查審首事莊頭及花戶人等，僉稱係交料運工，現有工所收料實收為據，即收錢雇夫買楷，亦係各莊頭自行雇辦，官吏

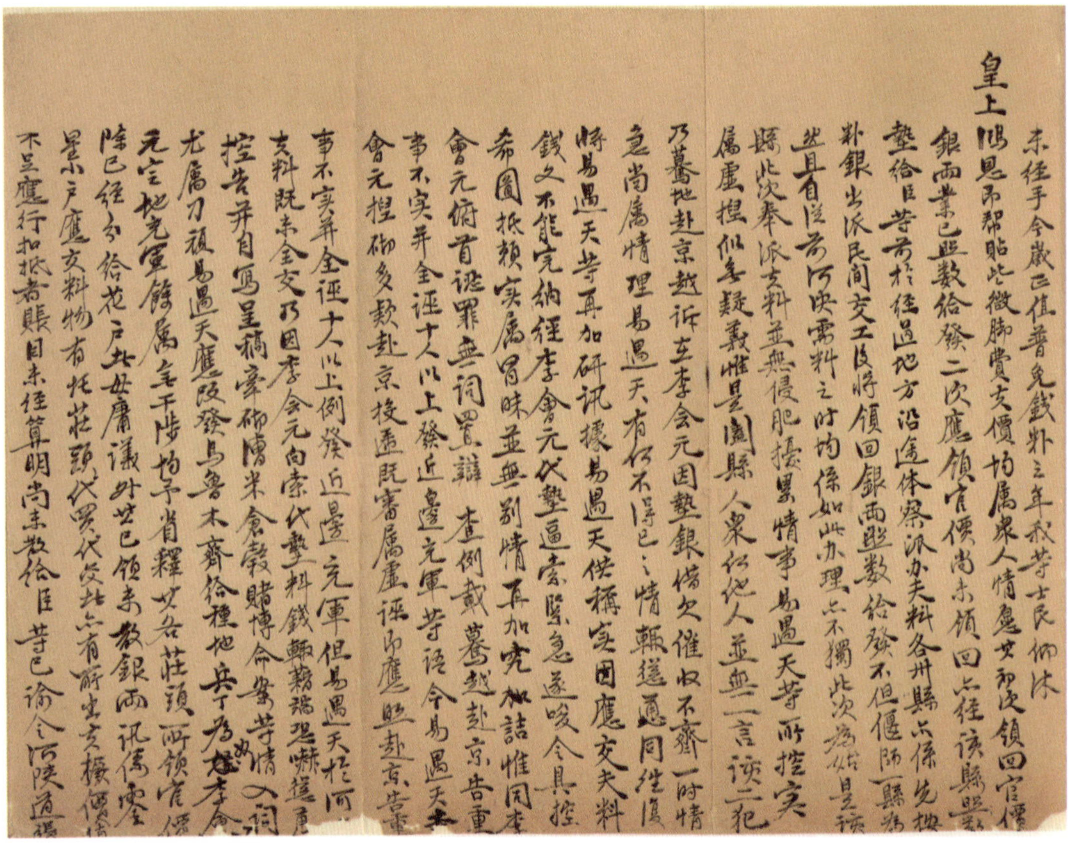

未經手。今歲正值普免錢糧之年，秋等士民仰沐
皇上鴻恩，而幫貼些微脚費，支價均屬衆人情愿。其初次領回官價
銀兩，業已照數給發。二次應領官價尚未領回，亦經該縣照數
墊給。臣等前於經過地方沿途体察，派办夫料各州縣亦係先將
料銀出派民間，交工後將領回銀兩照數給發，不但偃師一縣為然。
且有從前河决需料之时，均係如此办理，亦不獨此次為然。是該
縣此次奉派交料並無侵肥擾累情事。易遇天等所控，実
屬虛捏，似無疑義。惟是闔縣人衆，何他人並無一言，該二犯
乃藉地赴京越訴。查李会元因墊銀債欠催收不齊，一时情
急，尚屬情理。易遇天有何不得已之情，輒遂同往。復
將易遇天等再加研訊，據易遇天供稱，實因應交夫料
錢文不能完納，經李會元代墊，逼索緊急，遂唆令具控，
希圖抵賴，實屬冒昧，並無別情。再加究詰，惟同李
會元俯首認罪，無詞置辯。查例載：蓦越赴京告重
事不实，并全誣十人以上，發近邊充軍。等語。今易遇天
會元捏砌多款，赴京控逓，既審屬虛誣，即應照赴京告重
事不实并全誣十人以上例，發近邊充軍。但易遇天於河
交料既未全交，乃因李会元向索代墊料錢，輒藉端恐嚇捏
控告，并自寫呈稿，牽砌情米倉穀、賭博命案等情入詞，
尤屬刁頑。易遇天應改發烏魯木齊給種地兵丁為奴。李會
元空地充軍，餘屬無干，毋庸省釋。其各莊頭所領官價
除已經分給花户外，毋庸議外。其已領未散銀兩，訊係零
星小户應交料物，有托莊頭代買代交，此亦有所出交價值
不足，應行扣抵者，賬目未經算明，尚未散給。臣等已諭令河陝道

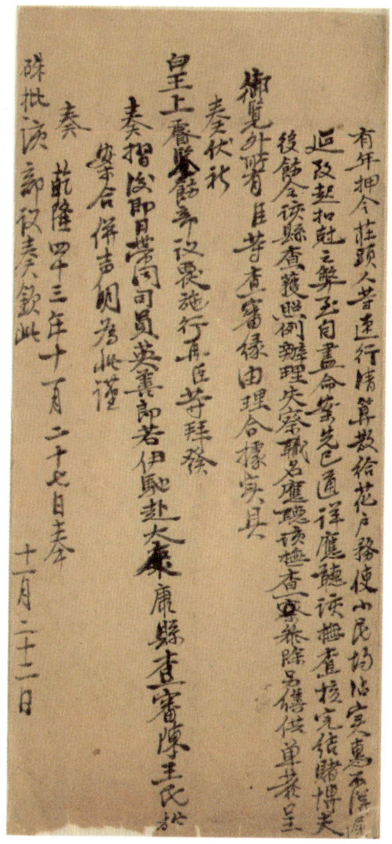
有年押令莊頭人等速行清算数給花户務使小民均沾實惠不僅屬
延致赴和尅之弊至白晝命案先已遣詳應聽該撫查核完結賭博尖
後飭令該縣查獲照例辦理失察職名應聽該撫查寀參除另繕供单恭呈
御覽外所有臣等查審緣由理合據實具
奏伏祈
皇上睿鑒飭部议覆施行再臣等拜發
奏摺後即日帶同司員英費郎若伊馳赴太康縣查審陳王氏控
案合併声明為此謹
奏
乾隆四十三年十月二十七日奏
硃批該部议奏欽此
十一月二十一日

四二三

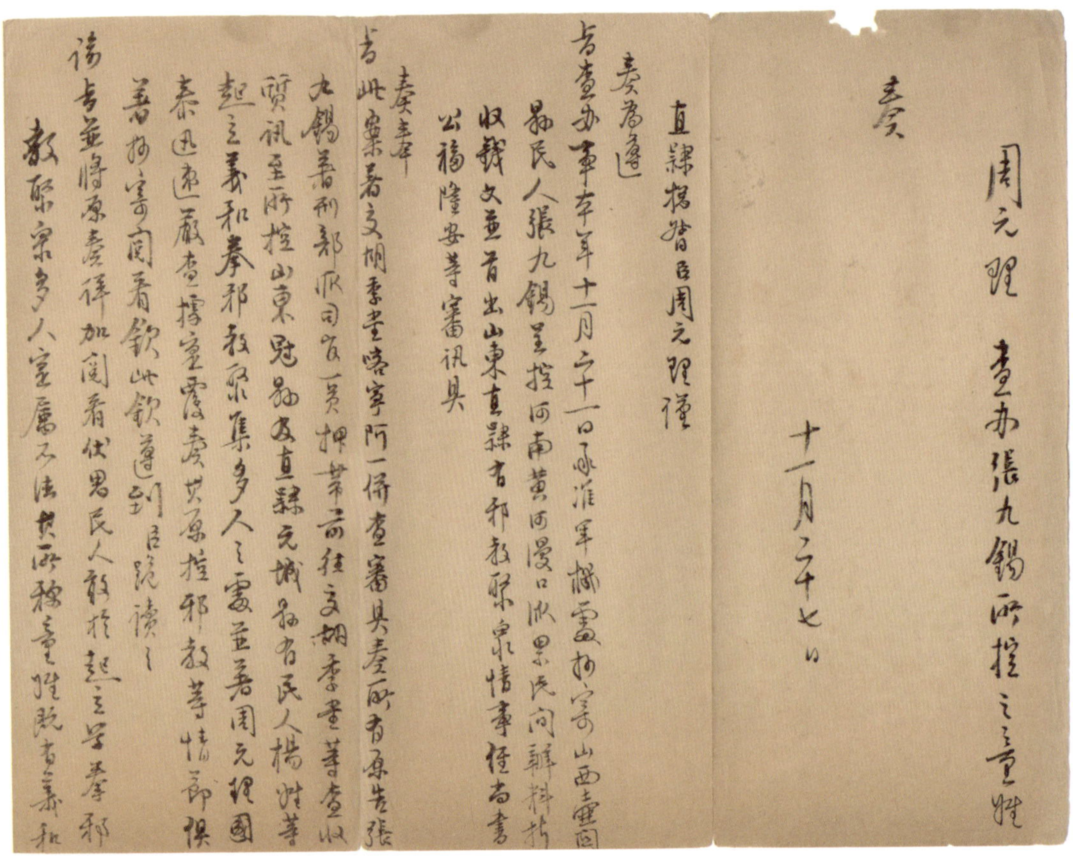
奏

周元理　查辦張九錫所控之童姓

十一月二十七日

直隸總督臣周元理謹
奏爲遵
旨查辦事。本年十一月二十一日承准軍機處抄寄山西壺關
縣民人張九錫呈控河南黄河漫口派累民間雜料折
收錢文並首出山東直隸有邪教聚衆情事，經尚書
公福隆安等審訊具
奏。奉
旨：此案著交胡季堂嚴密訪一併查審具奏。所有原告張
九錫著刑部派司官一員押帶前往交胡季堂等查收
質訊。至所控山東冠縣及直隸元城縣有民人楊姓等
起立義和拳邪教聚集多人之處，並著周元理、國
泰迅速嚴查，據實覆奏。其原控邪教等情節，俱
著抄寄閱看。欽此。欽遵到。臣跪讀之
諭旨，並將原呈詳加閱看。伏思民人敢於起立學拳邪
教聚衆多人，實屬不法。其所稱童姓既有義和

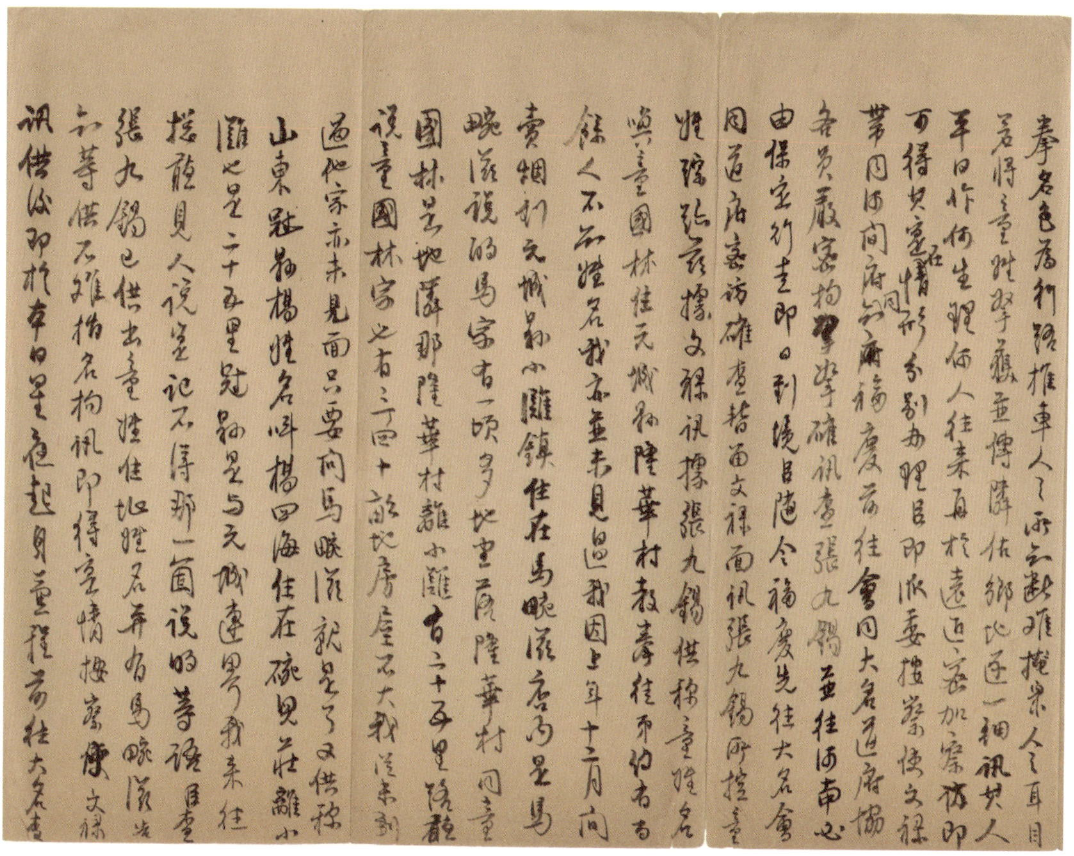
孝名色為行路推車人了所以斷難掩衆人之耳目
若將之童姓挐獲並傳隣佑鄉地逐一細訊其人
平日作何生理何人往来有於遠近之家加察訪即
可得其窩情形在分别辦理臣即派委按察使文綵
帶同河間府知府同福慶前往會同大名道府協
各員嚴密拘挐確訊查張九錫並往河南之
由保定行走即日到境臣隨令福慶先往大名會
同道府密訪確查皆面文綵面訊張九錫所控童
姓蹤跡該按察文綵訊據張九錫供稱童姓名
嘆之童國林住元城縣隆華村教書住所約有書
餘人不知姓名我亦並未見過我因上年十二月向
賣烟於元城縣小灘鎮住在馬曉瀛店內是馬
曉瀛說的馬家有一頃多地里扇隆華村同童
國林是地隣那隆華村離小灘有二十五里隣離
說之童國林家也有三百四十畝地房屋不大我從未到
過他家亦未見面只要問馬曉瀛就是了又供稱
山東駐防楊姓名叫楊四海住在礙見庄離小
灘也是二十五里駐防是與元城連界我来往
搭館見人說是記不得那一個說的等語臣查
張九錫已供出童姓住址姓名并有馬曉瀛出
和等供不難指名拘訊即得實情按察使文綵
訊供後即於本日星夜起身兼程前往大名查

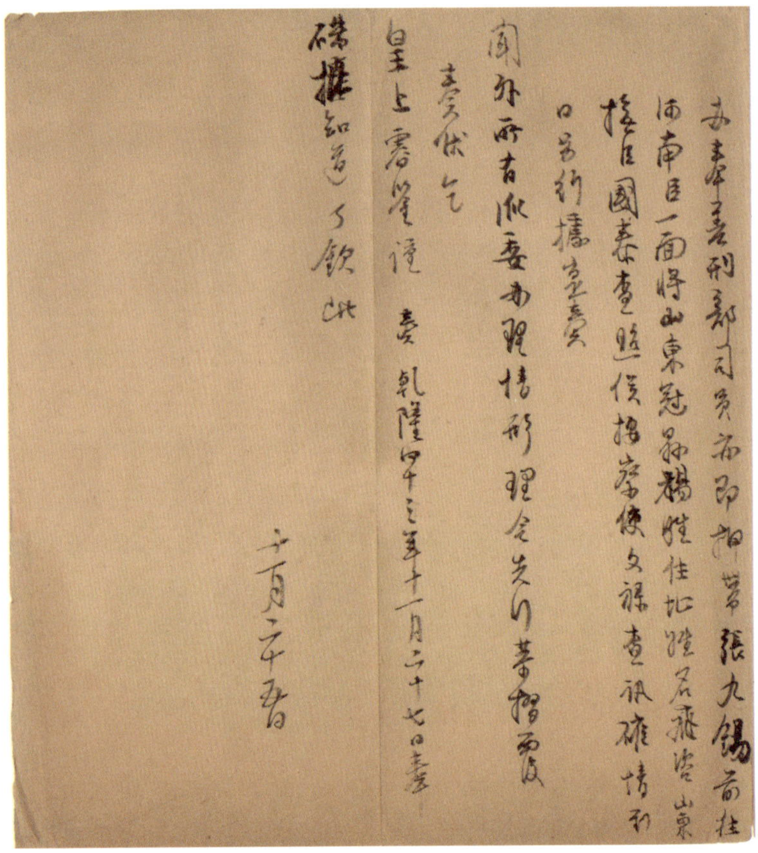

再，奉差刑部司員布郎相幫張九錫前往河南，臣一面將山東冠縣獲犍住址、姓名飛咨山東撫臣國泰查照，俟接準復文，就查訊確情，另日另行據實具奏聞外，所有派委辦理情形，理合先行恭摺附陳，奏伏乞皇上睿鑒。謹奏。乾隆四十三年十一月二十七日奏。

硃批：知道了。欽此。

十二月二十五日

再，臣等出京後，經過地方沿途查看，其保定以北十月二十七日得雪寸許，於麥苗有裨。保定以南至正定、欒城、趙州、柏鄉、順德等處均於十月十七八日得有雨雪，較之保定以北之雪稍大，途間尚有未盡消融之處。自邯鄲以南經過彰德、衛輝等處，麥種十之二三均已出土，其未種隙地，詢之土人，據稱留待明春種植棉花。迨過河由滎澤、汜水、鞏縣以至偃師，麥苗處處青蔥，詢之農民，僉稱七八月間雨水深透，是以種麥普遍，現在地土滋潤，尚不乾燥。此後若得冬雪，更爲有益。至各處糧價均屬中平，民情安貼，地方寧謐。合并附片謹

奏。

四十三年十一月廿七日奉

硃批：覽。欽此。

喀寧阿

胡季堂

袁守侗

四二四

奏

江南河道總督臣薩載謹

奏為攔黄壩外舊河露出淤灘遵
旨添築束水堤工仰祈
聖鑒事竊照本年洪澤湖清水微弱出口下注散漫
無力仰蒙
皇上睿謨廣運
頒示河圖並奉
諭旨清水出口以後經過惠濟祠下其對面舊黄河
尚存清水至此不免散漫減力因用硃筆標記若
於此築堤一道逼令清水直注庶可資刷黄之力
等因欽此七月内大學士督臣高晋來工會同
查勘維時普面皆水測量

硃筆標記築堤處所水深四五尺不等恐填築土堤
而兩面皆水難資穩固擬於西壩下老灘之上
接築土堤一道長一百十七丈直至水邊使清
水順流東下並於新河南岸縷堤裹頭處再接
長一百五十丈俾黄水直達下注於七月十四
日將勘籌辦理緣由會摺
奏請
聖訓並將原圖恭
繳接准
廷寄欽奉
上諭實在形勢若何難以懸揣且照所奏辦理俟庚
子春南廵時親臨閲視再為定奪等因欽此欽遵
在案嗣因洪澤湖清水接續加長西壩下老灘
普面漫水其新河南岸縷堤裹頭迤下新淤亦
經清水刷去所有前次擬接兩處堤工未經築
做臣往來工次隨時留心察看惠濟祠下對面
舊黄河身前於伏汛内黄水盛漲之時蕩漾停
淤自交十一月以來水勢陸續消退灘土顯露

直接下首老灘前奉
硃筆標記築堤處所現在灘高水面二尺四五寸不
等挖採淤土已經乾老形勢較前大不相同仰
見
聖主智炳幾先
指示機宜實在有所遵循在工文武無不同深欽服
目下灘土雖已出水若無土堤攔禦將來伏秋
水長仍復漫灘與舊黃河止水連成一片清水
究不免於散漫自應乘此機會欽遵前奉
諭旨即於灘面築做束水堤工一道自新西壩起直
至新河南岸縷堤止就灘勢高低築高自六尺
至一丈二尺不等頂寬二丈一律夯硪堅實不
但清水出口以後徑直暢注可無散漫之慮即
攔黃壩外添此重門又可為陶莊新河之保障
臣與大學士督臣高晋往返札商意見相同隨
督同道將等復加籌酌逐細確估計長六百九
十餘丈共需土方銀四千二百餘兩即趁此水
小時派委幹員給發銀兩赶緊築做勒限來年

正月内完工以束清水以資鞏固所有攔黄壩
外舊河露出淤灘遵
旨添築堤工緣由謹會同大學士督臣高晉恭摺具
奏并繪圖貼説恭呈
御覽伏乞
皇上睿鑒訓示謹
奏

好知道了
餘有旨諭

乾隆四十三年十二月　二十八　日

四二五

奏

臣袁守侗臣姚立德臣鄭大進跪

奏為遵

旨勘查豫省堤岸并籌辦善後事宜仰祈

聖鑒事案查乾隆四十三年七月十八日奉

上諭黃河偶遇盛漲漫開堤堰原非人力所能預防

若止於漫口一處亦屬事所常有朕從不以此責

之河臣今豫省儀封考城兩汛內漫口至九處之

多必係堤工本未堅固所致該云因去秋至今夏

缺雨日久風日燥烈堤土浮鬆則是豫省亢旱之

年一遇黃河盛漲即不免漫溢又何藉設立堤防

以資鞏固乎著傳諭高晉袁守侗於堵口合龍事

竣會同姚立德鄭大進將該處堤工因何漫水過

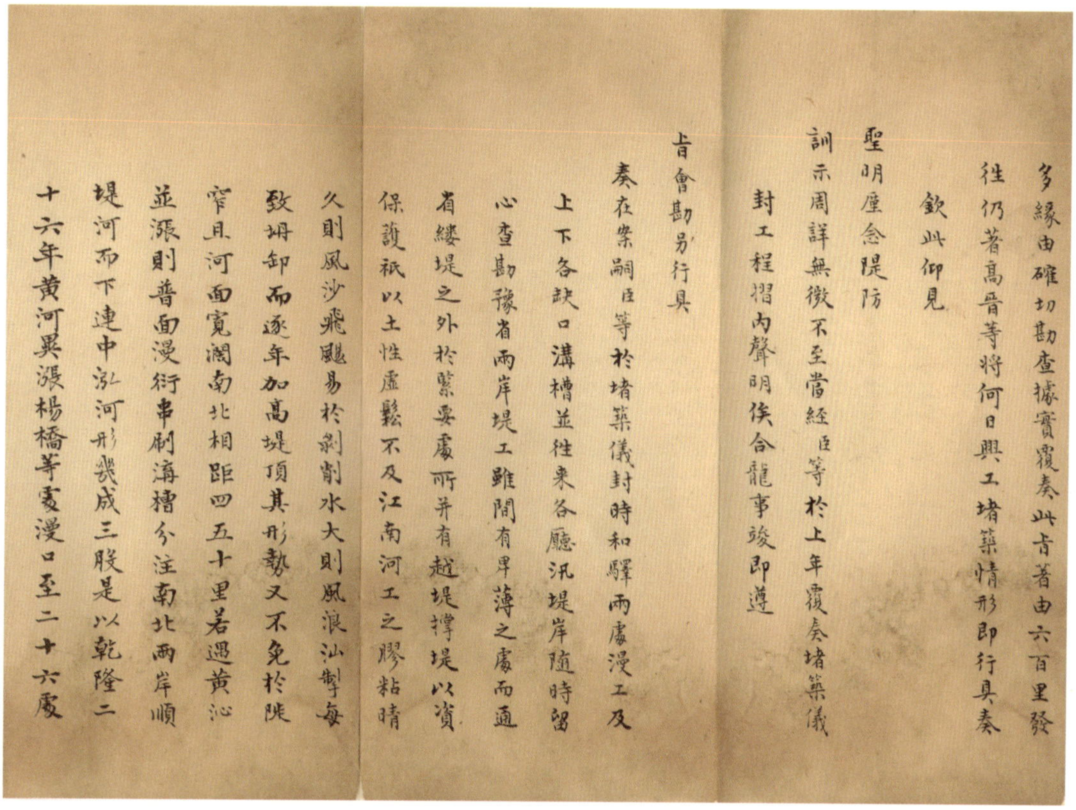
多緣由確切勘查據實覆奏欽此旨著由六百里發
往仍著高晉等將何日興工堵築情形即行具奏
欽此仰見
聖明廑念隄防
訓示周詳無微不至當經臣等於上年覆奏堵築儀
封工程摺内聲明俟合龍事竣即遵
旨會勘另行具
奏在案嗣臣等於堵築儀封時和驛兩處漫工及
上下各缺口溝槽並往來各廳汛堤岸隨時留
心查勘豫省兩岸堤工雖間有卑薄之處而通
省縷堤之外於緊要處所并有越堤撑堤以資
保護祇以土性虛鬆不及江南河工之膠粘晴
久則風沙飛颺易於剝削水大則風浪汕掣每
致坍卸而逐年加高堤頂其形勢又不免於陡
窄且河面寬闊南北相距四五十里若遇黄沁
並漲則普面漫衍串刷滆槽分注南北兩岸順
堤河而下連中泓河形幾成三股是以乾隆二
十六年黄河異漲楊橋等處漫口至二十六處

上年儀考漫口又至九處此豫省堤工土性虛
鬆每遇水大之年漫口過多之實在情形也查
上年盛漲時水痕有與堤頂相平者有堤頂僅
高水面數寸及一二尺不等者水落之後灘面
受淤自二三尺至五六尺八九尺不等堤身益
形卑矮高晉在日與臣等往來勘籌思所以捍
禦為永安長治之計惟有培護堤工一法但上
年水勢之大本為多年罕見若按照水痕將兩
岸堤工一律加高培厚所費不貲如僅就歲搶
之項畧事加修恐將來伏秋水發必致處處生
險搶築不及為患非小是宜乘新工將竣應辦
善後之時一并擇要確估另動錢糧加幫以固堤
防而資捍衛並應分別緩急酌量辦理臣等察
看豫省黃河形勢大溜偏向南趨南岸較北岸
尤為緊要應將南岸之上南下南儀考三廳所
屬列為急工南岸下游之商虞并北岸之黃沁
上北下北曹儀曹單六廳所屬列為緩工前經
派委江南帶來之熟諳估計員弁周歷各廳分

别確估前來臣等復加確核所有列為緩工之
各廳屬堤岸應歸於歲搶修項下陸續酌辦其
列為急工者如上南廳屬之楊橋大壩係乾隆
二十六年舊龍門處所兜灣近溜蕪之土性更
鬆上年溜勢緊急致將壩臺塌卸亟應補還下
南廳屬之黑堽壩逼近省城最關緊要現存堤
身及壩後越堤因大溜汕刷俱極卑薄應將該
處縷越兩堤迅行補築此外各堤岸因屢經風
浪撞擊多有塌損以及壩臺殘缺堤身卑薄之
處該廳及儀考廳所屬在在俱有亦應一體急
為估辦至現在兩處新工内八堡漫口應補還
原越堤并於堤前積水處添鑲防風其迤北新
莊進水口門内應趕做夾土壩一道以資抵禦
又時和驛堤外應接築土堰連至八堡新堤尾
俾漫灘之水不致灌入堤根儀考廳屬之十六
堡新堤合龍後大溜直逼堤身未免於新埽有
礙應照楊橋大工之例帮寬後戧并加築越堤
撐堤以為重門保障其已築外越未經補還原

堤各缺口尚有儀封之十八堡三十六堡考城
之三堡五堡等處俱應趕辦以上各工程內除
八堡新莊兩處要工共估需銀二萬五千九百
餘兩先經臣等
奏交藩司榮柱照估發銀委員趕辦月內即可完
工應俟各善後工程辦竣時一并報銷毋庸再
議外其儀考新工并時和驛堤外土堰以及楊
橋黑堽各堤岸應辦善後工段計上南廳屬估
銀四千八百五十兩下南廳屬估銀二萬七千
八百四十二兩儀考廳屬估銀九萬零三百九
十四兩通共估需銀十二萬三千零八十六兩
從前高晉與臣等商定原擬於大工告竣後會
摺具
奏今漫工久稽堵合而桃汛將至不便再遲理合
詳細據實奏
聞請
旨辦理所需銀兩應即在河南藩庫支撥遴派勤能
州縣分段實力築做即委各該管廳員就近監

辦以期工程鞏固定限二月初一日興工三月
初十日以前一律告竣責成該管道府往來查
催臣姚立德與新撫臣陳輝祖分别督辦務期
工歸實在帑不虛糜以仰副
聖主慎重河防保衛民生至意工竣由臣姚立德覆
核
題銷除造具估冊另行咨部外所有臣等查明豫省
堤岸及籌辦善後各工緣由謹繕摺附驛陳
奏并開具清單繪圖貼説恭呈
御覽再查儀工辦竣後水勢由順堤河掣入引河下
注自可暢歸故道但十六堡一帶大溜已直逼
堤根恐一遇伏秋異漲新工未免着重伏查上
年十二月二十五日臣等進
呈圖内於上游逼近舊黄河處所奉有
硃筆標記并蒙
諭本當如此挑挖引河臣等敬閲之下實深愧服今
大工業已辦定臣等遵照
指示地面前往查看十堡以下大河形現露有向北

坐灣之處若於此再開分水引溝一道直接十
六堡新開引河之第七段庶盛漲至時可以分
減水勢溢入引溝仍與十六堡引河之水合為
一流暢注正河而大壩迎溜稍輕新築壩工不
致過於衝激但此時水勢尚小不能漫灘無庸
急為估計容俟善後工程完竣時臣姚立德再
行籌度勘估具
奏辦理謹於圖内一併貼説聲明伏祈
皇上睿鑒訓示謹
奏
乾隆四十四年正月二十日奉
硃批已有旨了欽此
正月十七日

四二六

奏

臣袁守侗臣姚立德臣鄭大進跪
奏為遵
旨覆奏事竊臣等於本月十九日亥刻接奉
廷寄内開乾隆四十四年正月十七日奉
上諭昨據袁守侗等奏現擬遵照兜袖法改做兩壩
頭并酌開引溝一道直達正河以期引歸正溜就
勢堵閉等因祇可如所奏辦理惟閱圖内所繪擬
開之引溝稍覺向南恐紆溜不能得勢因於圖内
用硃筆向北改直標識諭令袁守侗等如奉到前
旨時尚未合龍即照硃筆標示處上緊趕辦以奠
安瀾距今又越四日尚未據袁守侗等續奏河工
情形深為懸廑連日天氣融和施工較易未知引

河挑濬如何前次之失究因引河未深不能暢注
所致此次當以前事為戒務將引河挑挖極深較
比黄河底稍有建瓴之勢然後相機放水則引溜
方能得力兼以兜袖迴溜之法或可及早合龍而
善後鑲填亦更當鞏固朕因此事晝夜盼望不能
置懷著傳諭袁守侗等將現辦情形若何迅速覆
奏此旨著由六百里加緊發往如已經合龍亦即
加緊具奏欽此伏查臣等前奉到十三日
諭旨暨
硃筆標識原圖隨將儀封壩工遵用兜袖之法已做
成新斜壩臺八丈其後身接連帮寬共長十四
丈並擬於新開引溜溝頭迤西遵照
指示再切去淤灘四十七丈俾溝口愈向西北開寬
以順溜勢等因於十七日恭摺
奏覆在案臣等拜摺後即督率將備等將新壩臺
上緊鑲墊平穩十八日辰刻下埽一個晝夜加
鑲追壓到底復因此次埽工係直迎大溜往前
搶築必須較從前下埽分外慎重方能進丈得

大隨令將新埽及壩臺普面再行加土一律厚
實計已高出舊壩臺數尺十九日晚間復下一
埽現在如法趕壓自兩埽入水後溜勢逼開更
遠由北而東遠至東壩根入口門其引溜溝之
西一帶北灘屢有塌動惟東壩稍覺着重緣此
時西壩進埽漸近口門之中大溜回溜俱靠東

硃 硃

壩而出牽東壩門埽追壓日多雖壩頭不免畧
蟄實沖刷不動所以東壩暫停下埽俟西壩之（此應慎重最要）
埽趕過東壩頭一二丈則水勢漸成回溜再將（好此法得當）
東壩趕進一埽或兩埽即可相機合龍至新挑
引溜溝計長三百餘丈連日分委幹員承辦已
有八分工程其溝口之西切去淤灘四十七丈
現亦上緊趕辦所有入水口門以及溝尾接至
引河第三段處形勢頗順數日內俱可竣事引
河九段計共長一千一百餘丈初次挑深一丈
五尺嗣復將六段以下抽挖深溝上年十二月
間口門掣溜後引河復有淤墊又經添委人員
多集夫力於從前加挑之外再加挑深三四尺

硃

不等其尾閭已與正河相平復於正河底接挖
深溝六百餘（是）丈因本月初三四及十二三等日
兩次陰雨逐段俱有積水挑挖將畢旋復沖淤
是以現在工程亦尚有一二分未竣今恭譯
訓諭以前次之失究因引河未深不能暢注所致
聖明洞照如在目前臣等熟察情形敢不時時以前

硃

事為戒惟有益加深挖務俾三段以下逐段漸
低其自九段尾接至正河處尤必得有下注之
勢擬期於廿二三等日上下一律挑竣現在引
河頭及引溜溝外河水尚不盈尺所有攔水土
壩及各段土格俱尚未開臣等擬將九段積水
先行開放以驗其是否（亦好）深暢若稍有未順即再
速行挑挖不使稍有阻滯彼時新築斜壩已漸
次兜過東壩大溜必直逼引溝臣等即將引溝
頭之土壩刨開使水勢建瓴直下然後於兩壩（好極現在形勢速具）
兜袖之中相機堵合至善後鑲填之事臣等原（一圖來看）
擬於斜壩合龍後併將兩壩口門即行堵閉一
律鑲埽填土以資穩固至大堤應幫寬後戧及

加築越堤撐堤等工臣等已於十七日具
奏善後事宜摺內一併聲明請
旨辦理總之此次施工臣等斷不敢畧掉輕心即在
工將備等亦俱知慎重趕辦連日天氣晴暖工
次人夫無不踴躍趨事惟期大工妥竣鞏固無
虞以奠上紓
宵旰殷懷所有儀工現辦情形理合由六百里遵
旨迅速覆
奏伏祈
皇上睿鑒謹
奏
乾隆四十四年正月二十三日奏
硃批所辦皆合機宜佇待合龍佳音之至欽此
正月二十日

四二七

奏

漕運總督臣鄂寶謹

奏爲奏

聞事竊照江南徐州府屬銅山蕭縣碭山等三縣本
年起運漕粮應派徐州衛江北幫長淮衛四幫
丁船兌運緣該三縣漕倉均在徐州府城每年
收漕完竣向係地方官雇覔剥船由黄河運至
宿遷之皂河水次交兌所需水脚銀兩在於各
丁贈銀内給發歷年如此辦理本年起運漕粮
三萬七千餘石因豫省口岸尚未築竣黄河水
勢分洩剥船不能前進據徐州府知府林宏德
議請改爲陸運以免貽悮但由府城陸運至皂
河計程二百餘里水脚不敷應用查漕船北上

必由山東省嶧縣之韓庄地方經過韓庄距徐
州府城旱路九十里若令各縣預備車輛口袋
將漕粮運至韓庄交兑較為近便一俟兑竣摃
入南粮帮船前進為期不致遲滯所需車價即
以剥船水脚移給毋庸另籌等情臣查徐州黃
河既難行走自應改由陸運且韓庄為粮艘必
經之路徑運韓庄寔為便捷較之水路可省三
百數十里之程不致遲悞運費亦足相抵除飛
飭江安粮道暨府廳帮弁將丁船迅速駕赴韓
庄候兑並令速將應運米石雇車運往兑開外
所有銅山等縣漕粮因黃河水勢淺阻剥兑維
艱改由陸運通融辦理緣由理合恭摺
奏明伏祈
皇上睿鑒再查目今運河水勢充足粮艘啣尾而來
截至二月初七日已過淮二十二帮共船九百
三十三隻且清水甚旺山東亦已開壩臣現在
委員分段催儧本年漕粮諒可早登
天庾不致羈阻知㢙

聖懷合併奏

聞謹

奏

知道了

乾隆四十四年二月　初九　日

四二八

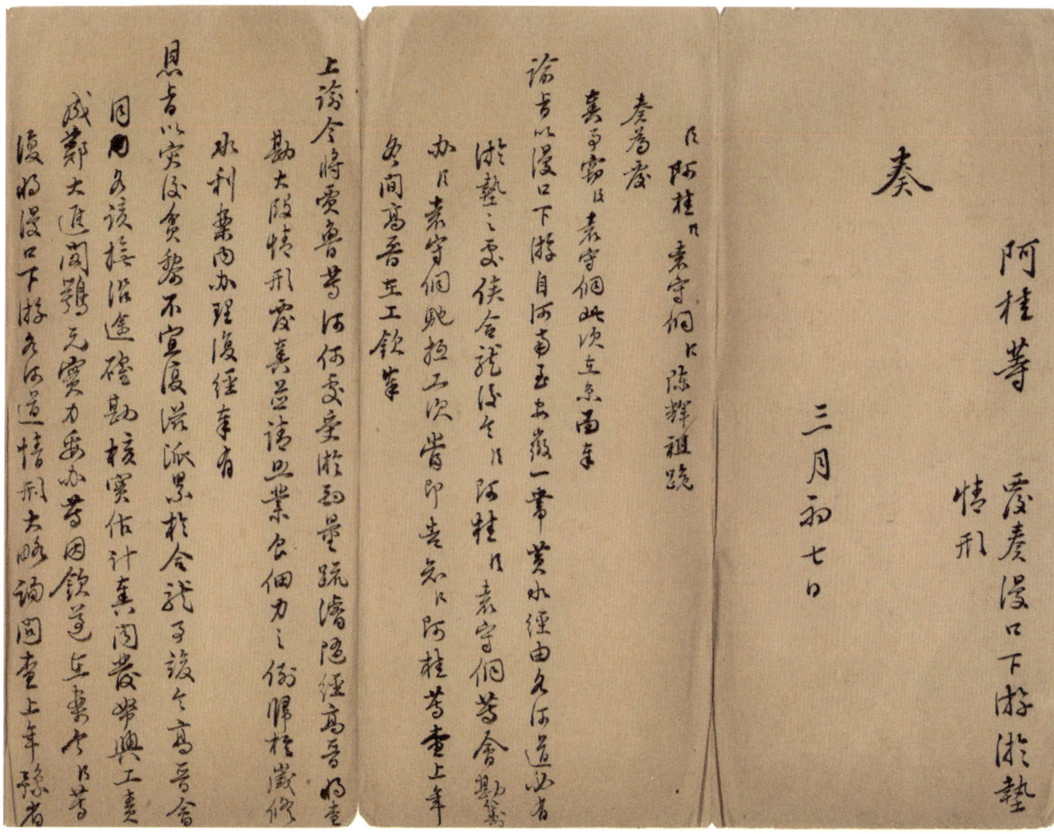

奏

阿桂等

覆奏漫口下游淤墊情形

三月初七日

臣阿桂、臣袁守侗、臣陳輝祖跪

奏爲覆

奏事。竊臣袁守侗此次在京面奉

諭旨：以漫口下游自河南至安徽一帶黄水經由各河道，必有

淤墊之處，俟合龍後，令臣阿桂、臣袁守侗等會勘

辦。臣袁守侗馳抵工次，當即告知臣阿桂等。查上年

奉聞高晉在工欽奉

上諭：令將覆奏等河何處受淤，酌量疏濬，隨經高晉將查

勘大段情形覆奏，並請照業食佃力之衙門歸於歲修

水利案内辦理，復經奉有

恩旨：以實係貧黎，不宜復滋派累，於令諭該督高晉會

同各該撫沿途確勘，核實估計，奏聞發帑興工，業

成鄭大進、閔鶚元實力妥辦等因，欽遵在案。臣等

復將漫口下游各河道情形大略詢問，查上年疏者

黄河決口共時和驛漫溢之水由祥符縣境入惠濟河即
從前高晉所奏之賈魯新河又歷陳留杞縣睢州柘城境
内之楧河康家河東沙河老黄河均歸入惠濟河下達安
徽亳州之渦河查時和驛合龍迄今已届數月漫流之水
已就乾涸其間淤墊之處自可設法疏濬現擬即派
員查勘妥看應如何辦理者再行核實估計奏
聞勤歸興工至儀封十六堡漫溢之水大半由考城之北沙
河商邱之鄧濱口寧陵之馬三河分流均入歸德之
陳兩沙河同注亳州之渦河但上年高晉派員查勘時因
自儀封至歸德一帶均係黄水漫浸河与民田相連一
片無從區別委員等當詳勘該處水陸皆不能通一日
之間舟車數易往返紆迴雖大段可有情形終未能
詳細明確現在漫口尚未合龍水勢實与上年無二第
其中淤者退不及淺者現已飭令委員先從察勘俟其
京處到时再行酌定奏
聞至祥符儀封兩處漫口之水均係歸入安省之渦河雖徇據
前經高晉派往查勘之通判張慶易稱極田文龍等
禀稱漫水在豫省境内蕩漾二三百里至彼已就澄清
並無淤墊但恐其之尚未確實仍著現在移會安徽
撫臣閔鶚元查詢該處有無淤墊確實情形俟
其移處到日一併商酌奏

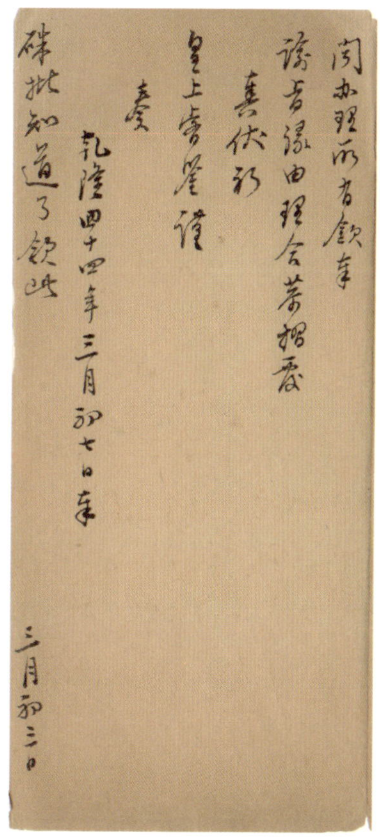

閱辦理所有欽奉
諭旨緣由理合恭摺覆
奏伏祈
皇上睿鑒謹
奏
乾隆四十四年三月初七日奉
硃批知道了欽此

三月初三日

四二九

奏

江蘇布政使臣吳壇謹

奏為奏
聞事竊臣仰蒙
聖主天恩由江南河庫道擢授江蘇布政使遵
旨俟新任河庫道何裕城到淮再赴蘇州因計何裕
城到任尚需時日又聞豫省河務將次竣工隨
稟明督河二臣前赴雲梯關內外查看黃河入
海尾閭情形緣清水沖刷日久現在中泓水深
丈餘至二丈餘不等河面寬百餘丈至二百餘
丈不等將來黃水復歸故道尾閭似無壅滯之
虞又赴徐州上下及宣洩黃水之毛城鋪峰山
閘等處查得江南境內黃河尚有清流一線兩

岸埽土各工均已乘春修築全完俱屬平穩堅
實河身間有沙嘴淤埂之處當令該管河員督
率兵夫隨處挑濬劃切以備黄水驟至免致阻
礙今何裕城於三月二十六日至清江受事臣
將印務及庫貯銀兩逐一交代於二十八日自
淮起程赴蘇所有臣查看過黄河尾閭並徐州
上下各工情形及交代赴蘇日期理合恭摺奏
聞伏祈
皇上睿鑒謹
奏
好知道了
乾隆四十四年三月　二十七　日

四三〇

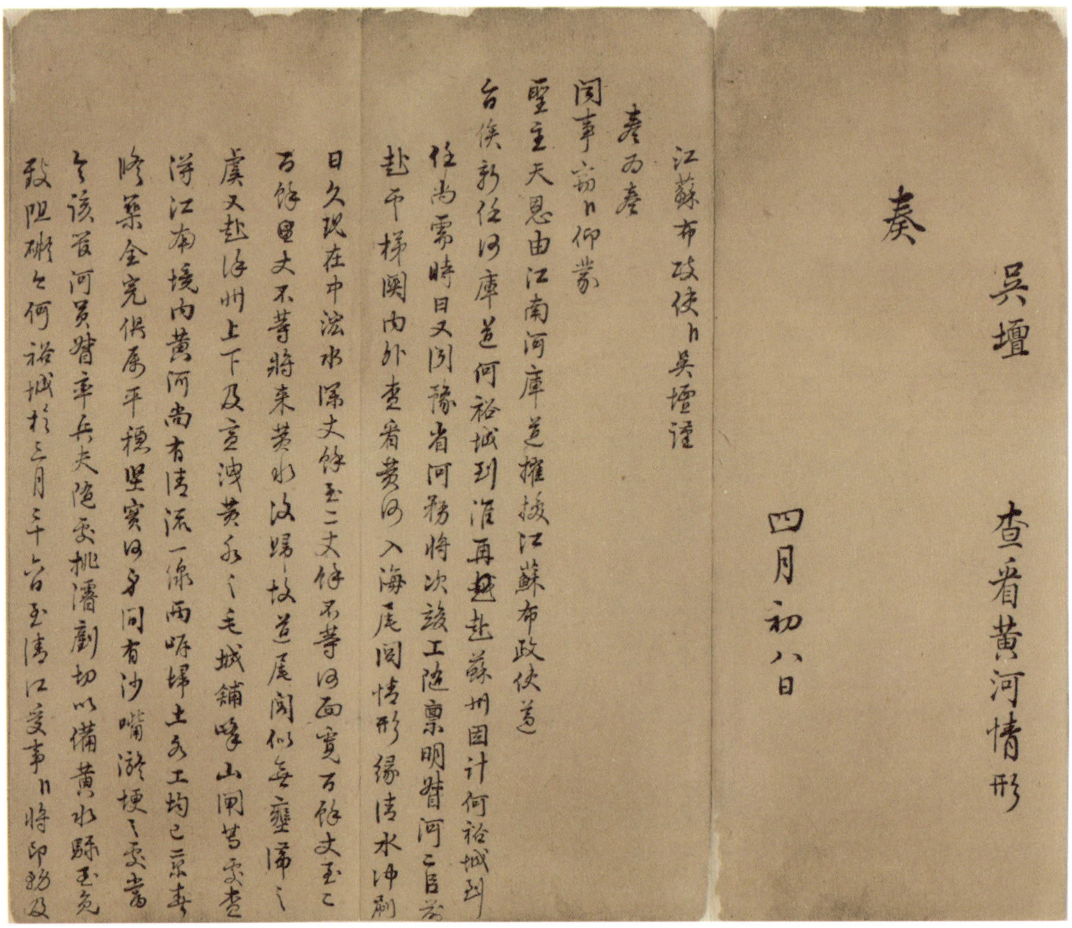

奏

吳壇

查看黃河情形

四月初八日

江蘇布政使臣吳壇謹

奏爲奏

聞事。竊臣仰蒙

聖主天恩，由江南河庫道擢授江蘇布政使，遵

旨俟新任河庫道何裕城到淮，再赴蘇州。因計何裕城到

任尚需時日，又河、豫省河務將次竣工，隨稟明督河二臣，前

赴下游閱內外，查看黃河入海尾閭情形。緣清水沖刷

日久，現在中泓水深丈餘至二丈餘不等，河面寬百餘丈至二

百餘丈不等，將來黃水汎漲，歸故道，尾閭似無壅滯之

虞。又赴徐州上下及宣洩黃水之毛城鋪、峰山閘等處查

勘江南境內黃河，尚有清流一線，兩岸埽土各工均已完竣，

修築全完，俱屬平穩堅實，惟間有沙嘴灘埂，已飭

各該管河員督率兵夫，隨時挑濬、刷切，以備黃水驟至免

致阻滯。何裕城於三月三十日到清江交事，臣將印務及

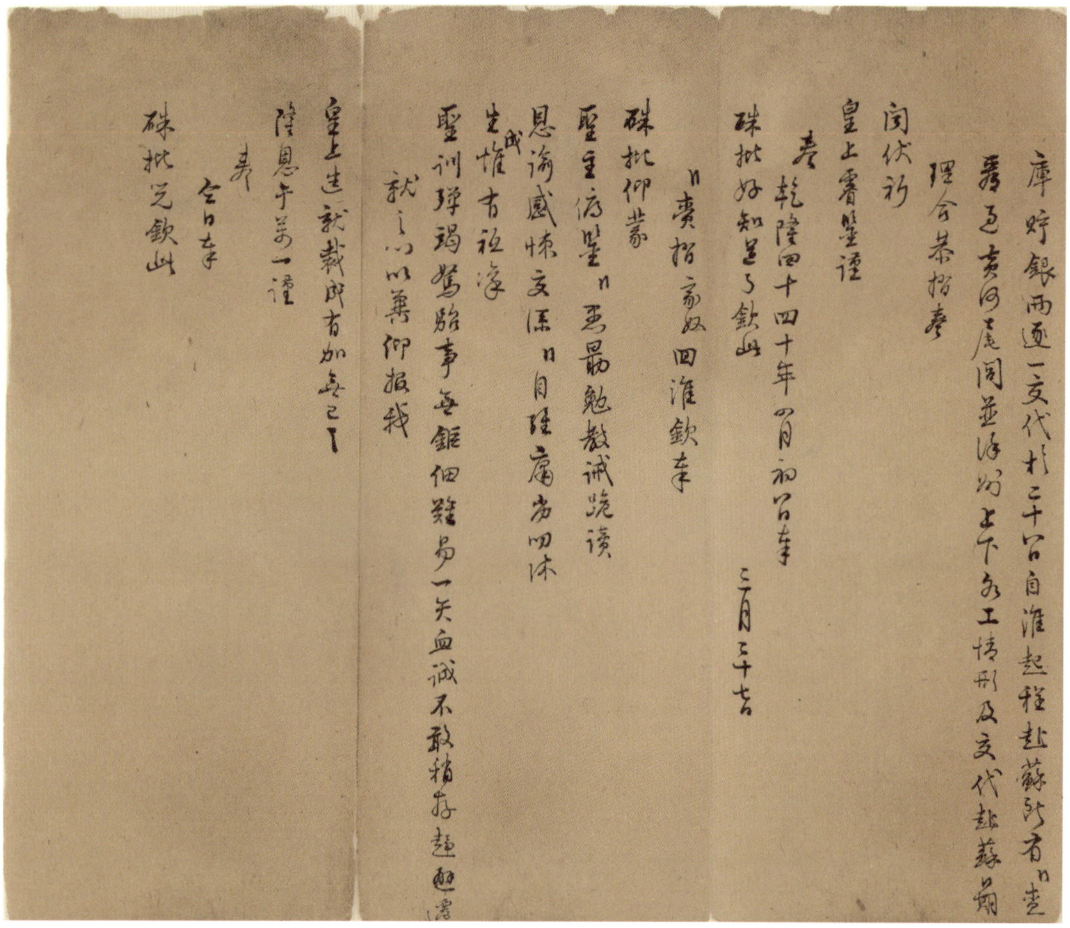

庫貯銀兩逐一交代於二十日自淮起程赴蘇所有〃壹
奏覆黄河虎閘並將淮揚上下各工情形及交代赴蘇緣由
理合恭摺奏
聞伏祈
皇上睿鑒謹
奏
乾隆四十四十年四月初七日奉
硃批好知道了欽此
三月二十七
〃責摺奴才回淮欽奉
硃批仰蒙
聖主俯鑒〃惡最勉教誡曉諭
恩諭感悚交深〃自維庸劣叨沐
生成惟有祗遵
聖訓殫竭駑駘事無鉅細雖竭一矢血誠不敢稍存懈忽
欽〃以冀仰報於
皇上造就裁成有加無已〃
隆恩于萬一謹
奏
六日奉
硃批覽欽此

四三一

奏

河東河道總督臣姚立德謹

奏爲黃河要廳需員循例

奏請陞署以裨工務事竊照河南開封府上南河

同知王鳳詔病故業經臣具疏

題報在案查該同知經管滎澤鄭州陽武中牟四

州縣黃河南岸堤工鄭州汛之裴昌廟十八堡

中牟汛之楊橋十堡十二堡臨河埽壩均屬頂

衝迎溜河自山陝而來此處爲入豫門戶係通

工第一緊要之缺非熟諳河務精明强幹之員

不能勝任臣於現任同知通判內詳加遴選或

年例未符或人缺不宜查河廳缺出一時無相

宜之員例得於沿河州縣内通融陞調臣復與

撫臣陳輝祖悉心衡量商酌有蘭陽縣知縣趙載元原由黄河汛員陞任才情幹練熟習修防該地與儀封接壤自上年漫工後檄調該員辦事至今勇往急公不辭勞瘁以之陞署上南河同知洵堪勝任第該員甫經實授與陞署之例不符但其人其地實在相需例得專摺

奏請可否仰懇

皇上天恩俯念河工要缺人材難得准以蘭陽縣知縣趙載元陞署上南河同知不特該員感激奮勉力圖報効臣亦得收指臂之益如蒙

恩允仍照例察看經歷桃伏秋三汛果能辦理裕如再行保題送部引

見實授臣為要缺需員河工地方不分畛域起見謹會同河南撫臣陳輝祖恭摺

奏請伏乞

皇上訓示再該員任內有魏鐸家被竊衣布事主之母王氏被賊掐死接緝不力一案例應罰俸已經咨叅未准部覆合并陳明謹

奏

該部議奏

乾隆四十四年四月初二日

四三二

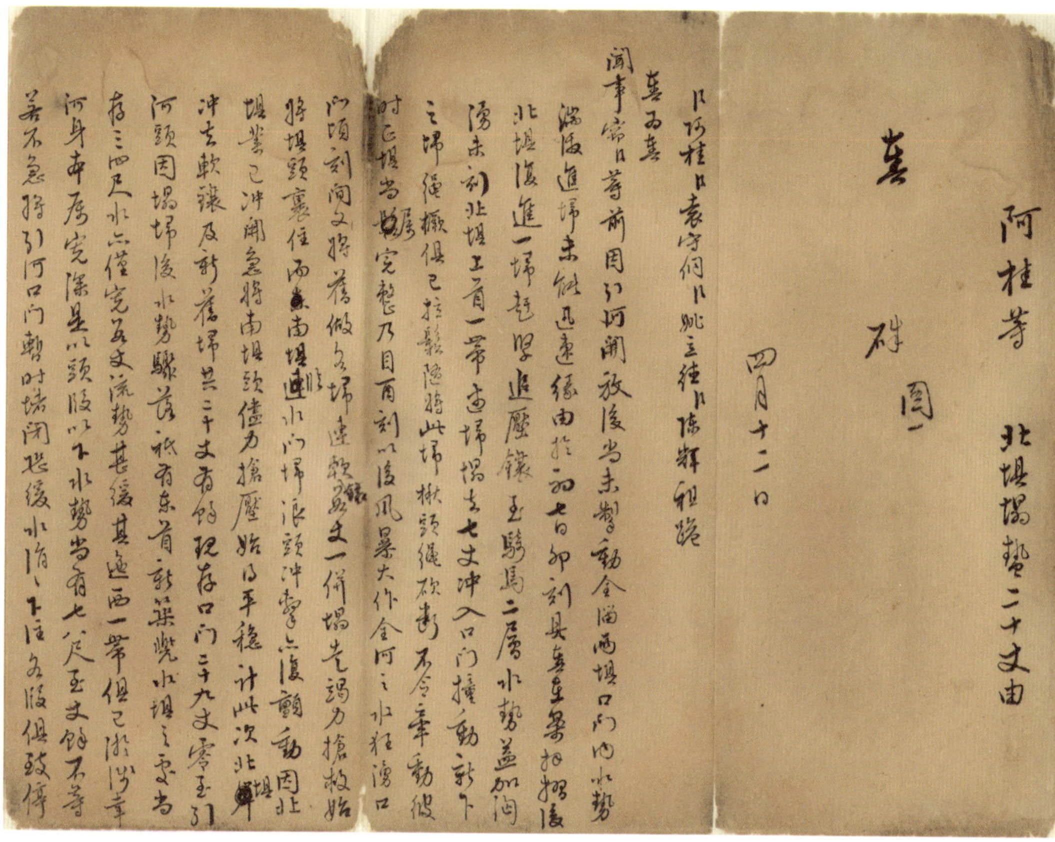

阿桂等 北堤塌蟄二十丈由
奏 硃圈
四月十二日

臣阿桂、臣袁守侗、臣姚立德、臣陳輝祖跪
奏爲奏
聞事。竊臣等前因引河開放後尚未掣動，全溜兩堤口門內水勢
淤漫，進埽未能迅速，緣由於初七日卯刻具奏在案。後
北堤復進一埽，甚覺追壓鑲至騎馬二層，水勢益加洶
湧。未刻北堤上首一帶舊埽塌去七丈，沖入口門，撞動新下
之埽，隨撤俱已拉鬆，隨將此埽揪頭繩砍斷，不令牽動。彼
時已堤尚屹完整，乃自酉刻以後風暴大作，全河之水狂湧口
門，頃刻間又將舊做之埽連鑲蟄丈一併塌去，竭力搶救，始
將堤頭裏住，而東南堤迎水門埽浪頭沖擊亦復顫動，因北
堤業已沖開，急將南堤頭儘力搶壓，始得平穩。計此次北堤
沖去軟鑲及新舊埽共二十丈有餘，現存口門二十九丈零，至引
河頭因塌埽後水勢驟落，祇有東首新築攔水壩之處尚
存三四尺水，亦僅寬五丈，流勢甚緩，其迤西一帶俱已淤淺。
河身本屬寬深，是以頭段以下水勢尚有七八尺至丈餘不等，
若不急將引河口門暫時挑開，誠恐水漸漸下注，各段俱致停

將現在趕緊將引河頭叠堤攔住再查此次所開引河雖在
西堤上游堤工口門未沖缺之先水勢亦能暢流但離堤根尚覺
太近日來探量大河水勢自西而東於未到引河相對之處中泓
業經深至丈有餘口門以致大河底深引河口高不能掣動大
溜是以現在又因前所挑於引河頭之西相離五餘丈外坐灣
水深處所復開引河一道另繪詳悉具圖貼說恭呈接入新引河之第二段約長三
百餘丈其地離堤根稍遠河流至此尚未深深以期可以掣動
大溜至北堤口門內現在水勢異常湍激既恐難以施工而河
底亦有稽查原埽無從割除盡淨即下埽亦不能堅實
現擬將北堤上首迎埽離寬填厚作為堤壘兩堤俱由外
越進埽以期易於堵合伏查此次工程兩月以來尚屬穩實
即在工人等亦無不踴躍趨事分外慎重此時事屆垂成
方冀可以上緊諸事乃於本月初間漸有掣動至昨初七
日復因風浪湍激陡遇沖塌實非意料所及目覩此情
私但不勝憂遽愧惧雖以自愛雖現計至五月初旬以前
水勢尚不甚大但轉瞬月餘伏汛漸至為期已迫惟有日夜
加緊趕辦冀其偉速妥該稱竣前經所有堤工現有
塌場及籌辦緣由理合繕摺具
聞並繪圖貼說恭呈
御覽伏祈
皇上睿鑒謹
奏
乾隆四十四年四月十二日奏
硃批已有旨了欽此
四月初八日

四三三

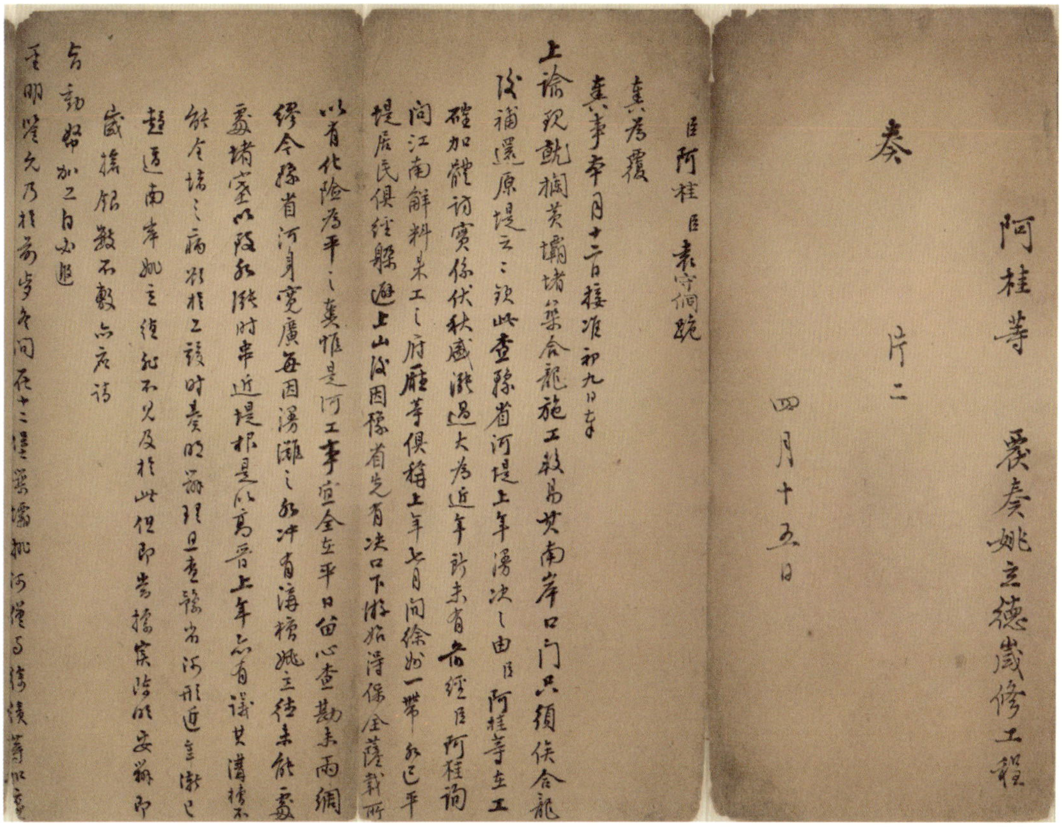
阿桂等 覆奏姚立德歲修工程
奏 片二
四月十五日

臣阿桂 臣袁守侗跪
奏爲覆
奏事。本月十二日接准初九日寄
上諭：現就欄黃壩堵築合龍施工，將來南岸口門只須俟合龍
後補還原堤。云云。欽此。查豫省河堤上年漫決，由臣阿桂等在工
確加體訪，實係伏秋盛漲過大，爲近年所未有。旨經臣阿桂詢
問江南解料來工之府廳等，俱稱上年七月間徐州一帶水已平
堤，居民俱經躲避上山，後因豫省先有決口，下游始得保全，蘆載所
以資化險爲平。至要惟是河工事宜，全在平日留心查勘，未雨綢
繆。今豫省河身寬廣，每因漫灘之水沖有浪窩，姚立德未能處
處堵塞，以致秋漲時串近堤根，是以高晉上年亦有議其溝槽不
能全堵之病，將來工竣時查明[illegible]且查豫省河形近年漸已
趨向南岸，姚立德亦不必及於此，但即當據實陳明，安辦即
歲修錢數不敷，亦應請
旨飭撥，加之自必退
聖明，洞鑒允乃於高堰等處間在十二堡築壩挑河便可諸續籌以

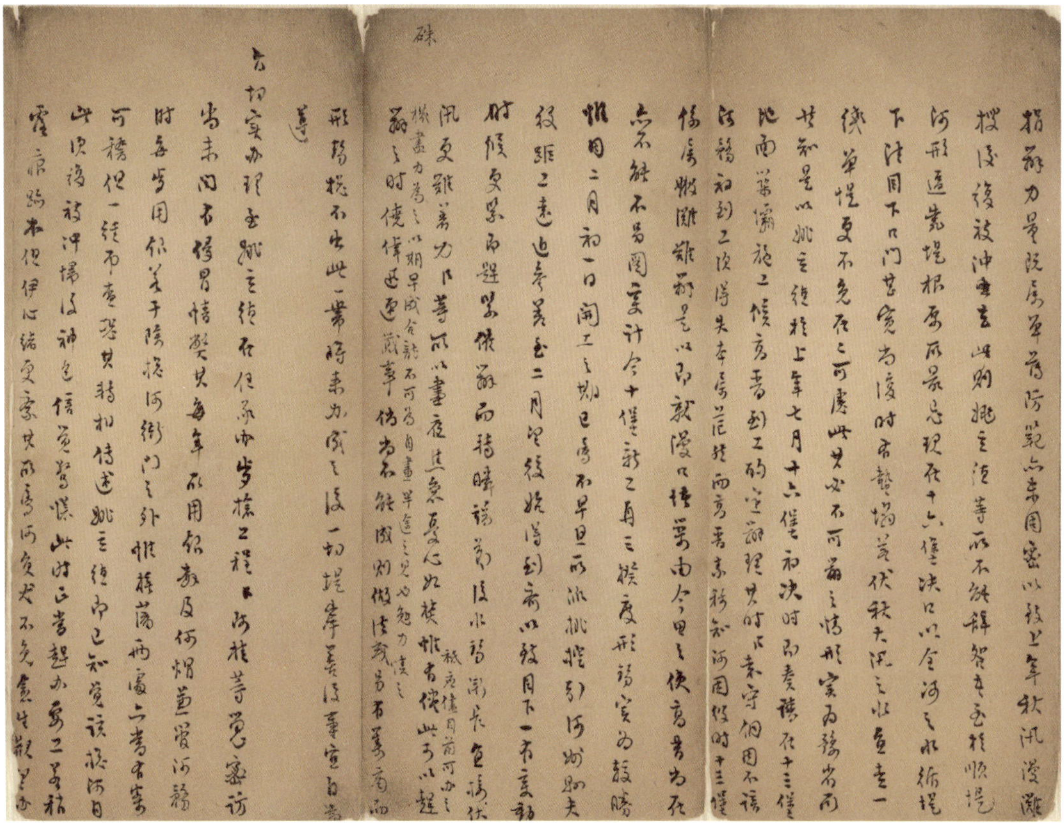

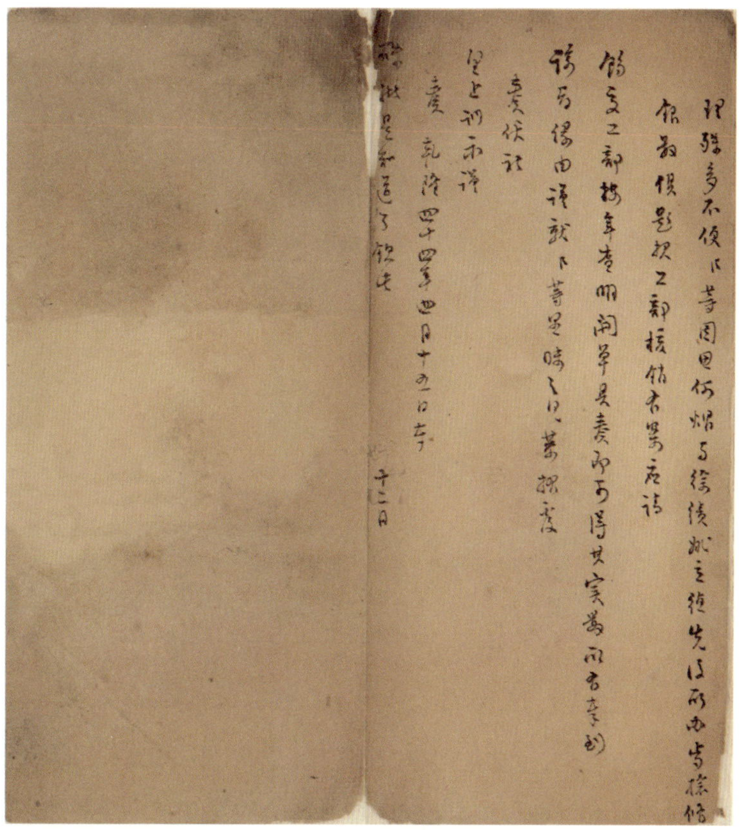
[illegible]
奏伏祈
皇上訓示謹
奏 乾隆四十四年四月十五日
硃批是知道了欽此
十二日

硃

再查所挑引河前因北壩蟄塌時水勢頗落數尺恐其流緩沙停是以

奏明暫將口門攔堵日內大河之水照常兜水壩內向北動盪引河口所堵子埝衝又汕刷因復相機開通雖仍未能掣溜而河流進口（日內每作西南風較可吹溜向東北以誠視之）尚屬順暢察看下游一帶流亦頗急自可不至淤墊且於壩工亦稍能洩氣將來引溜深挑成溝放後如果掣動大溜則舊口門亦足資分洩之益至現在南北兩壩又復各進一埽加緊填壓尚未到底此時日夜趕辦斷不敢稍有疎懈理合附摺奏

聞謹

奏

乾隆四十四年四月十五日奏

硃批覽欽此

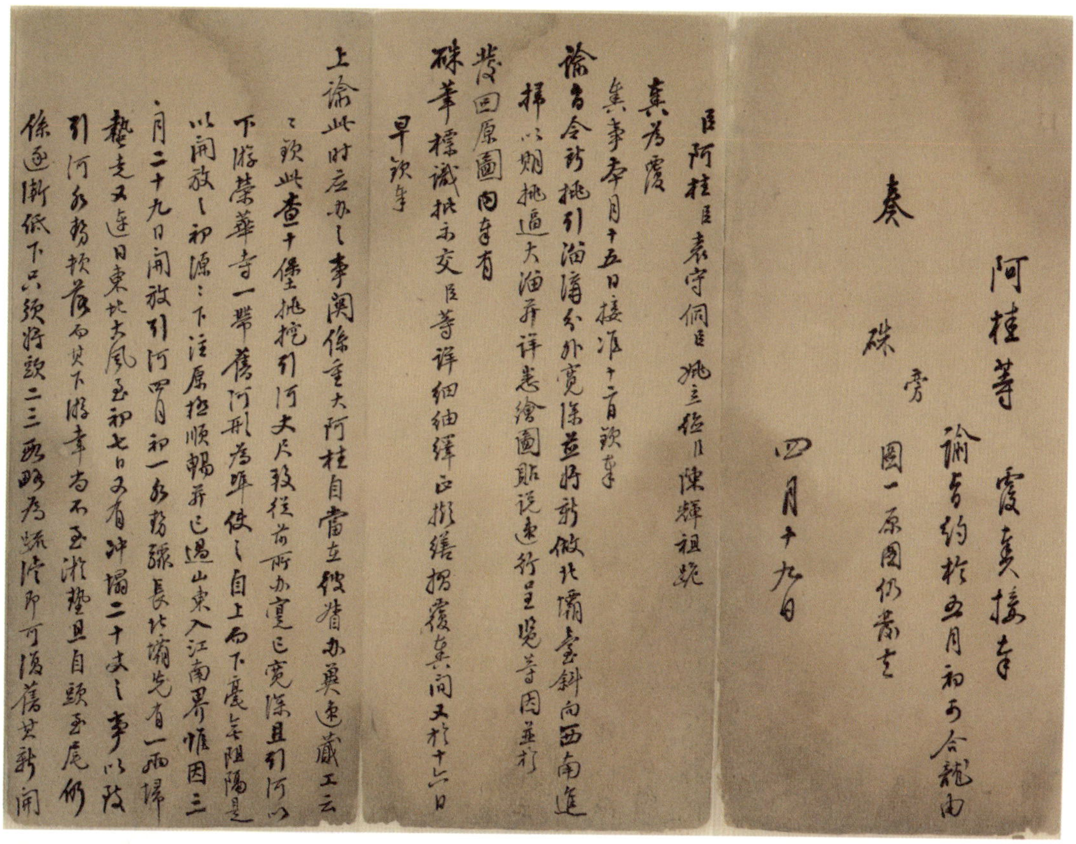

阿桂等 覆奏接奉
諭旨約於五月初五合龍由
奏
硃 旁 圖一原圖仍恭呈
四月十九日

臣阿桂臣袁守侗臣姚立德臣陳輝祖跪
奏為覆
奏事本月十五日接准十二日欽奉
諭旨令將挑引河河底分外寬深並將新做北壩盤斜向西南進
埽以期挑通大河并詳悉繪圖貼說速行呈覽等因並將
發回原圖內奉有
硃筆標識抄示交臣等詳細紬繹仰惟正擬繕摺覆奏間又於十六日
早欽奉
上諭此時應辦之事固係重大阿桂自當立時督辦奠速藏工云
云欽此查十堡挑挖引河丈尺較從前所辦寬深且引河以
下游榮華寺一帶舊河形高阜使之自上而下處處無阻隔是
以開放之初源源下注原極順暢并已過山東入江南界惟因三
月二十九日開放引河四月初一河勢驟長北壩先有一兩埽
蟄走又逢日東北大風至初七日又有沖塌二十丈之事以致
引河河勢較前頓覺而其下游章為不至淤墊且自頭至尾仍
係通衢低下只須將致二三兩段為疏浚即可復舊其新開

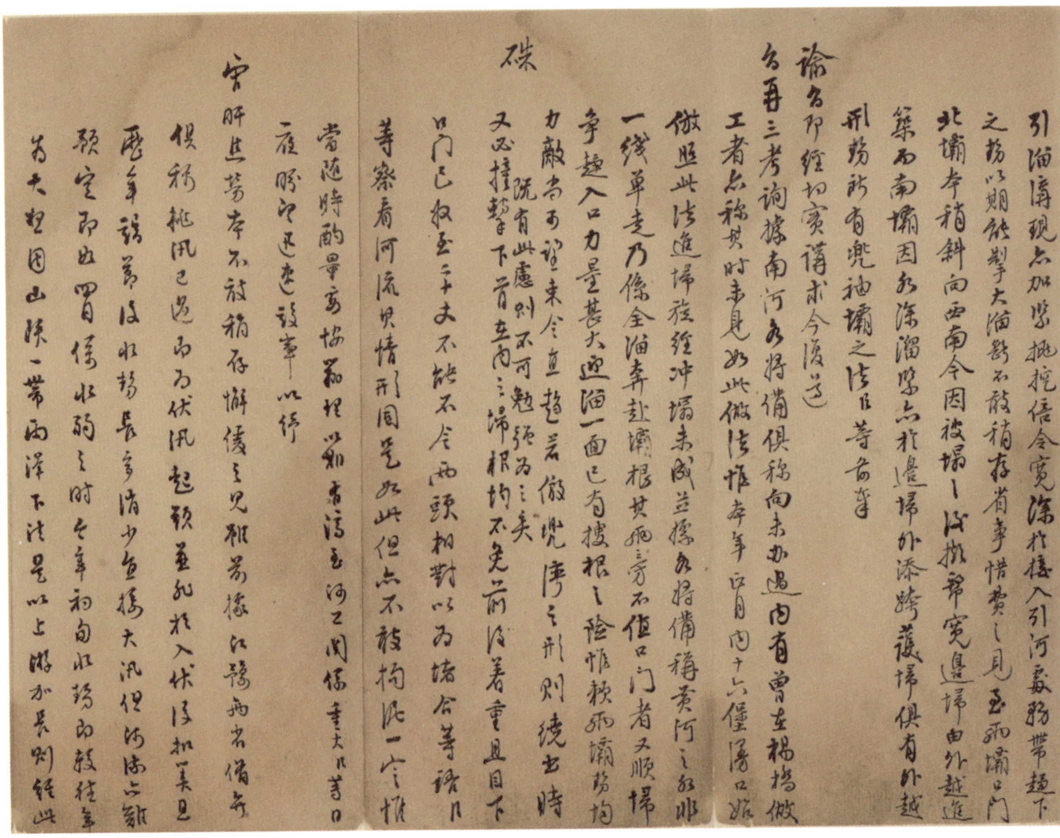

引溜溝現亦加緊挑挖俾令寬深於接入引河最為帶趨下
之勢以期能掣大溜斷不敢稍存省事惜費之見至兩壩口門
北壩本稍斜向西南今因被塌之後挑蓆寬邊埽由外越進
築而南壩因外深溜緊亦於邊埽外添鑲護埽俱有外越
形勢所有兜袖壩之法臣等前奉
諭旨即經切實講求今復蒙
多再三考詢據南河各將備俱稱向未辦過內有曾在楊橋做
工者亦稱其時未見如此做法惟本年六月內十六堡漫口[illegible]
做照此法進埽旋經沖塌未成並據各將備稱黃河之形非
一綫單走乃係全溜奔赴漸根其兩旁不值口門者又順埽
爭趨入口力量甚大迎溜一面已有摟根之險惟賴兩壩勢均
力敵尚可望來年直趨若做兜袖之形則繞出時
既有此慮則不可勉強為之矣
又必撞擊下首之壩埽根均不免前後着重且目下
口門已收至二十丈不能不令兩頭相對以為堵合等語臣
等察看河流其情形同是如此但亦不能拘泥一定惟
當隨時酌量妥協辦理以期有濟至河工關係重大臣等日
夜盼望速速設法以符
宸
宵旰甚勞本不敢稍存懈倦之見祇務據誠竭力備奔
但稱桃汛已過而為伏汛起頭並非於入伏後加[illegible]矣且
歷年請[illegible]復水勢長至清少互[illegible]大汛但河流亦難
預定而此間係水弱之時今年初旬水勢尚較往年
為大想因山陝一帶兩岸下注是以上游加長則經此

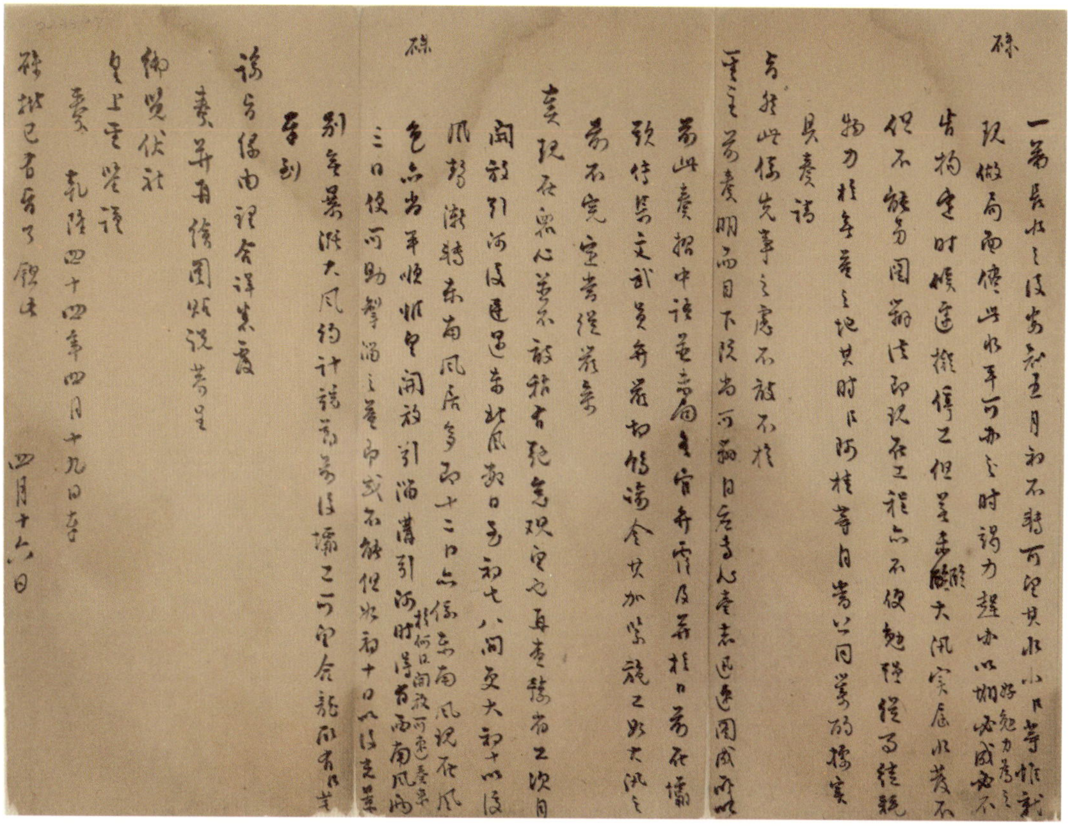

四三五

奏

阿桂等擇於十九日沉璧告祭由

四月十六日

臣阿桂、臣袁守侗、臣姚立德、臣陳輝祖跪

奏為覆

奏事。竊臣等欽奉

諭旨：朕於豫省河工一事，晝夜焦勞，而軫念災黎，尤為殷切。以

上蒼仁愛民生，無日不誠心默禱，仰祈

垂佑。昨又降旨，令阿桂等俟合龍後，於現在施工處所興建

河神廟，以答神貺。今復思古有沉璧禮河之事，因擇白

玉璧一件，並撰擬祭文一道，由驛發往，著阿桂等於接

奉後即詣做壩工河岸處誠致祭，讀文沉璧，或可冀

河神佑助，速得蕆工。欽此。並奉到

御製祭文一道、白玉璧一件。仰見我

皇上念切痌瘝，至誠祈禱之至意。查本月十三日奉到

合龍後即在十堡建廟

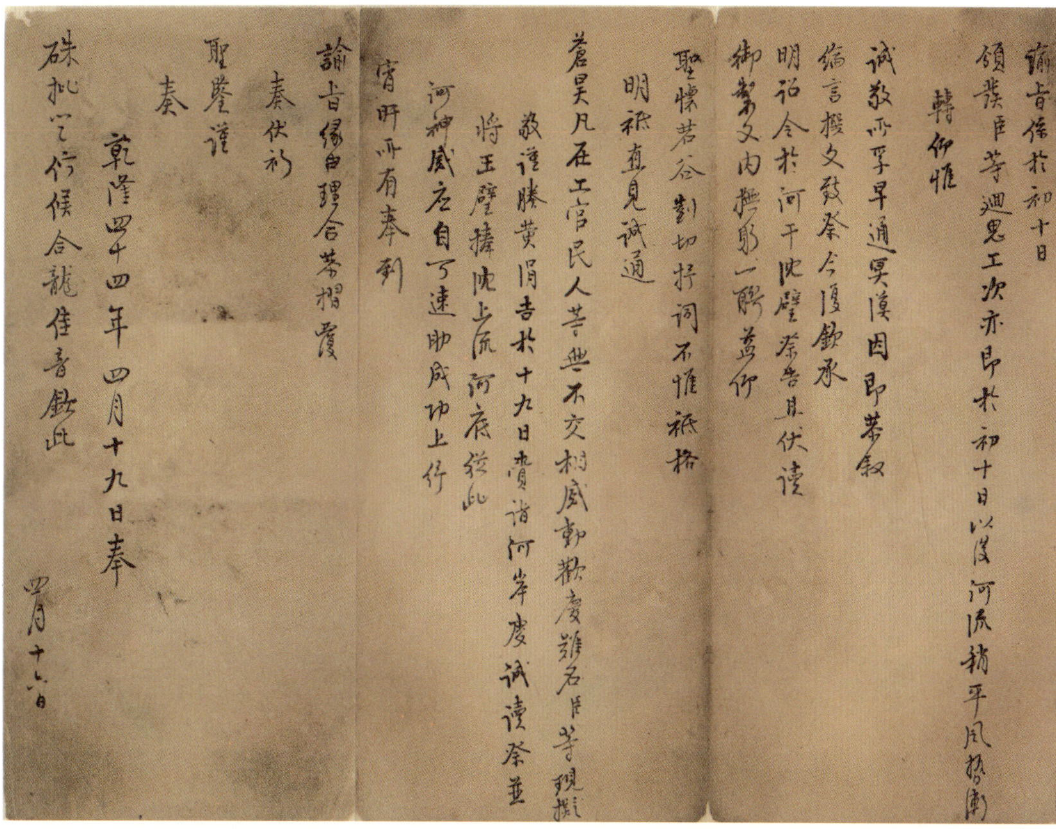
諭旨係於初十日
領帑臣等迴思工次亦即於初十日以後河流稍平風勢漸
轉伏惟
誠敬所孚早通冥漠因即恭敘
綸言擬文致祭今復欽承
明詔令於河干沈璧恭書具伏讀
御製文内撫躬一聯益仰
聖懷若谷剴切抒詞不惟祇格
明禋直見誠通
蒼昊凡在工官民人莫不交相感動歡慶難名臣等現擬
敬謹謄黄絹書於十九日賫詣河岸虔誠讀祭並
將玉璧捧沈上流河底從此
河神感应自可速助成功仰上紓
宵旰所有奉到
諭旨緣由理合恭摺覆
奏伏祈
聖鑒謹
奏
乾隆四十四年四月十九日奉
硃批〇〇佇候合龍佳音欽此
四月十六日

四三六

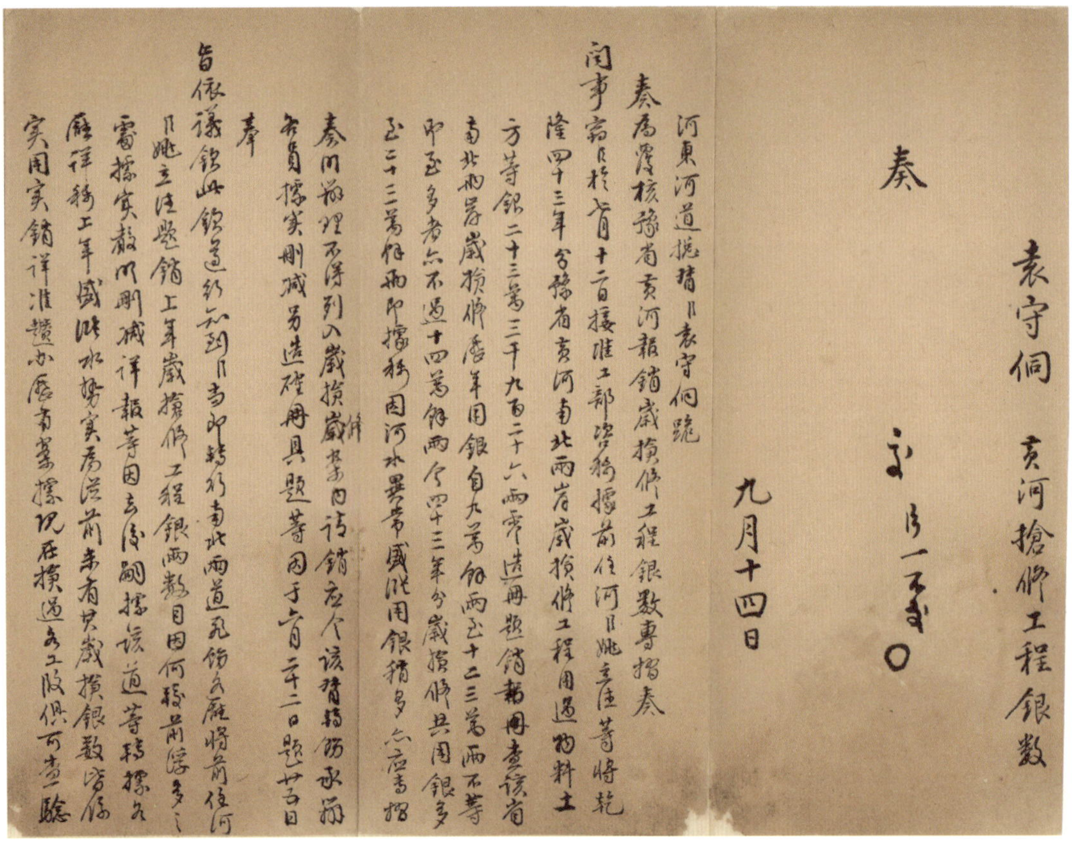

奏

袁守侗　黄河搶修工程銀數

九月十四日

河東河道總督臣袁守侗跪

奏為覆核豫省黄河報銷歲搶修工程銀數專摺奏

聞事。竊臣於前月十二日接准工部咨稱，據前任河臣姚立德將乾隆四十三年分豫省黄河南北兩岸歲搶修工程用過物料土方等銀二十三萬三千九百二十六兩零造冊題銷，部冊查該省南北兩岸歲搶修歷年用銀自九萬餘兩至十二三萬兩不等，即至多者亦不過十四萬餘兩。今四十三年分歲搶修共用銀多至二十三萬餘兩，即據稱因河水異常盛漲，用銀稍多，亦應專摺

奏明辦理，不得列入歲搶修案內請銷。應令該督轉飭承辦各員據實刪減，另造確冊具題等因。于八月二十二日題，廿五日

奉

旨：依議。欽此。欽遵行知到臣。當即轉行南北兩道，飭令確將前任河臣姚立德題銷上年歲搶修工程銀兩數目因何較前溢多之處，據實核明刪減，詳報等因去後。嗣據該道等轉據各廳詳稱，上年盛漲水勢實為從前未有，其歲搶銀數皆係實用實銷，詳准撥還，亦屬有案。據現在撥過各工段俱可查驗

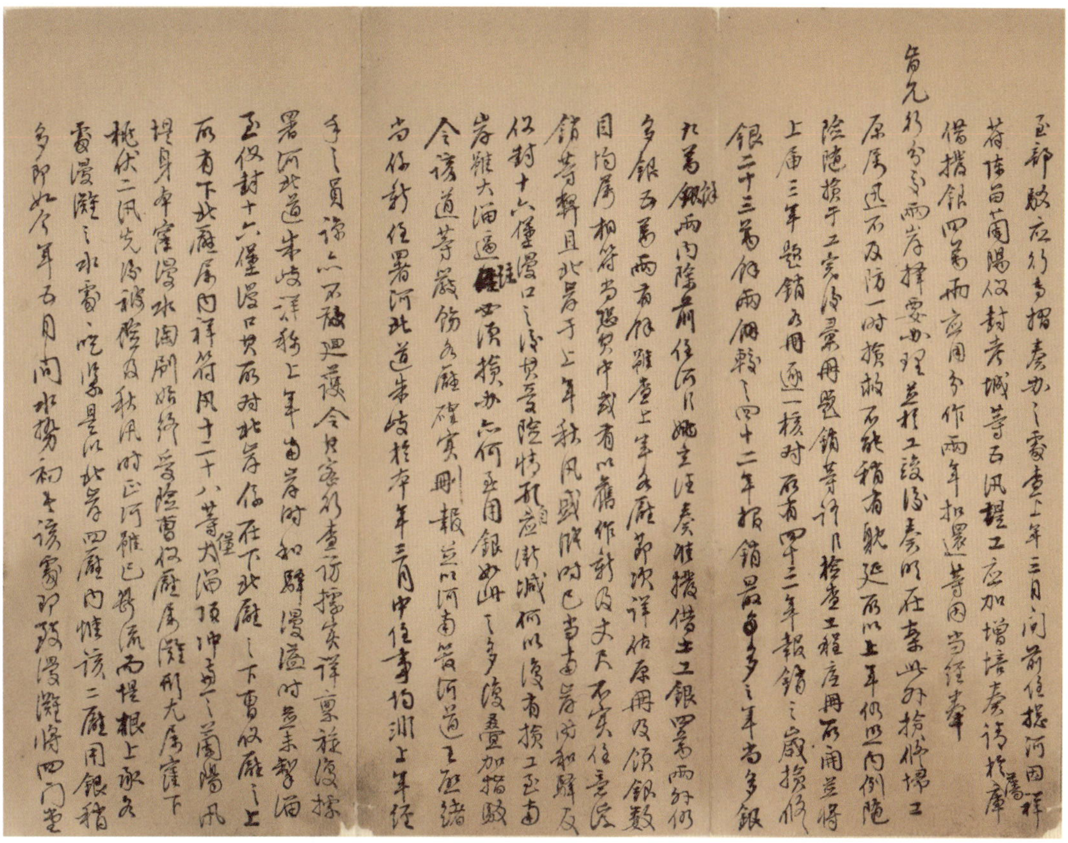

正郁敬應行事摺奏辦之處。查上年三月間前任總河田祥荷蒙伊首蘭陽儀封考城等五汛堤工應加增培，奏請於庫帑借撥銀四萬兩應用，分作兩年扣還等因。當經奉
旨允行。分令兩岸擇要辦理，並於工竣後奏明在案。此外搶修埽工原係迅不及防，一時搶救，不能稍有耽延，所以上年仍照向例隨險隨搶，于工完後彙冊題銷等語。臣檢查工程原冊，所開並將上届三年題銷之冊逐一核對，所有十二年報銷之歲搶修銀二十三萬餘兩，較之四十二年報銷最多之年尚多銀九萬餘兩。內除前任河臣姚主恆奏准撥借土工銀四萬兩外，仍多銀五萬兩。臣雖查上年各廳節次詳估原冊及領銀數目與原相符，當恐其中或有以舊作新及丈尺不實任意冒銷等弊，且北岸于上年秋汛盛漲時已屬南岸所和緩，反儀封十六堡漫口之後黄受險情形自應漸減，何以該有搶工至南岸雖大溜逼注無須搶辦之何至用銀如此之多，復疊加指駁，令該道等嚴飭各廳確實刪報。並以河南管河道王廷諳尚係新任，署河北道朱岐於本年三月中任事，均非上年經手之員，諒亦不致迴護。令其密行查訪，據實詳稟。茲復據署河北道朱岐詳稱：上年南岸時和驛漫溢時並未督溜，至儀封十六堡漫口，其所對北岸係在下北廳之下曹儀廳之上，所有下北廳屬內祥符汛十二十八等堡僅大溜頂沖，黄河一小蘭陽汛堤身卑窪，漫水闖刷，始終受險。曹儀廳屬灘形尤屬窪下，桃伏二汛先後被險，及秋汛時正河雖已斷流，而堤根上承各處漫灘之水，處處吃緊，是以北岸四廳內惟該二廳用銀稍多，即如今年五月間水勢初長，該處即致漫灘，將四門堂

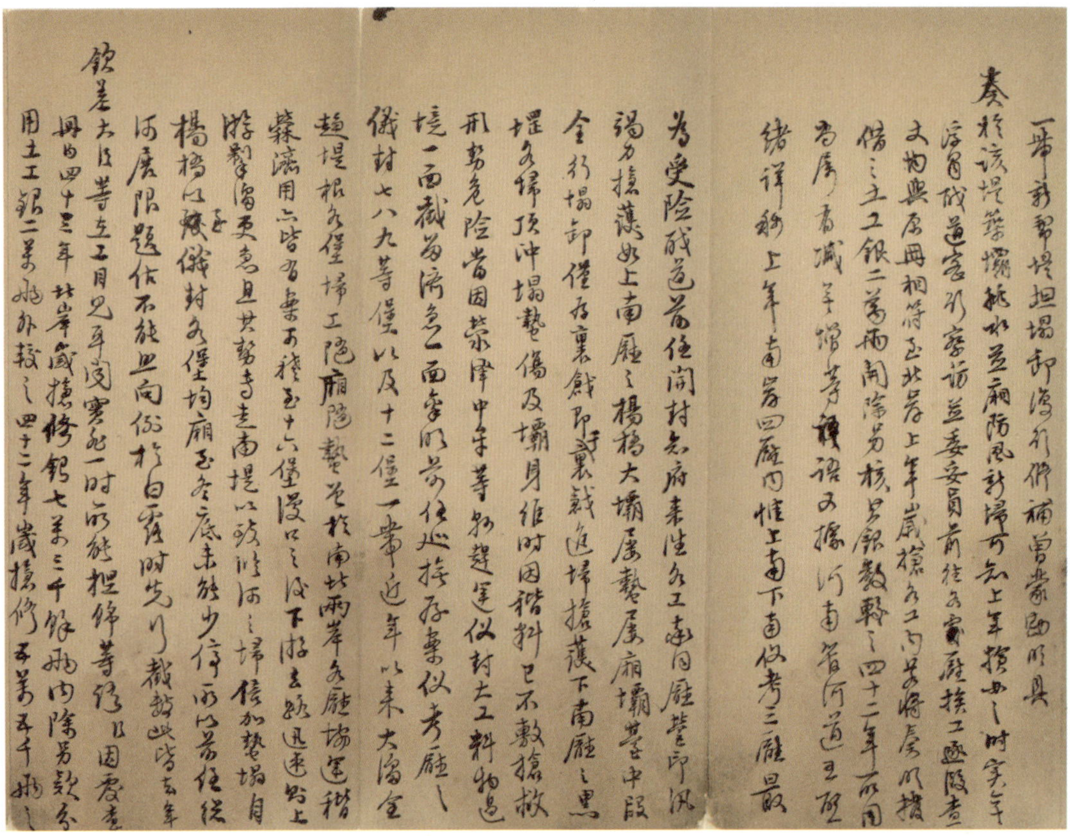
一帶新幫堤坦塌卸，陸續催補，當經臣將所具
奏
於該堤築攔黃水並廂防風新埽，前經上年撥出之時，實有年
深，段段逐處水勢，並委妥員前往各廳按工逐段查
丈，均與原冊相符。至北岸上年歲搶各工內，業將原奏撥
備之土工銀二萬兩，開除另核，其餘數歸入四十二年歲內
為原奏減半。如增等續請，又據河南管河道王[illegible]
緒詳稱：上年南岸四廳內，惟上南、下南、儀考三廳最
為受險，蘭陽首任開封知府秉生各工專同廳營即訊
竭力搶護。如上南廳之楊橋大壩，原墊原廂壩基中段
全行塌卸，僅存裹戧，即督飭追埽搶護。下南廳之黑
堽各埽頂沖塌墊，陷及壩身，維時因稭料已不敷搶救，
形勢危險，當因滎澤中牟等處趕運儀封大工料物迅
堵，一面截留濟急，一面會同營保延接存稭，儀考廳之
儀封七八九等堡，以及十二堡一帶，近年以來大溜全
趨，堤根各堡埽工隨廂隨墊，並於南北兩岸各廳協運稭
料濟用，亦皆不乘不積。至十六堡漫口之後，下游去路迅速，以上
游溜更急，且其勢直走南堤，以致臨河之埽，僅加墊塌，自
楊橋以至儀封各堡，均廂至各底，未能少停。兩河等處經從
河處限題，估不能照向例於白露時先行裁撤，此前去年
欽差大臣等在工目見，奉閱實屬一時所能挪節等語。臣因查
歷屆四十三年北岸歲搶修銀七萬三千餘兩，內除另款各
用土工銀二萬兩外，較之四十二年歲搶修，多萬五千兩之

較爲屬多，查南岸歲搶修銀十六萬有零，即於此
内扣去土工銀二萬兩，亦爲較上年所用多銀五萬餘兩，是
南岸尤應嚴加覈核。今查該道主簿所稱楊橋
壩臺全場僅存裏戧及黑堤埽埽危急，又彼時臣
與大學士高晉正在儀工，黄河只姚立德專經屬之，其工即
黑堤裁料一節，亦經前撫臣鄭大進告知，嗣後查勘堤工
估修，臣等所以將南岸三廳屬列爲急工，於正月初奏請撥
如並撥查上年八月内高晉等於堵築漫工摺内曾將南岸
臨河水没長丈餘，上南廳屬之滎昌廟、楊橋，下南廳屬之黑
堤等處埽工均在勢埽搶護等語具奏，而儀封十二堡一帶提
廟埽壩於兩岸各廳協運稭料，以資防範，經手各員實有乃
接後詢據姚立德稱，向來節届白露，即將各廳所用錢糧裁
定數目，惟上年至霜降後水勢仍大，南岸各廳汛埽工廟至漲
冬其以治部展限，題估其指銷之數，截至十一月底方止等語，與該
道所詳亦屬相符，臣查河工銷案，上關帑項，未容有毫浮冒，況
埽土工程當下並難查驗，事過易滋弊混，此案現奉部駁
臣不敢不徹底清釐，確細詢其實在各廳四股查並經隨地密訪
復據閱歷次奏案，均與該道廳等所稱無異，據之上年水勢之
大，原爲近年所罕見，而南岸復偏受其衝，且因冬令全溜
趨猶陡，爲費搶廂，不能早行截數，以致用數加增，係於成案
固非往年之所可相同，亦斷非此後之所能引以爲例。大學士阿
桂現在工次，臣將歷次駁飭查出情形並詳細告知，隨仍將原
冊送部另疏
題請核銷外，理合將豫撥豫省黄河兩岸搶銷罕三年歲搶
修工程銀數緣由，會同河南撫臣陳輝祖恭摺具

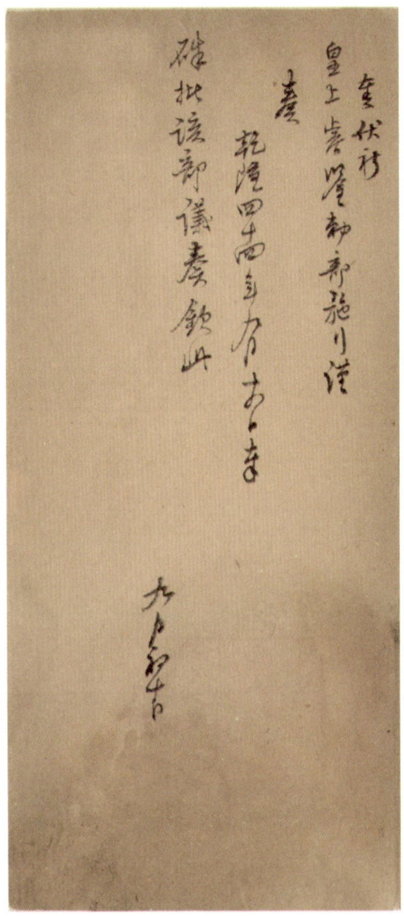

全伏祈
皇上睿鑒勅部施行謹
奏
乾隆四十四年八月十七日奉
硃批該部議奏欽此
九月初四日

再查本年白露以後，河水疊次長發，總不甚大，而上南廳屬之楊橋、裴昌廟、十八堡，下南廳屬之黑堽，下北廳屬之銅瓦廂等工，中秋前後，處處着險，溜勢上提下坐，塌淫埽根，較夏間盛漲之時來時甚隨時搶修者實有不同，以致隨廂隨蟄，并潰及堤根。當經臣分委南北兩道赴各工督催搶辦，幸保平穩。現在溜勢稍定，而未補廂完竣，本年額辦歲料不敷，經據臣陳辦祖撥截大工料物接濟，竟與去秋情形相仿。臣初任河防，只恐河大工險，而看現在上游之溜勢，又全不以河之大小為憑，雖與河員向云河大走灘，河小走灣，坐灣則生險之說相符，而細詢老年兵目土人，僉稱向年白露以後，河力日緩，從未有如本年之險。總緣黃河水勢難定，實無一定之別，故惟有加意修防而已。合併附摺奏

聞，謹

奏。

同日奉

硃批：知道了。欽此。

四三七

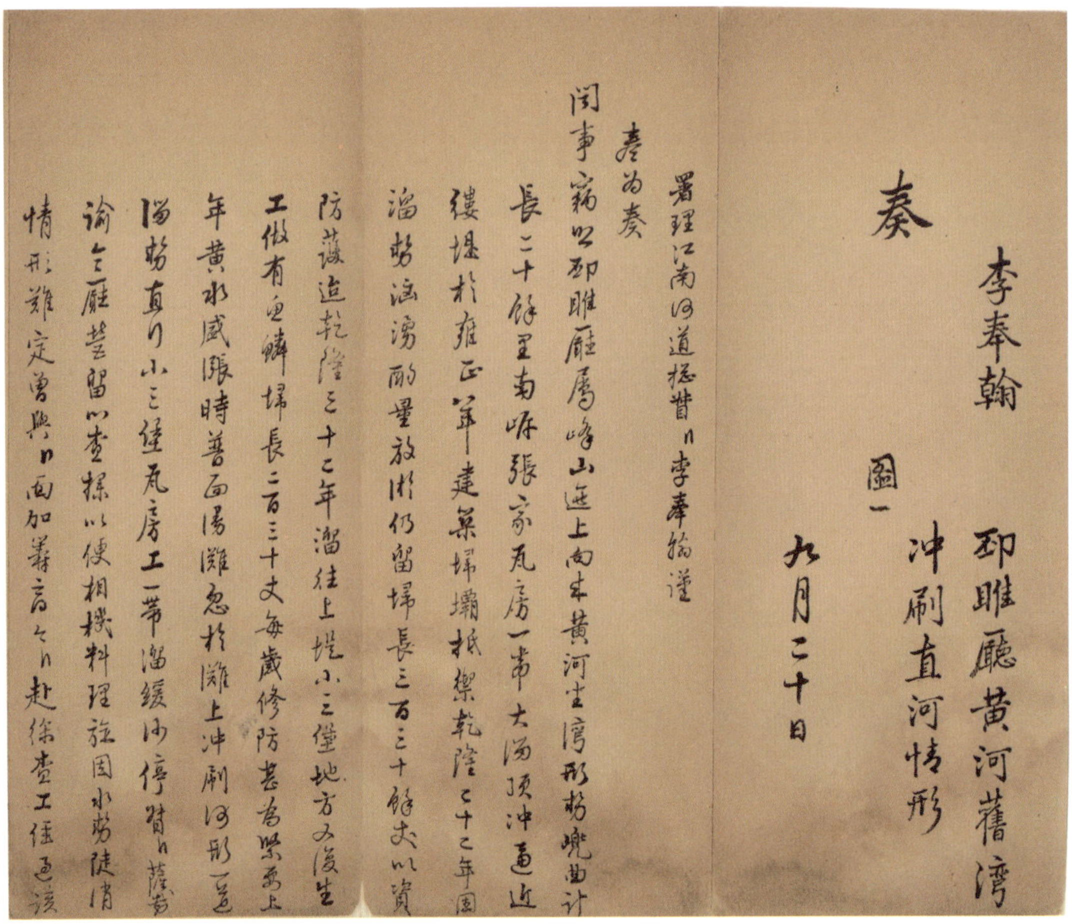
李奉翰
邳睢廳黃河舊灣
冲刷直河情形
圖一
九月二十日
奏

署理江南河道總督臣李奉翰謹
奏為奏
聞事。竊照邳睢廳屬峰山迤上南岸黃河舊灣形勢彎曲，計
長二十餘里，南岸張家瓦房一帶大溜頂冲，逼近
縷堤。於雍正年間建築埽壩抵禦。乾隆二十二年因
溜勢洶湧，酌量放淤，仍留埽長三百三十餘丈，以資
防護。迨乾隆三十二年溜往上提，小三堡地方又復生
工，做有魚鱗埽長二百三十丈，每歲修防甚為緊要。上
年黃水盛漲時，善面湯灘忽於灘上冲刷河形一道，
溜勢直向小三堡瓦房工一帶，溜緩河停。臣薩載
諭令廳營留心查探，以便相機料理。旋因水勢陡消，
情形難定，曾與臣面加籌商，令臣赴徐查工，便道該

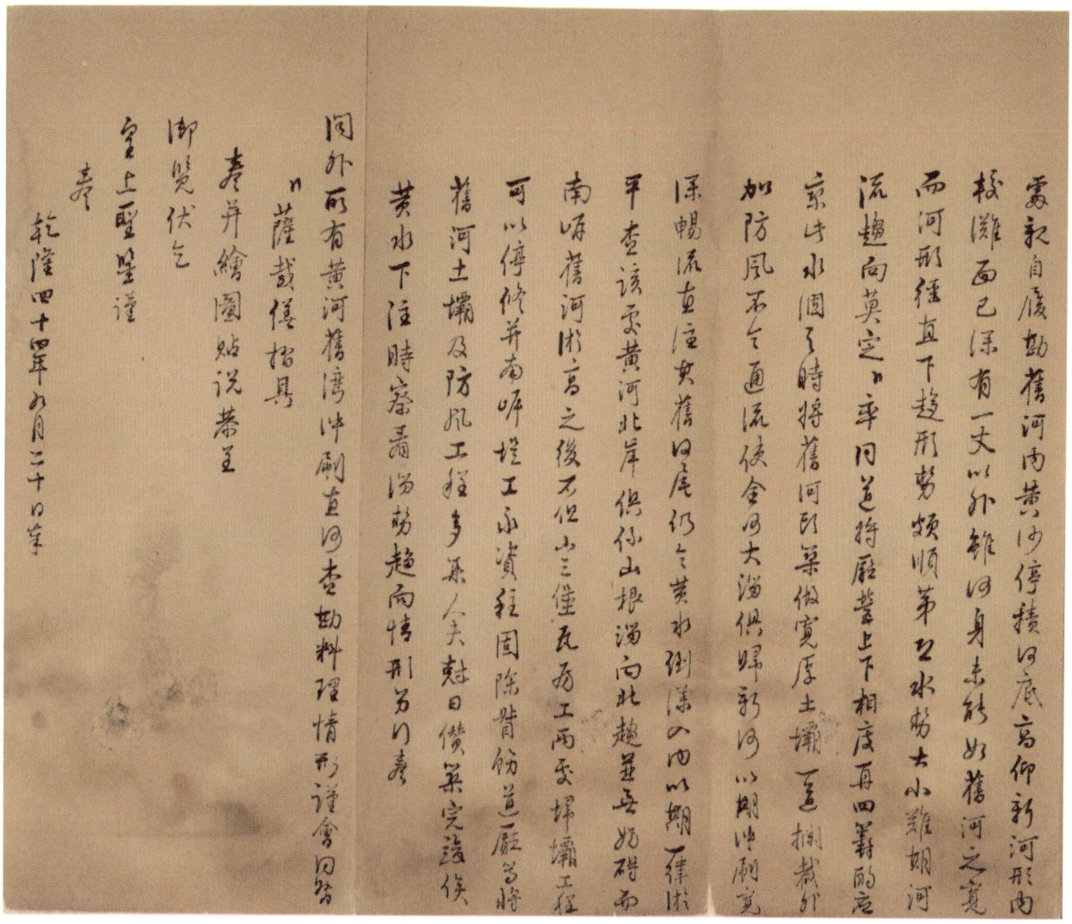
[illegible]親自履勘舊河內黃沙停積河底高仰新河形內
積灘面已深有一丈以外雖河身未能如舊河之寬
而河形徑直下趨形勢頗順第此水勢大小難期河
流趨向莫定，臣等因逆將壩基上下相度再四籌酌定
於此水涸之時將舊河臣築做寬厚土壩一道攔截外
加防風不令通流俾全河大溜供歸新河以期沖刷寬
深暢流直注其舊河尾仍令黃水倒漾入內以期淤律
平查該處黃河北岸俱係山根溜向北趨並無妨礙而
南岸舊河淤高之後不但山之堡民為工兩處埽壩工程
可以停修並南岸堤工亦資鞏固除督飭道廳等將
舊河土壩及防風工程多添人夫尅日儧築完竣俟
黃水下注時察看溜勢趨向情形另行奏
聞外所有黃河舊灣沖刷直河查勘料理情形謹會同督
臣薩載繕摺具
奏并繪圖貼說恭呈
御覽伏乞
皇上聖鑒謹
奏
乾隆四十四年五月二十日奉

硃批好知道了欽此
九月初十日

四三八

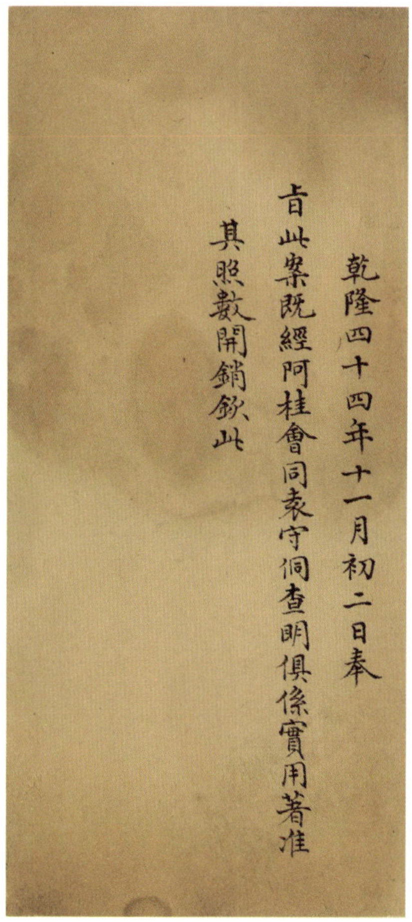

乾隆四十四年十一月初二日奉

旨此案既經阿桂會同袁守侗查明俱係實用著准

其照數開銷欽此

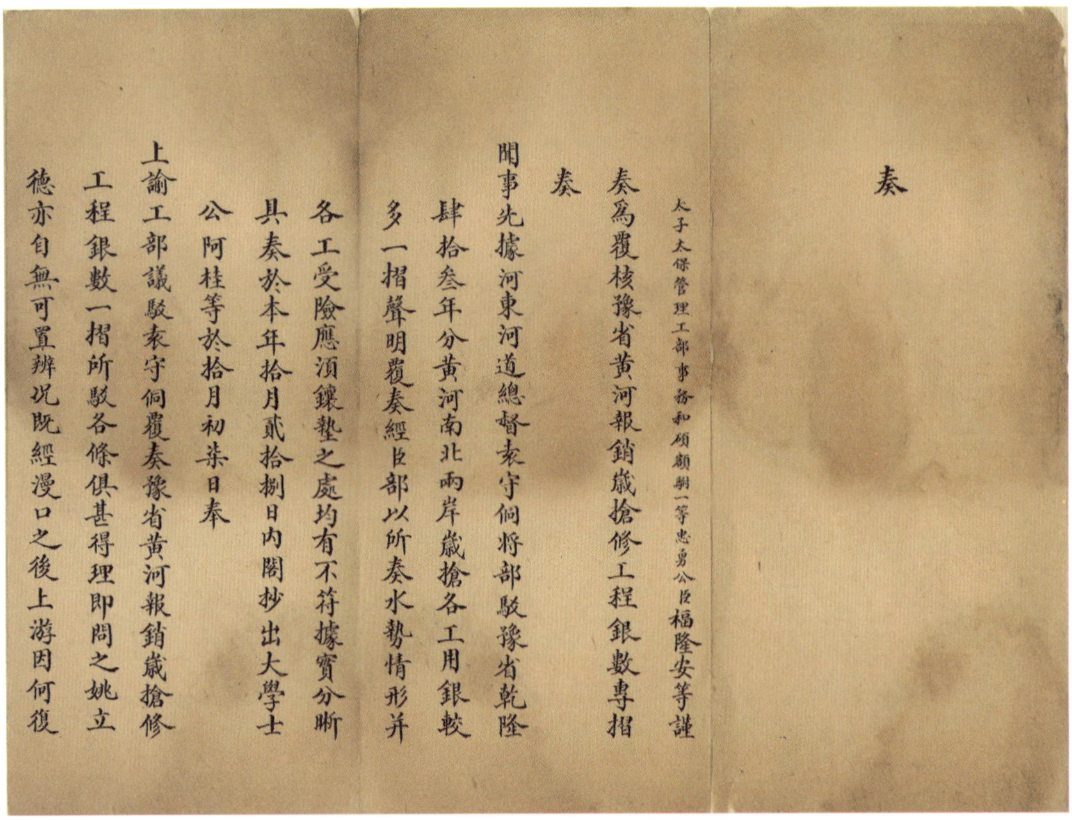

奏

太子太保管理工部事務和碩額駙一等忠勇公臣福隆安等謹

奏爲覆核豫省黄河報銷歲搶修工程銀數專摺

奏

聞事先據河東河道總督袁守侗將部駁豫省乾隆

肆拾叁年分黄河南北兩岸歲搶各工用銀較

多一摺聲明覆奏經臣部以所奏水勢情形并

各工受險應須鑲墊之處均有不符據實分晰

具奏於本年拾月貳拾捌日内閣抄出大學士

公阿桂等於拾月初柒日奉

上諭工部議駁袁守侗覆奏豫省黄河報銷歲搶修

工程銀數一摺所駁各條俱甚得理即問之姚立

德亦自無可置辯況既經漫口之後上游因何復

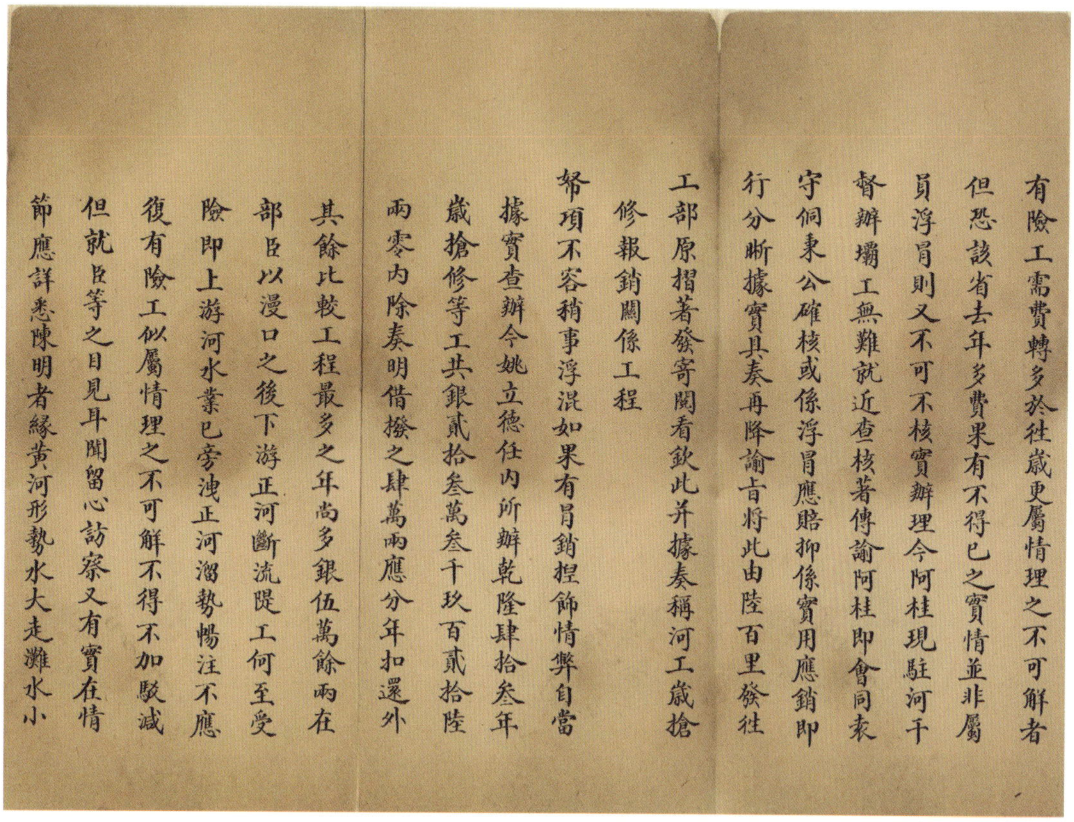

有險工需費轉多於往歲更屬情理之不可解者
但恐該省去年多費果有不得已之實情並非屬
員浮冒則又不可不核實辦理令阿桂現駐河干
督辦壩工無難就近查核著傳諭阿桂即會同袁
守侗秉公確核或係浮冒應賠抑係實用應銷即
行分晰據實具奏再降諭旨將此由陸百里發往
工部原摺著發寄閲看欽此并據奏稱河工歲搶
修報銷關係工程
帑項不容稍事浮混如果有冒銷揑飾情弊自當
據實查辦令姚立德任内所辦乾隆肆拾叁年
歲搶修等工共銀貳拾叁萬叁千玖百貳拾陸
兩零内除奏明借撥之肆萬兩應分年扣還外
其餘比較工程最多之年尚多銀伍萬餘兩在
部臣以漫口之後下游正河斷流隄工何至受
險即上游河水業已旁洩正河溜勢暢注不應
復有險工似屬情理之不可解不得不加駁減
但就臣等之目見耳聞留心訪察又有實在情
節應詳悉陳明者緣黄河形勢水大走灘水小

走灣又兼豫省土性鬆浮溜勢所到之處立即
生險不闗水小水大而上年伏秋盛漲本屬異
常是以惟儀封漫口以下正河業已斷流並無
險工至其迤上一帶則仍處處報險在在有工
况如祥符時和驛先已漫溢其下游不應復有
受衝乃儀封十六堡續又漫決至十六堡漫決
之後上游亦宜減勢而緊接時和驛之八堡復
有奪溜之事皆衆所共知共見可見水勢往來
衝突變遷靡定是以凡有舊時險工之處仍多
迎溜頂沖至上年白露以後直至冬令搶築未
停臣袁守侗在工知之本悉即如今年秋汛水
勢較上年爲小而儀封漫口未塞形勢又與上
年無二乃白露以後南岸之楊橋裴昌廟十八
堡黑堽北岸之銅瓦廂等處均復塌隄蟄埽危
險堪虞截料撥夫分頭搶護現在尚有未停工
作者此尤臣袁守侗之專責而臣阿桂駐工日
久雖未遍歷各處其情形皆得聞知則上年之
尚無捏飾更爲可信今復詳核工程案卷并容

行確切訪查俱係衆所共知無從弊混是此項
工程銀兩似爲理之所無而實屬事之所有誠
如
聖諭該省去年多費果有不得已之實情則又不可
不核實辦理所有臣等秉公確查上年歲搶修
銀兩並無浮冒緣由理合恭摺覆
奏等因前來　查黄河水勢平險雖有不同而
歲搶工程向無大異即如乾隆貳拾陸年楊橋
等處隄工漫溢該年歲搶工程用銀亦不過玖
萬捌千餘兩仍與常年無異今乾隆肆拾叁年
所辦歲搶修等工共用銀貳拾叁萬叁千玖百
貳拾陸兩零内除奏明借撥之加高土工銀肆
萬兩外實用銀拾玖萬叁千玖百貳拾陸兩零
比較該省工程最多用銀拾肆萬餘兩之年尚
多用銀伍萬餘兩竟與常年歲搶修大相懸殊即
使上年水勢非常盛漲隄工在在危險修費較
鉅亦當隨時預爲奏明辦理乃該督並未將搶
護情形先行據實奏報僅於歲搶修案内牽混

請銷今雖據大學士公阿桂等會勘確查將豫
省土性鬆浮溜勢所到立即生險是以在在有
工并上年白露以後直至冬令搶築工程未停
衆所共知等因詳悉覆奏但歲搶修係常年所
有之工若因水勢稍大並不先期專摺奏明輙
行逾格濫用及至事後請銷臣部無憑考核事
關錢糧未便准銷所有該省肆拾叁年歲搶等
工請銷銀拾玖萬叁千玖百貳拾陸兩零仍應
請
旨勅下河東河道總督據實刪減另冊造報核銷可
也爲此謹
奏請
旨

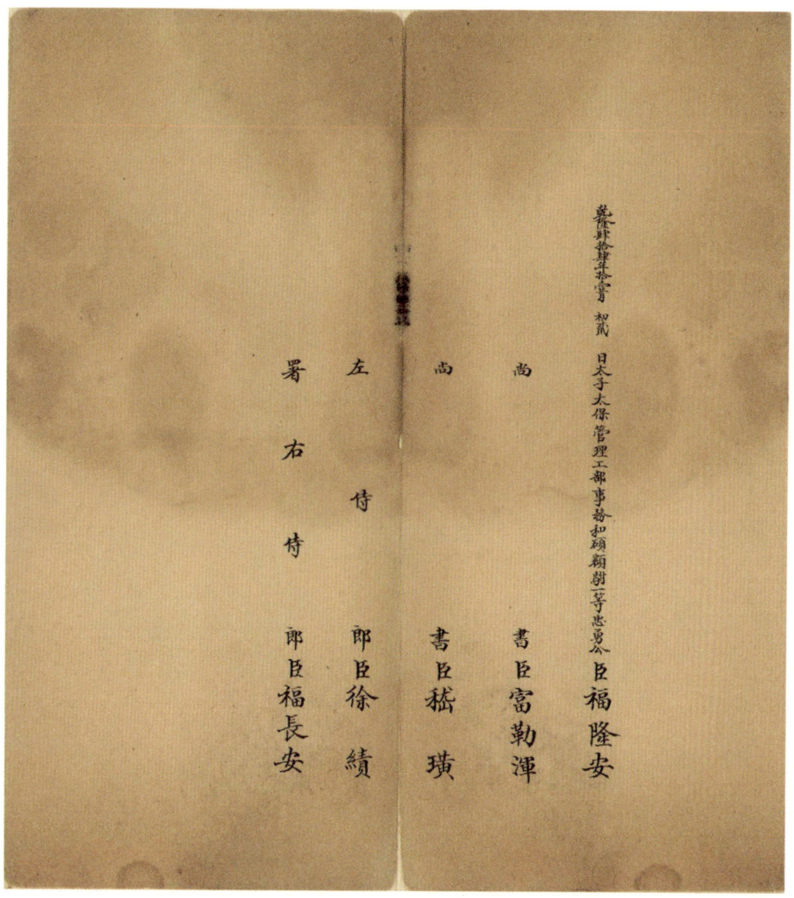
乾隆肆拾肆年拾壹月初貳日 太子太保管理工部事務和碩額駙一等忠勇公臣福隆安
尚書臣富勒渾
尚書臣嵇璜
左侍郎臣徐績
署右侍郎臣福長安

四三九

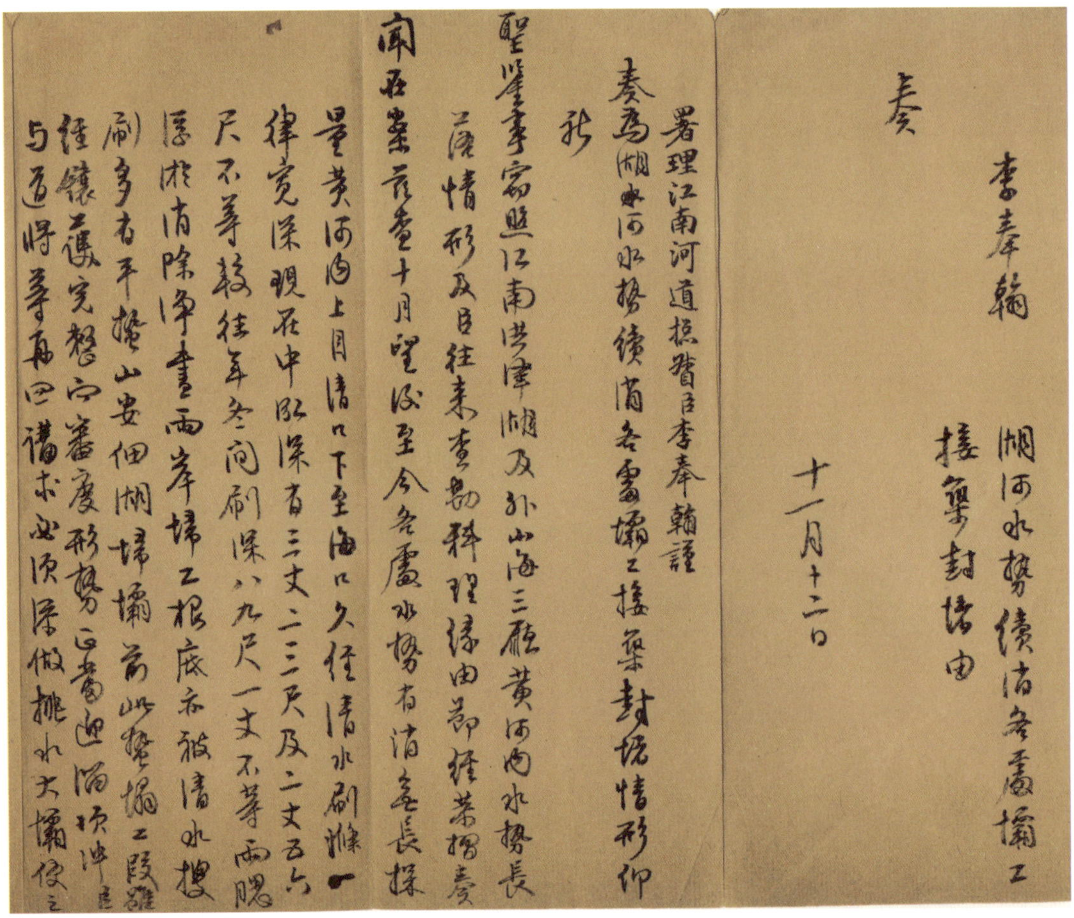
李奉翰
湖河水勢續消各處埽工
搶築封堵由
奏
十一月十二日

署理江南河道總督臣李奉翰謹
奏為湖河水勢續消各處埽工搶築封堵情形仰
祈
聖鑒事竊照江南洪澤湖及外河海三廳黃河內水勢長
落情形及臣往來查勘料理緣由節經恭摺奏
聞在案茲查十月望後至今各處水勢有消無長探
量黃河內上自清口下至海口久經清水刷滌一
律寬深現在中泓深有三丈二三尺及二丈五六
尺不等較往年冬間刷深八九尺一丈不等兩腮
深淤消除淨盡兩岸埽工根底亦被清水搜
刷多有平墊山安佃湖埽壩前此墊塌二段雖
經鑲護完整而審度形勢正當迎溜頂沖之處
與道將等再四講求必須深做挑水大壩俾之

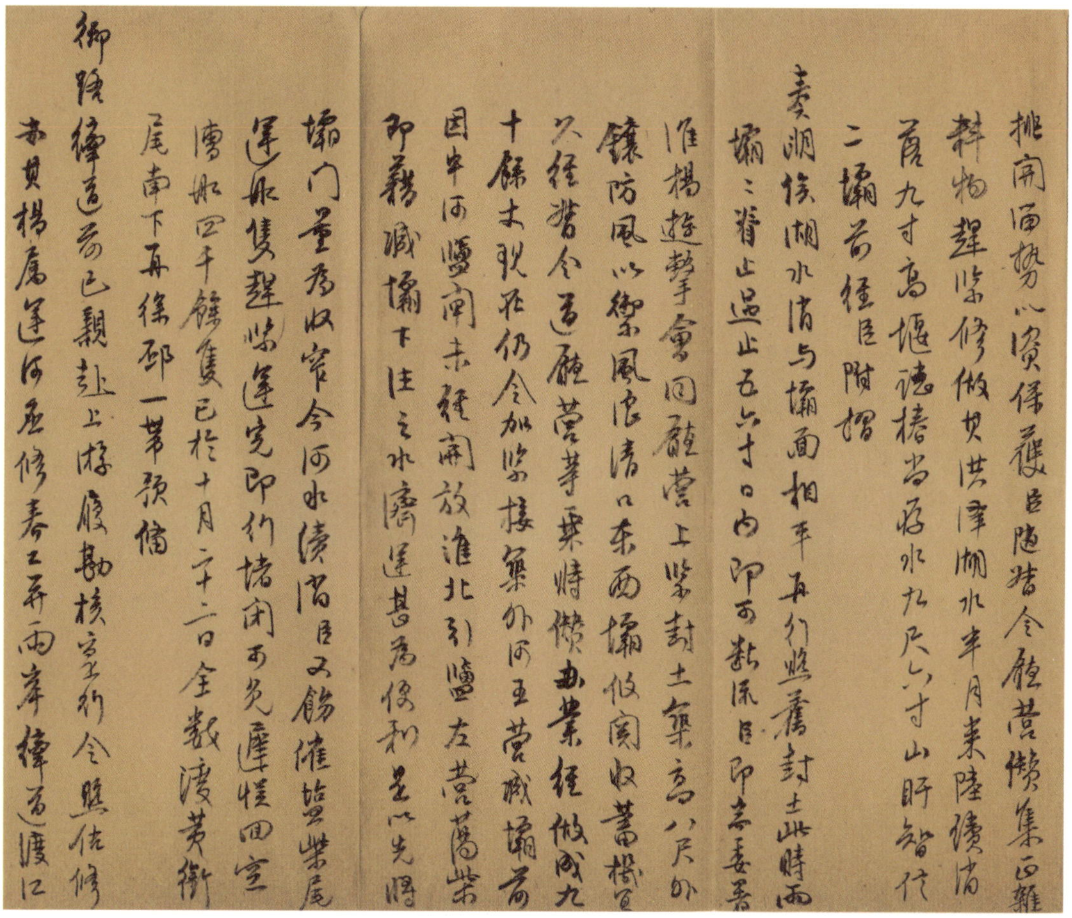
挑開河勢以資保護臣隨諸令馥營備集西雜
料物趕緊修做去洪澤湖水本月來陸續消
落九寸高堰誌椿尚存水九尺六寸山盱智信
二壩前經臣附摺
奏明俟湖水消與壩面相平再行照舊封土此時兩
壩之脊止過止五六寸口內即可藉保臣即嘉委署
淮揚道黎學會同馥營上緊封土築高八尺外
鑲防風以禦風浪清口東西壩做閉收蓄攔
又經諸令吉道馥營等乘時備料業經做成九
十餘丈秋汛仍令加緊接築外河王營減壩前
因中河暨開未能閉放淮北引鹽左營萬柴
即藉減壩下注之水濟運甚爲便利是以先將
壩門量爲收窄今河水消涸臣又飭催將柴尾
運厫集趕緊運完即行堵閉可免遲悞回空
漕船四千餘隻已於十月二十二日全數渡黃銜
尾南下再無停阻一并預備
御覽緯道等已親赴上游履勘核定行令照估修
築其揚屬運河及修春工并兩岸緯道渡江

並秋汛經過廳營等勘估具詳恐内中尚有應增應減處所必須親履察看臣現在先赴高堰山盱一帶將臨湖磚石等工查明分別料理即往揚屬下游各處逐細勘核斟酌飭辦另行奏

聞外所有湖河水勢續消各處壩工搶築封墻情形謹恭摺具

奏伏乞

皇上聖鑒謹

奏

乾隆四十四年十一月十二日奉

硃批知道了欽此

十一月初二日

四四〇

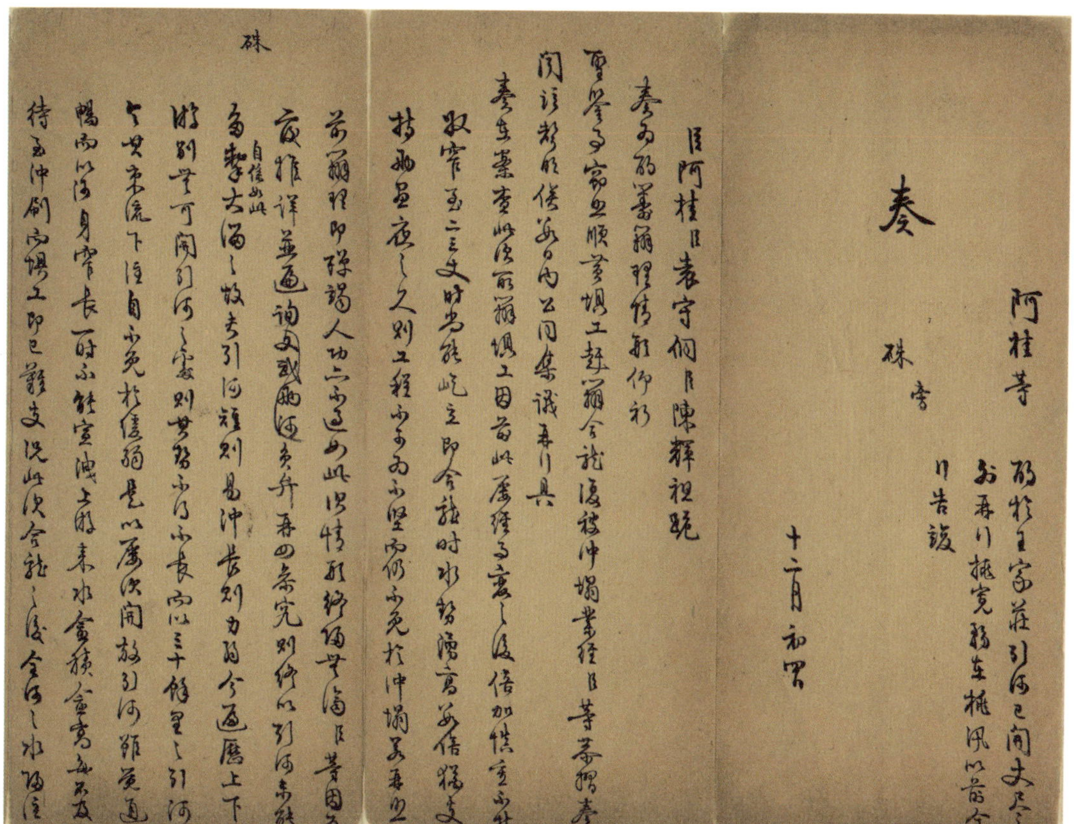

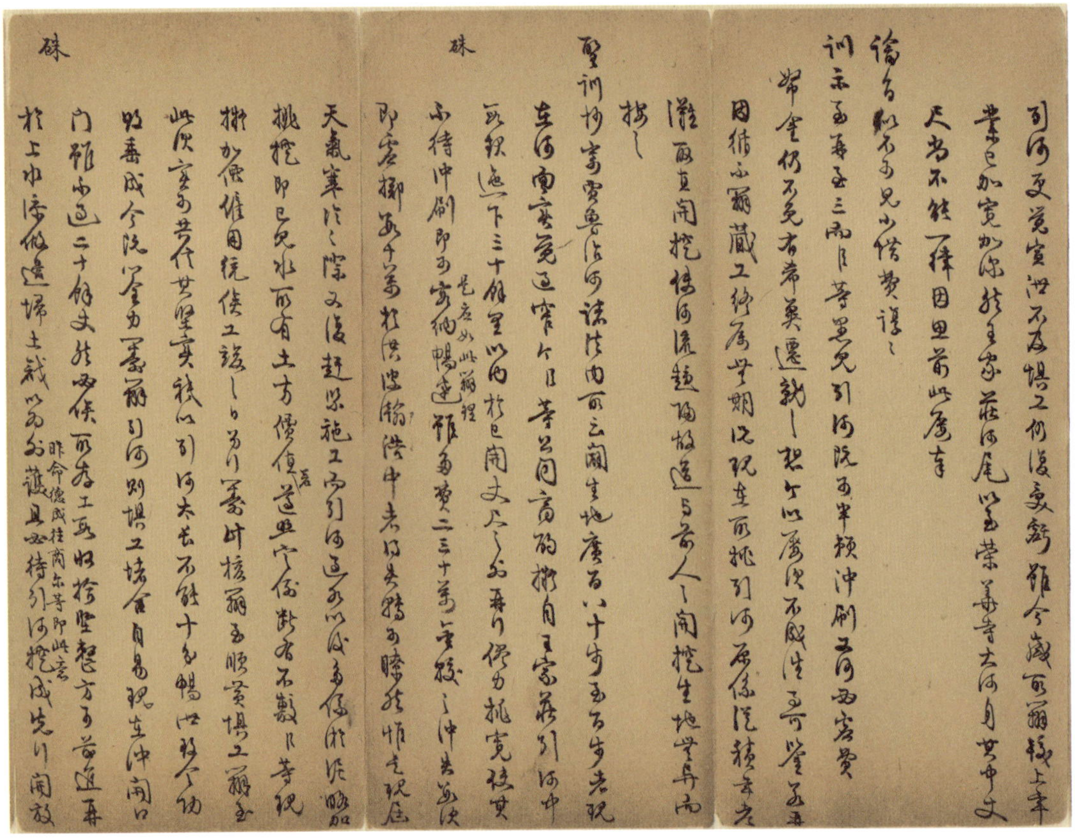

引河更覺寬深，不獨堤工倚資鞏固，雖今歲百[illegible]上年
業已加寬加深，於[illegible]家莊河尾以至崇善寺大河身，其中支
河多不能一律，因思前此屢奉
諭旨，[illegible]不可見小惜費，諄諄
訓示，臣等五、三兩月[illegible]見引河既有[illegible]沖刷，兩[illegible]
[illegible]何不免有[illegible]遷就，[illegible]今以屢次不[illegible]
因循，[illegible]工[illegible]現在所挑引河原係沙積[illegible]
雖將直開挖，使河流趨[illegible]前人[illegible]開挖生地，[illegible]
據之
聖訓[illegible]生地廣至八十步至百步未現
在河面寬[illegible]
[illegible]下三十餘里以西，於已開丈尺之外再行僱夫挑寬，使其
不待沖刷即可寬[illegible]暢達（[illegible]如此辦理），雖多費二三十萬亦[illegible]
即[illegible]
硃
天氣寒[illegible]又復趕緊施工，[illegible]引河[illegible]
挑挖[illegible]有土方[illegible]
[illegible]
[illegible]
[illegible]
門雖[illegible]二十餘丈[illegible]
於上中[illegible]埽土[illegible]護，且[illegible]待引河挖成，先行開放
硃

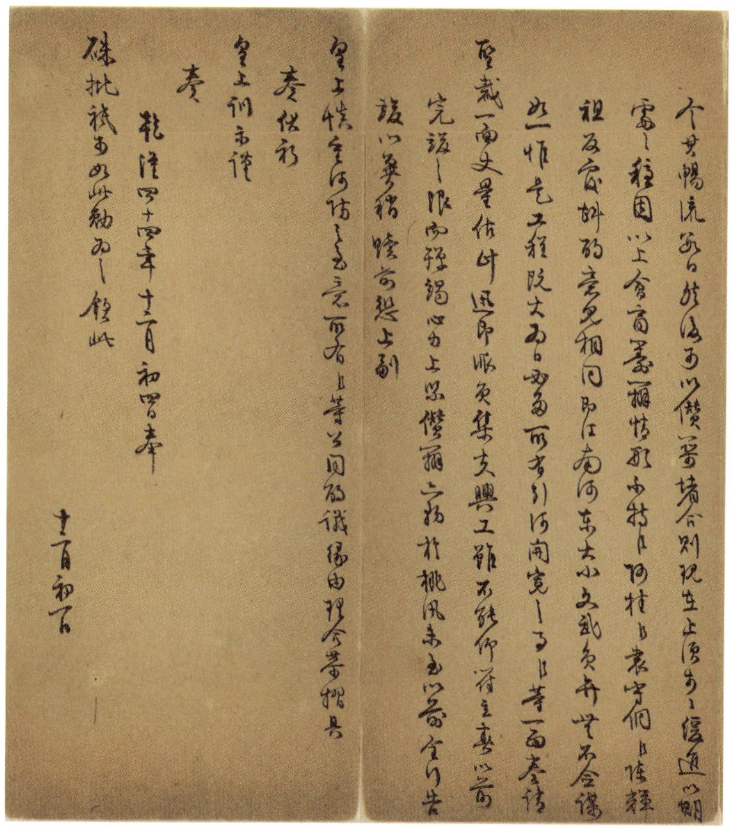

四四一

奏報趕辦豫省黄河黄壩工程之情形

上諭舒興阿由河南帶兵直赴楚境剿賊計已由汴

梁前進該撫此時已抵豫境著即馳赴楚豫交界

為舒興阿後路應援等因欽此伏查臣蒞任後隨

即酌調兵勇於本月十七日起程馳赴南陽一

帶防堵當經繕摺具

奏在案今於二十二日行抵葉縣接據差弁探稱

湖北賊匪船隻又經竄回下游等語現在楚北

文報未通恐係道路訛言未敢深信俟臣馳抵

南陽採明確實察看何處緊要即當咨會舒興

阿一面帶兵馳往接應會剿斷不敢稍存畛域

貽誤事機理合附片具

奏伏乞

聖鑒謹

奏

知道了

四四二

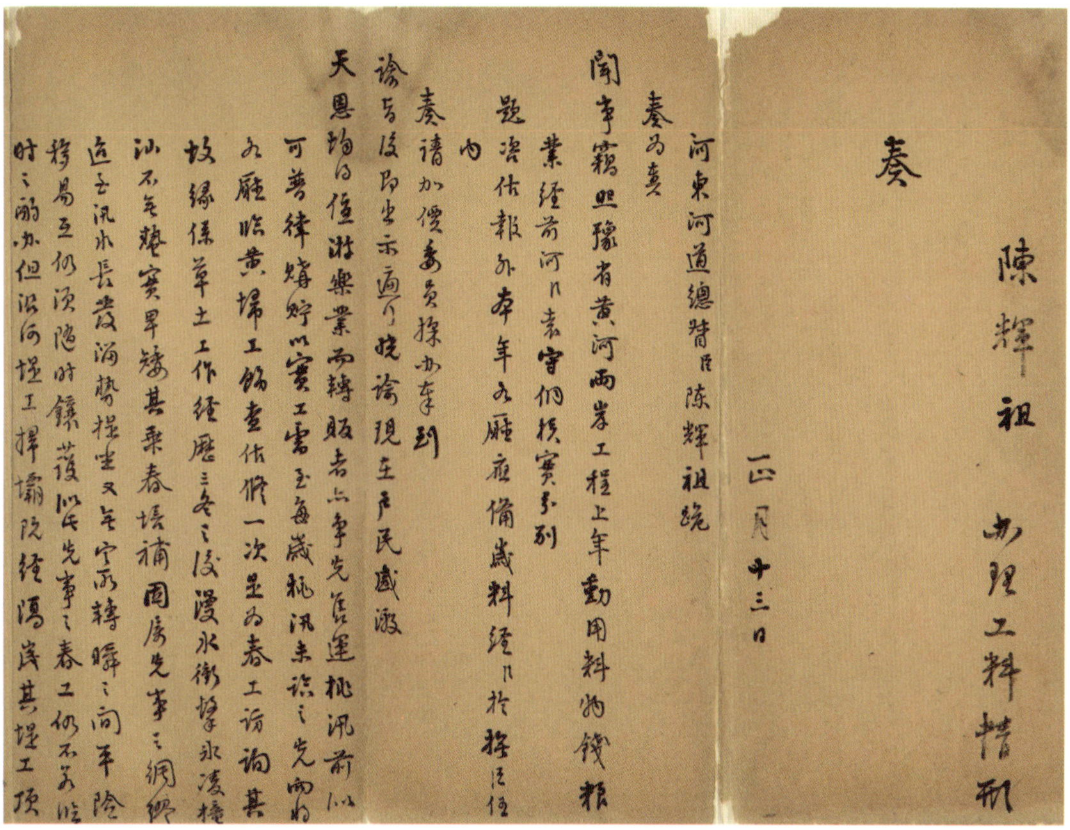
奏
陳輝祖
辦理工料情形
正月十三日

河東河道總督臣陳輝祖跪
奏爲奏
聞事。竊照豫省黃河兩岸工程上年動用料物錢糧，
業經前河臣李宏循例核實分列
題咨估報外，本年又應應備歲料，經臣於接任
內
奏請加價妥爲籌辦。奉到
諭旨後即出示遍行曉諭，現在戶民感激
天恩踴躍從事，業已轉販者亦爭先搶運，桃汛前以
可普律積貯，以實工需。至每歲桃汛未届之先，向有
又應臨黃埽工錢查估修一次，是爲春工。詢其
故，緣係草土工作經歷三冬之後，浸水衝擊，冰凌擦
汕，不無殘實畢露，其乘春培補，固屬先事之綢繆。
迨至汛水長發，湍勢搶生，又無空可轉瞬之間，平險
移易，亦何須臨時鑲護，以兵先事之春工何不可臨
時之酌辦。但沿河堤工埽段經隔歲，其堤工頂

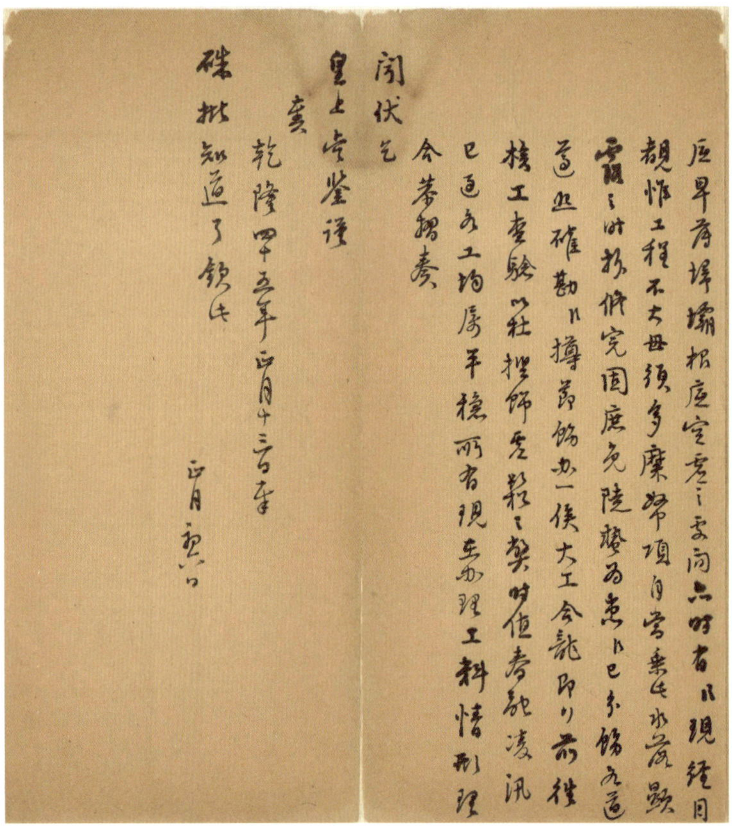

臣早將埽壩根底寬處處要酌，無呼者，現經同
覲辦工程不大，毋須多糜帑項，自當秉公核實，顯
實實料核估完固，庶免陸續蟄為患。臣已分飭各道
道迅確勘，撙節飭辦，一俟大工合龍，即行前往
稽工查驗，以杜埋飾虛報之弊。時值春融凌汛
已過，各工均屬平穩，所有現在辦理工料情形，理
合恭摺奏
聞，伏乞
皇上睿鑒。謹
奏。
乾隆四十五年正月十三日奏
硃批：知道了。欽此。
正月廿六日

四四三

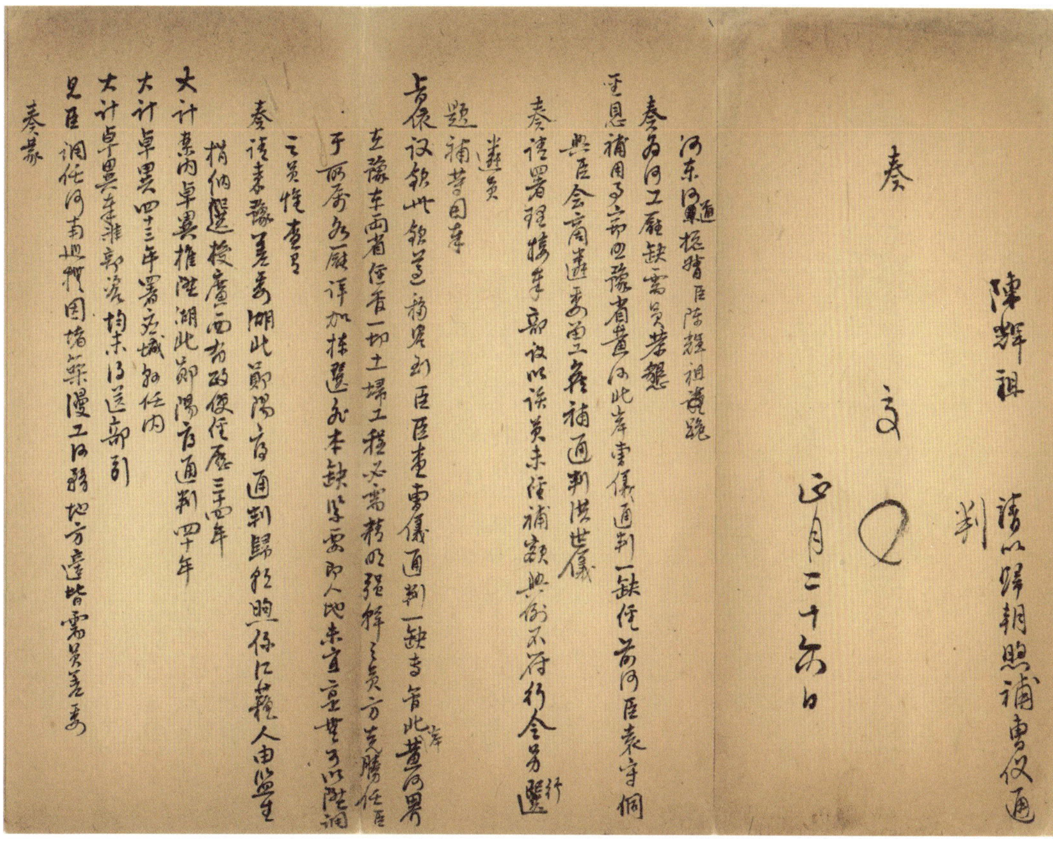

陳輝祖

請以歸朝煦補曹儀通判

奏

又

正月二十六日

河東河道總督臣陳輝祖謹跪

奏爲河工廳缺需員甚殷，仰懇

聖恩補用事。竊照豫省黄河北岸曹儀通判一缺，係前河臣袁守侗

與臣會商，遴委曹工差委通判洪世儀

奏請署理。接奉部議，以該員未經補缺，與例不符，行令另選遴員

題補等因。奉

旨：依議。欽此。欽遵移咨到臣。臣查曹儀通判一缺，專管北岸黄河，界

連豫東兩省，經管一切土埽工程，必需精明強幹之員，方克勝任。臣

于所屬各廳詳加揀選，或本缺緊要，即人地未宜，竟無可以陞調

之員。惟查有

奏請來豫差委湖北鄖陽府通判歸朝煦，係江蘇人，由監生

捐納選授廣西[illegible]，任歷三十四年

大計卓異，推陞湖北鄖陽府通判。四十年

大計卓異，四十三年署宜城知[illegible]任内

大計卓異，未准部咨，均未仍送部引

見。臣詢任河南，[illegible]因堵築漫工，[illegible]地方，[illegible]皆需員差委

奏恭

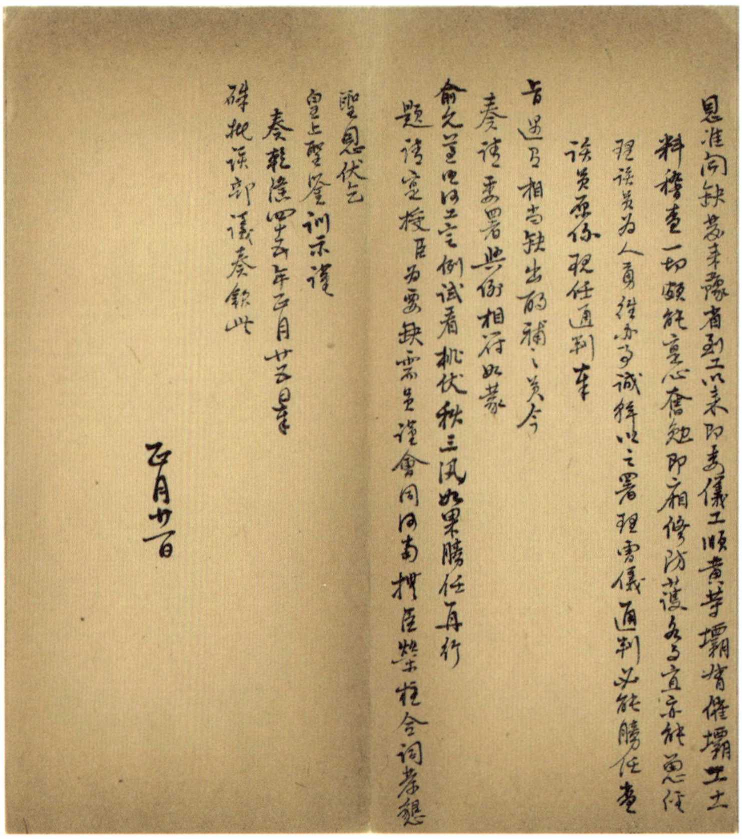

恩准同缺出来豫省到工以来即委儀工順黃等壩堵築壩工土

料稽查一切頗能實心奮勉即補修防護亦可宜諳能勝任

理該員為人勇往亦多識練以之署理雷儀通判必能勝任查

該員原係現任通判本

旨遇有相當缺出酌補該員今

奏請委署與例相符如蒙

俞允並照河工之例試看俟秋三汛如果勝任再行

題請實授臣為要缺需員謹會同河南撫臣榮柱合詞恭懇

聖恩伏乞

皇上聖鑒訓示謹

奏乾隆四十五年五月廿五日

硃批該部議奏欽此

五月廿五日

四四四

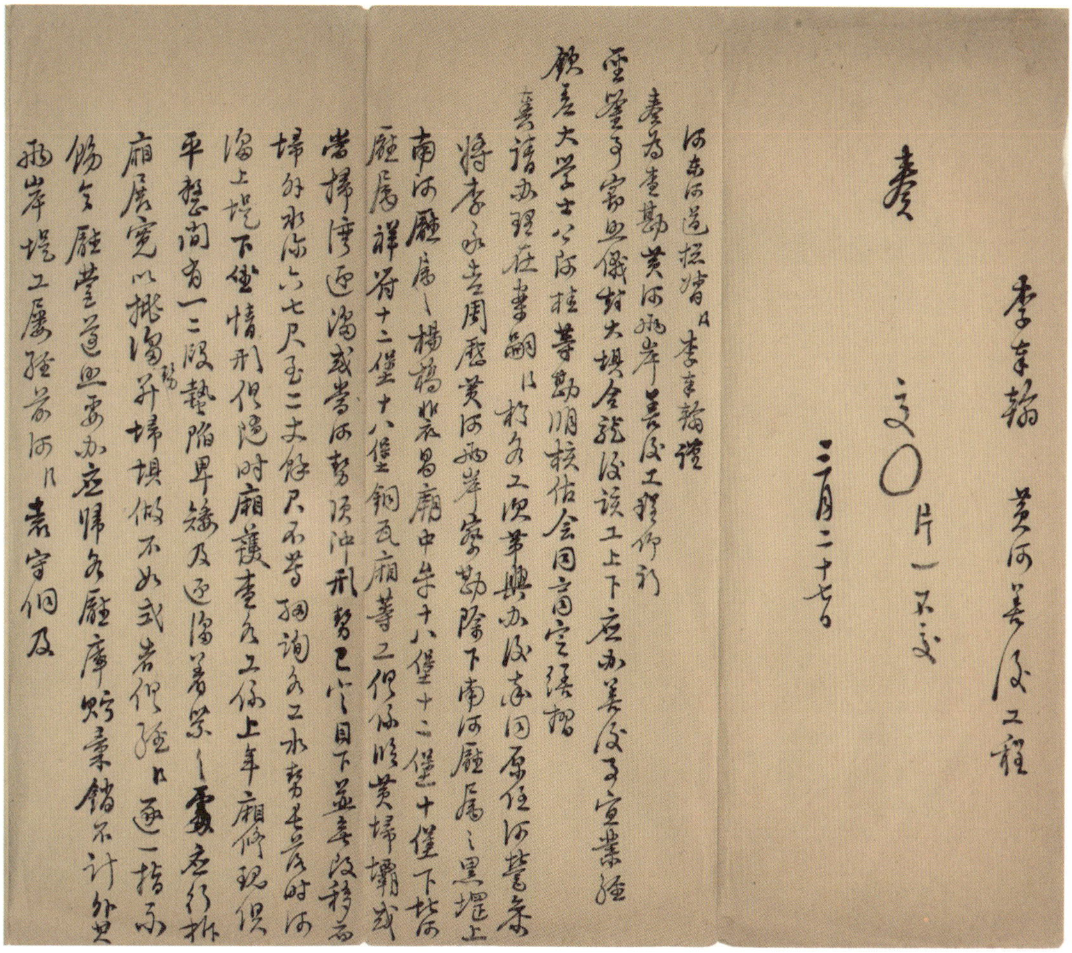
李奉翰 黃河善後工程

奏

文〇片一不交

三月二十七日

河東河道總督臣李奉翰謹

奏爲查勘黃河兩岸善後工程仰祈

聖鑒事竊照儀封大堤合龍後該工上下應辦善後事宜業經

欽差大學士公阿桂等勘明核估會同商定繕摺

奏請辦理在案嗣臣於各工次第興辦後即同原任河營參

將李奉堯周歷黃河兩岸察勘除下南河廳屬之黑堤上

南河廳屬之楊橋北岸曷廟中牟十八堡十二堡十堡下汛

廳屬祥符十二堡十八堡銅瓦廂等工俱係臨黃埽壩或

當埽灣迎溜或當河勢頂沖刷勢已久目下並無浸移爲

埽外水深六七尺至二丈餘尺不等詢各工水勢長落時河

溜上堤下埽情形俱隨時廂護查各工係上年廂修現俱

平整間有一二段墊陷界縫及迎溜着緊之處應行拆

廂展寬以挑溜搶并埽填做不如式者俱隨時迎溜一搶不

傷各廳並道無要辦應歸各廳歲料彙錯不計外其

兩岸堤工屢經前河臣奏寄個及

欽差大學士公阿桂勘办所有做過各段各工俱屬完整內中
間有已修未竣工段嚴飭承办之員趕修於汛前完竣此外
順黃壩工之後越堤格堤應行加培以資重障及間有堤工
卑薄尚須加幫高厚者共工段六十一處共估銀一萬二千
七百餘兩又下南河廳屬之祥符八堡為前歲堵築時和鋒
漫口之新工原開引河內[illegible]築有二壩但河槽過長地
勢較高內窪將來漫灘水至恐致引溜直抵二壩之上
添估土壩一道又新莊大壩原就灘面修築逼近水口壩外
上首舊有挑水壩長一百八十二丈挑溜護工最為得力現
在卑矮亟應估廂高厚以資保衛再兩岸間有順堤河
形最為河工隱患前河臣俱內修築有土壩或相離較
遠或尚嫌卑薄難禦風水必須多築寬厚土壩另量廂
做防風逐段攔截俾漫灘水勢到順堤河不致侵刷堤
根方可省備無虞至河灘內前於黃水盛漲時沖刷溝槽
均應堵截俾免水串灌臣逐一履勘出應添築等計河形溝槽
共添土壩土格四十道估需土方銀六千八百零兩以上各工
通共需銀一萬九千七百餘兩俱係臣親履察勘擇要估
計復與調任河臣陳輝祖詳悉講求並督河各道逐
細籌酌意見相同應請彙入從前兩次另案
工案內分別造具細冊核
題為此謹恭摺具

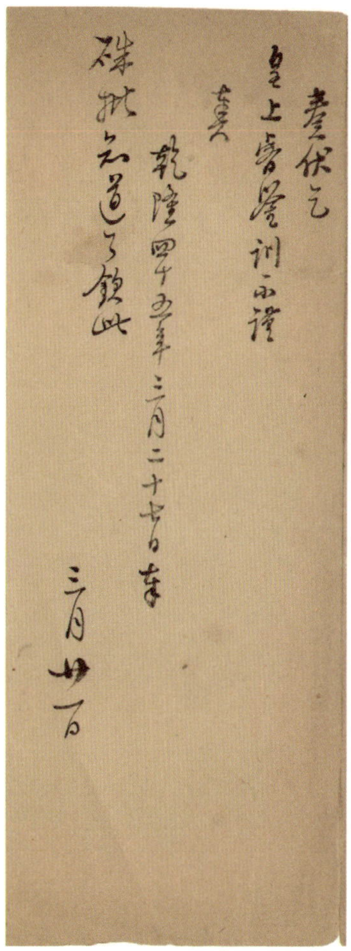

奏伏乞

皇上睿鑒訓示謹

奏

乾隆四十五年三月二十七日奏

硃批知道了欽此

三月卅日

四四五

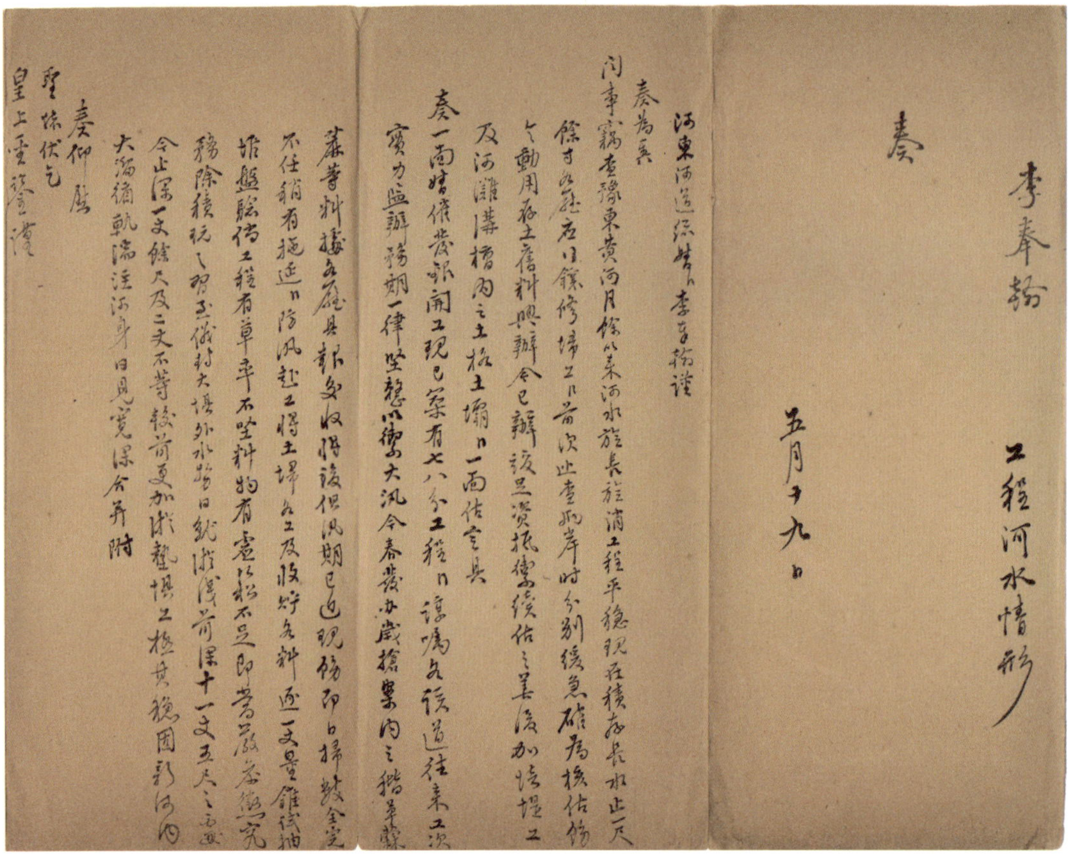

奏

李奉翰

工程河水情形

五月十九日

河東河道總督臣李奉翰謹

奏爲奏

聞事。竊查豫東黃河自入夏以來，河水旋長旋消，工程平穩。現在積存長水止一尺

餘寸至尺，在在隨時修埽工。前次巡查兩岸時，分別緩急，確爲核估，飭

令動用存工舊料興辦，今已辦竣，足資抵禦。續估之築後加培堤工

及河灘溝槽內之土格土壩，一面估定具

奏，一面請借發銀兩，工現已築有七八分，工程日漸穩。後道往來工次，

實力監辦，務期一律堅穩，以禦大汛。今春發歲搶案內之[illegible]

蘇等料，據各廳縣陸續收得，後值汛期已過，現飭即上堤全完，

不任稍有拖延。日防汛趕工得土埽各工及收好各料，逐一丈量，雖俱抽

驗，驗估工程有草率不堅，料物有虛松不足，即當嚴參懲究，

務除積玩。又，現儀封大堤外水勢日就消落，前深十一丈五尺之處，

今止深一丈餘尺及二丈不等，較前更加消落，工極平穩。因新河內

大溜循軌，暢注河身，日見寬深，合并附

奏。伏乞

聖鑒。伏乞

皇上睿鑒。謹

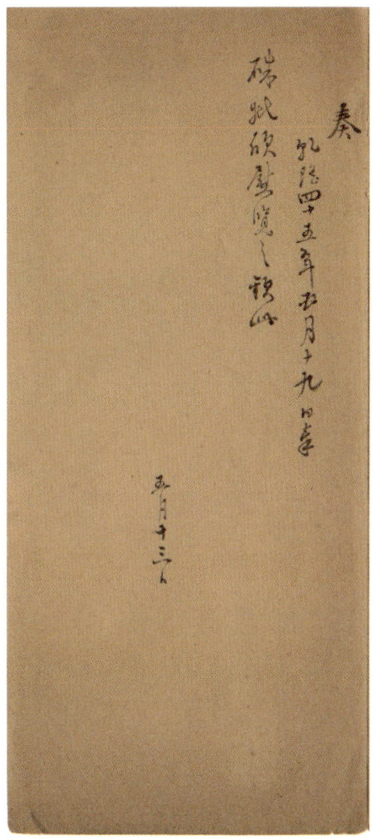
奏
乾隆四十五年五月十九日奉
硃批欣慰覽之欽此
五月十三日

四四六

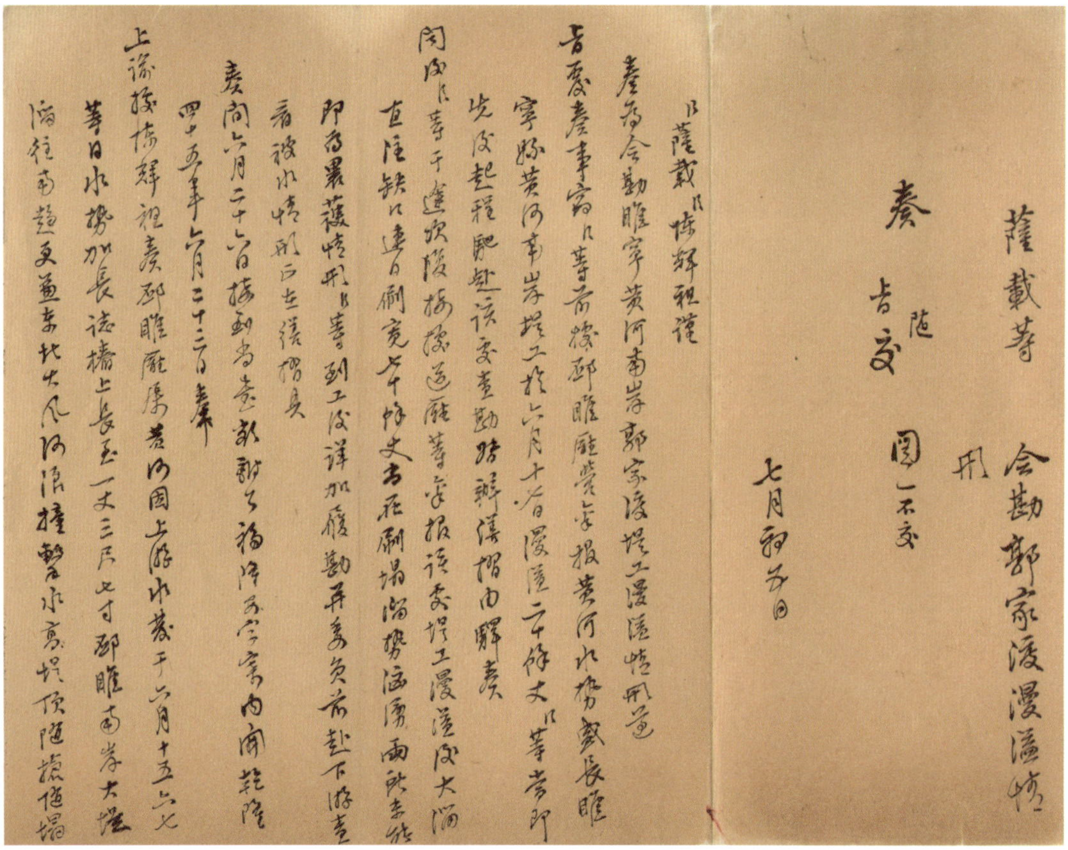

薩載等會勘郭家渡漫溢情形

奏

隨旨交

閲一不交

七月初五日

臣薩載、臣陳輝祖謹

奏爲會勘睢寧黄河南岸郭家渡堤工漫溢情形恭摺

奏事。竊臣等前據邳睢廳營會報黄河水勢驟長，睢

寧縣黄河南岸堤工於六月十七日漫溢二十餘丈。臣等當即

先後起程，馳赴該處查勘，將辦理情由馳奏

聞。臣等于途次接據道廳等會報，該處堤工漫溢處大溜

直注，缺口連日刷寬至廿餘丈，查看刷塌溜勢洶湧，兩頭未能

即爲裹護情形。臣等到工後，詳加履勘，并委員前赴下游查

看被水情形，已另行摺具

奏。茲于六月二十七日接到尚書和珅字寄內開：乾隆

四十五年六月二十二日奉

上諭：據陳輝祖奏邳睢廳屬黄河因上游水發，于六月十五、六、七

等日水勢加長，該處堤上長至一丈三尺七寸，邳睢南岸大堤

溜往南趨，又兼東北大風，河浪撞擊，水高堤頂，隨搶隨塌

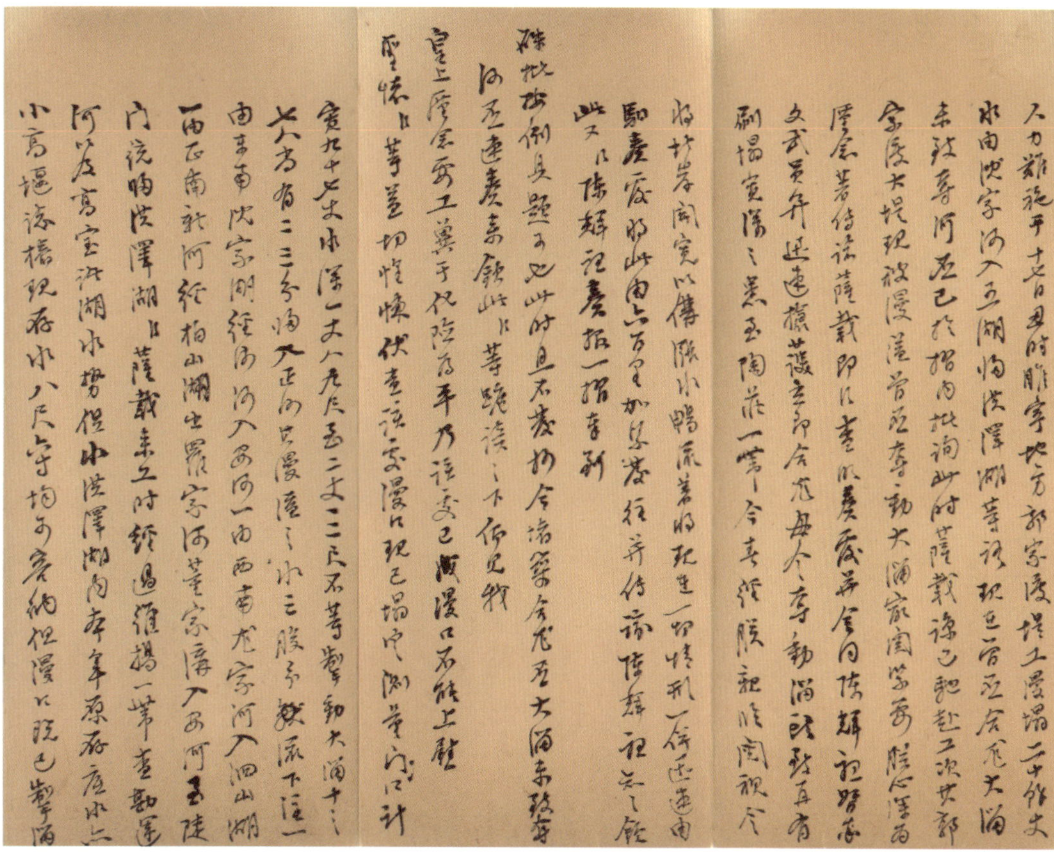

此答湖水自必日逐加長，長等已飭催搶護荊山、東河庫道
河設堤搶護，於河山盱等廳將清口東西壩大加拆展，再
高湖水大小，如有長落，消即將山盱五壩內酌開一兩壩，俾能為
分洩，騰出湖內以為漫水容納之地。至寶應下游江之
金灣等閘，現亦經蒙截于過堤將時搶築壩[illegible]
其閘放，使運河之水暢消，以高寶河之水次第入運，
不使驟長為患。至于陶莊新河，已蒙

催明指示將北岸河身一帶展寬，又伏後大溜直趨新河迎溜界
金門刷寬河底，北岸一帶灘嘴亦已刷寬，河身廣闊，汛水
暢流下達，是已得適。南岸河底灘崩之處，又復築做埽壩
保護。猥因于郭家渡漫口，雖寬九十餘丈，該處適值正河
之背，為應勝狀，且正河內未經斷流，其取勢之趨於釣沛
之韓家堂外，河之岸壩口漫工和同易於堵築，所需料物，自
應[illegible]埽之湖[illegible]，就近採辦，[illegible]因[illegible]此時新料尚未
長足，須俟七月間後收割刈蘆葦，搶辦料物，民間存者
無多，工程所需亦屬多儲，況今歲汛水長發，防險甚
遠，前此上下各工存有舊料，自郭家渡漫缺只有下游之
宿虹、桃源二廳水落工平，其上游之豐碭、銅沛、清口、運下之
外河、山安、海防各廳工程，仍不免秋汛更宜慎心，隨時搶護，是各廳存
工舊料斷難多撥，必俟新料登場，此山安將何時合龍，
儧辦速工，再行進埽堵
築，方為妥協。長等現與淮徐道和鐸、副將李永夫等通盤

籌辦

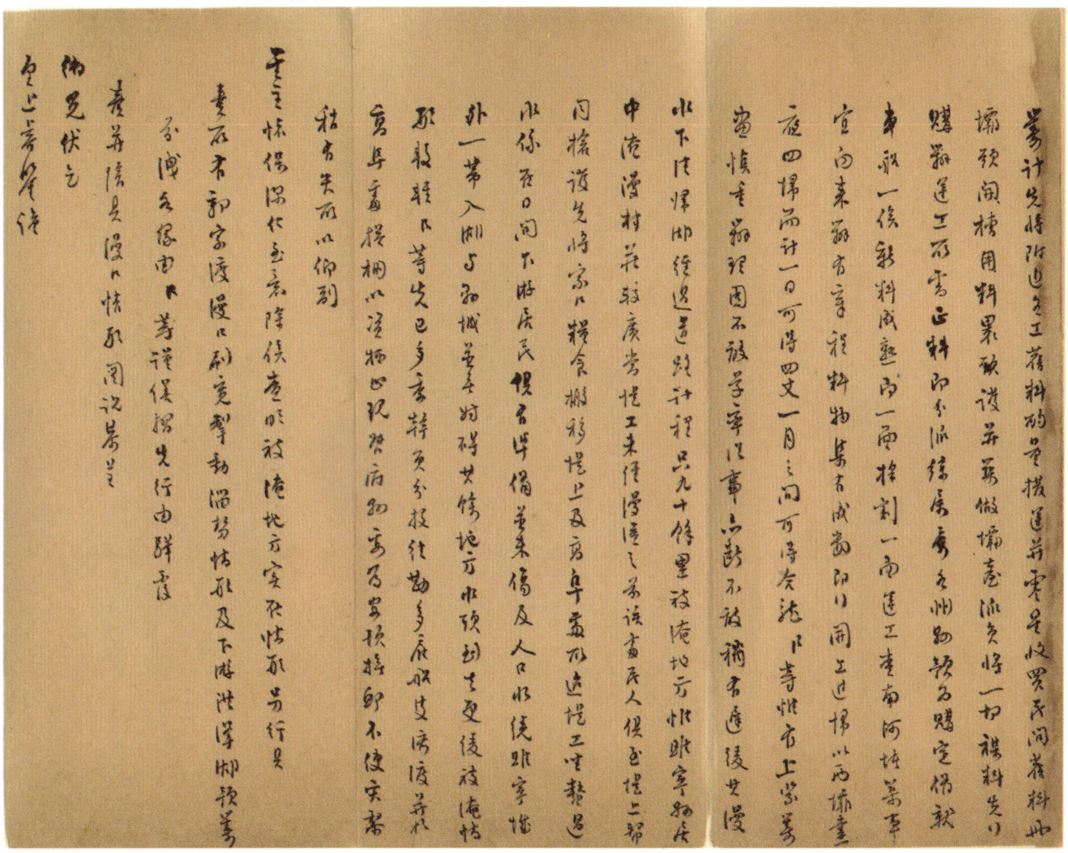

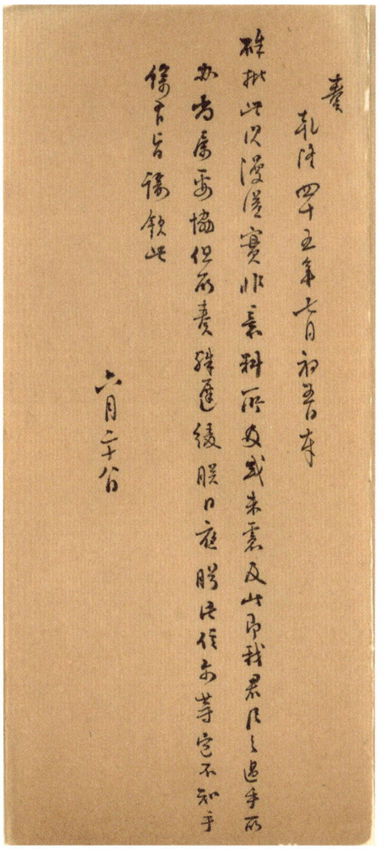
奏
乾隆四十五年七月初五日奉
硃批：此仍漫語，實非素料所及。試未慮及此，即我君臣之過乎？而
亦尚屬妥協，但所奏措置稍緩，朕日夜勝民代為等，寧不知乎？
傳[illegible]旨諭。欽此。
六月二十日

四四七

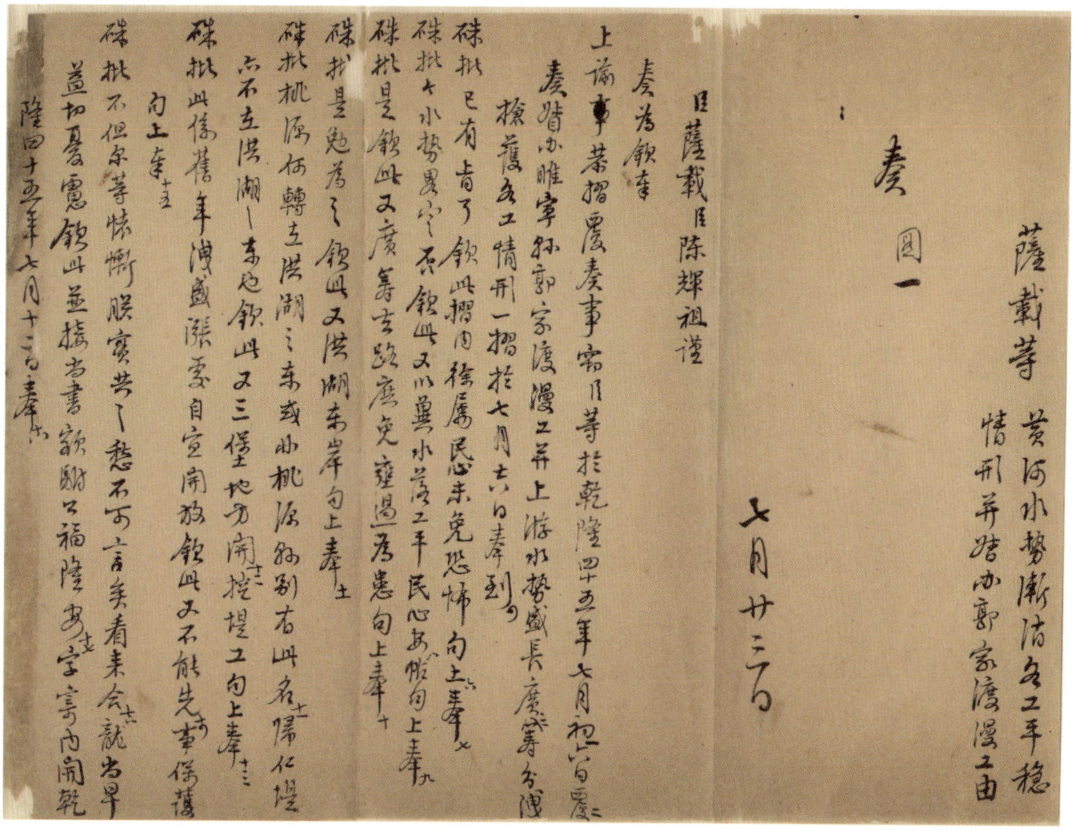
薩載等 黃河水勢漸消各工平穩情形并睢州郭家渡漫工由

奏 圓一

七月廿二日

臣薩載臣陳輝祖謹

奏為欽奉

上諭事恭摺覆奏事竊臣等於乾隆四十五年七月初六日覆二

奏睢州睢寧郭家渡漫工并上游水勢盛長廣籌分洩

搶護各工情形一摺於七月十六日奉到四

硃批已有旨了欽此摺內徐屬民心未免恐怖句上六奉七

硃批今水勢果定否欽此又以冀水落工平民心安八帖句上奉九

硃批是欽此又廣籌去路應免壅遏為患句上奉十

硃批是勉為之欽此又洪湖東岸句上奉十一

硃批桃源何轉去洪湖之東或水桃源另別有此名十二歸仁堤

亦不出洪湖之東也欽此又三堡地方開十三挖堤工句上奉十四

硃批此係舊年湧盛漲要自宜開放欽此又不能先十五事保護

句上奉十五

硃批不但爾等情形朕實共之愁不可言矣看來今十七就爲旱

益切憂慮欽此並接尚書額駙公福隆安十八字寄內開乾

隆四十五年七月十二日奉十九

上諭薩載等奏猾水睢寧縣郭家渡漫工情形一摺已於

摺內批示云云欽此遵二

旨憂從前未仰見我三

皇上宵旰憂勤至於屢念臣等跪讀之下惶悚莫能四

名狀一切機宜洞蒙五

聖明遠照六

訓示周詳臣等益深欽服查黃河水勢於初十以後漸

次消落各廳險要工程俱經搶護平穩情

經臣等於十三日業摺由驛奏九

聞在案至桃源縣之洪湖湖西係縣境內祥符五瑞二閘十

亦在洪湖湖西臣等前十一

奏開放祥符五瑞二閘分減上游歸仁堤一帶入湖之十二

水自應稱洪湖西岸乃稱洪湖東岸實屬錯誤今蒙十三（旁注：如何洪湖大概情形自是朕心豈有不知之理）

硃

聖明指出垂詢臣等不勝惶愧之至謹繪圖粘簽恭呈十四十五

睿覽至上游徐城水誌自初十日起至十四日已陸續消水三十六

尺九寸現存水一丈一尺上下各廳工程俱已搶護穩十七

硃

固淮徐道韓鑅已由徐州回至郭家渡工次據稱徐十八

城一帶民居多已回住原處民心俱已寧帖此次好

河水即或稍有加長亦無妨礙下游洪澤湖水因

清口及西岸各處分洩路多於七月十四日高堰誌

樁長至一丈二尺六寸現在平定臣等仍督道廳將唐

口東西堤再加拆展寬深以冀暢出歸海山盱仁禮好

信三壩不需再議啟放高寶湖河水勢不大僅可容

硃　硃硃

納南關車邏等壩亦可堅守不開下河民田可以保全更好

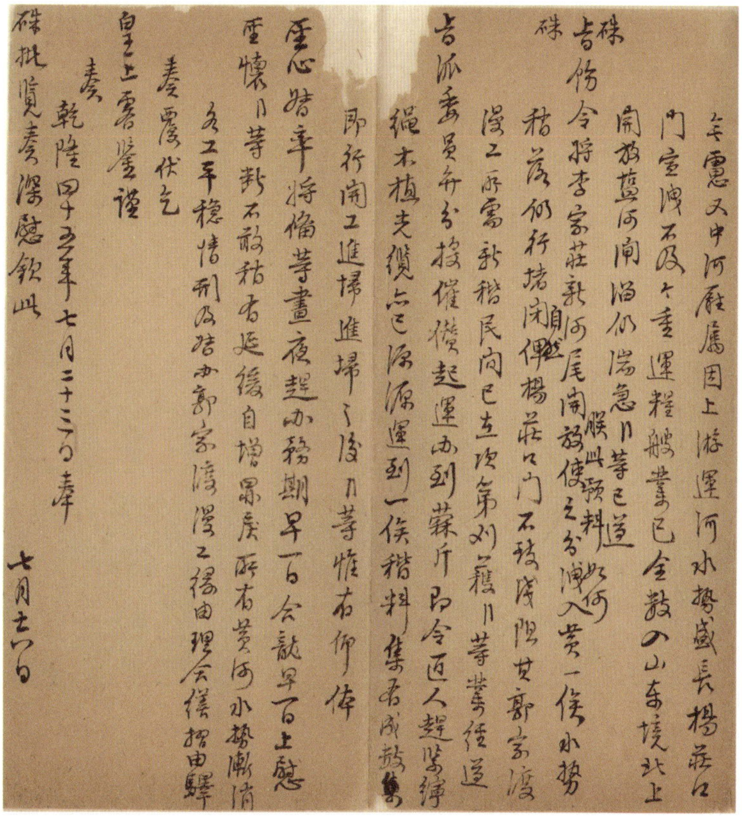
今年雨又中河廳屬因上游運河水勢盛長，楊莊口門宣洩不及，大重運糧艘業已全數入山東境，北上開放鹽河閘，猶仍湍急，臣等已遵
硃旨飭令將李家莊新河尾開放，使之分洩入黃（朕此預料），一俟水勢稍落，仍行堵閉（朕如何），俾楊莊口門不致淺阻。其郭家渡漫工所需新稭，民間已立頭茬刈穫，臣等業經遵
硃旨派委員分投催儹起運，而到蘇斤，即令匠人趕緊綑繩。木樁夫役亦已源源運到，一俟稭料集齊成做，即行開工進埽，進埽之後，臣等惟有仰体
聖心，督率將備等晝夜趕辦，務期早一日合龍，早一日上慰
聖懷。臣等斷不敢稍有延緩，自增罪戾。所有黃河水勢漸消及工平穩情形，及堵辦郭家渡漫工緣由，理合繕摺由驛
奏覆，伏乞
皇上睿鑒。謹
奏。
乾隆四十五年七月二十三日奉
硃批：覽奏深慰。欽此。
七月廿四日

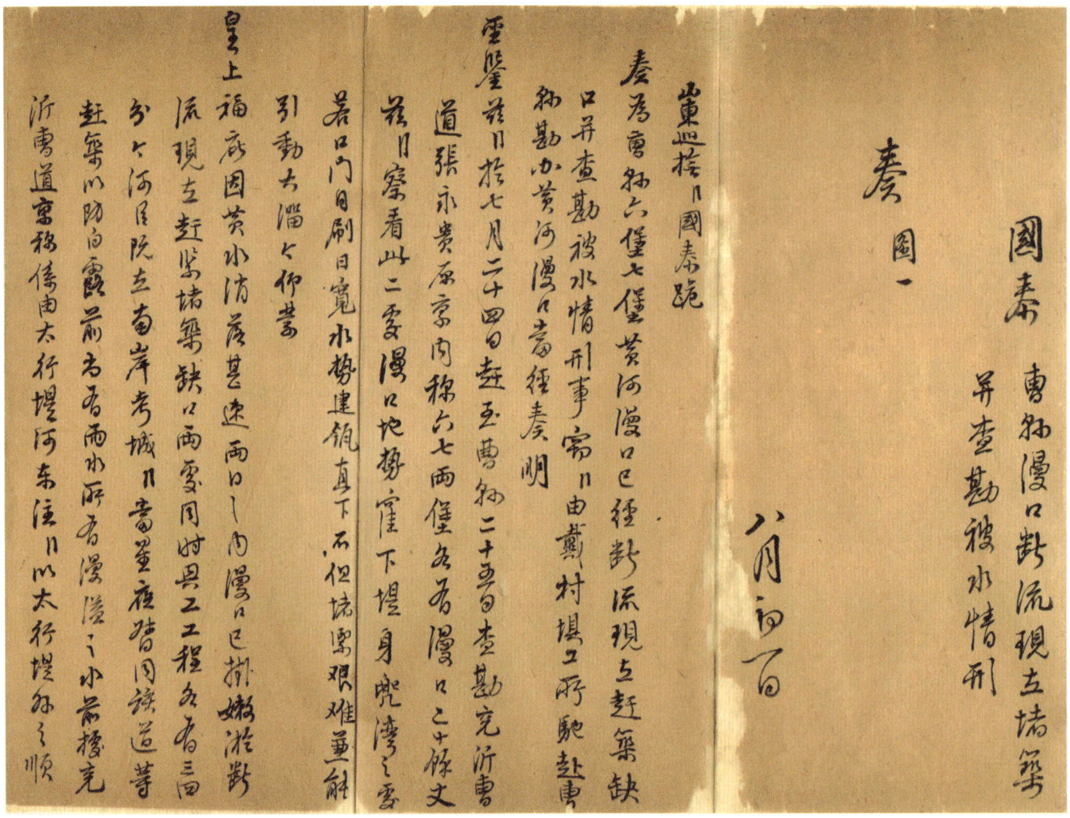

國泰 曹縣漫口斷流現在堵築
并查勘被水情形

奏 閏一

八月初日

山東巡撫臣國泰跪

奏為曹縣六堡七堡黃河漫口已經斷流現在趕築缺
口并查勘被水情形事竊臣由戴村壩工所馳赴曹
縣勘辦黃河漫口當經奏明

聖鑒在案臣於七月二十四日趕至曹縣二十五日查勘兗沂曹
道張永貴原稟內稱六七兩堡各有漫口二十餘丈
在案臣察看此二處漫口地勢窪下堤身兜灣之處
若口門日刷日寬水勢建瓴直下不但堵禦艱難兼恐
引動大溜仰賴

皇上福庇因黃水消落甚速兩日之內漫口已掛淤斷
流現在趕緊堵築缺口兩處同時興工工程各有三四
分々河臣既在南岸考城臣當董率督同該道等
趕築以防白露前後雨水所有漫溢之水前據兗
沂曹道稟稱係由太行堤河東注臣以太行堤係之順

堤河俱入微山湖。本月查勘，因太行堤本屬單矮，堤
身又為大雨淋透，以致黃水穿過太行堤，散溢而東
北，漫流而過。水之要道者，清水河、白花河二道。是
以漫流之水多係歸入此二河，入南陽湖。所有曹
縣、定陶、武城武等三縣境内，凡被黃水經過之地，目經
由所及，如高粱、旱穀已經成熟，並無妨礙。惟窪地
之豆苗、芝麻、蕎麥等項不無損傷。地內向有積水
數寸及一二尺不等。民間房屋、人口並無沖及之處。百
姓安帖。目現在飭委幹員分頭查勘，務即將積
水於數日內設法速消，無悞種麥。如查有貧乏農（甚好）
民，仰懇

硃

聖恩
動支常平倉穀借給麥本，俾得乘時播種秋麥。
事竣另款報部，照例秋後免息徵還。除此數邑
無要被水，不過近河兩岸窪地數十里，其餘高阜
之處仍屬有收，且通省州縣普律豐收，民情歡幸。
至太行堤在大堤之北，原屬預備黃水漫溢，民埝
今堤身受黃水沖漫之處，目擬俟水消之後，飭令
地方官修理完固，以資防衛。所有東省黃水漫口
斷流，及目現在勘明情形，謹繕摺繪圖由馬遞五百
里馳奏，仰慰
聖懷。伏乞

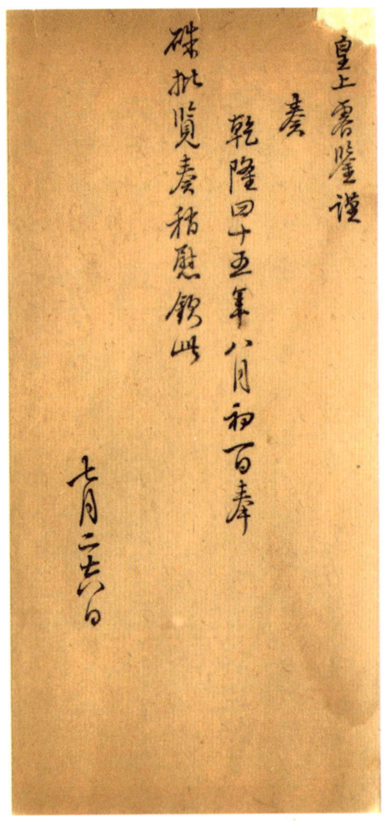

皇上睿鑒謹
奏
乾隆四十五年八月初一日奉
硃批覽奏稍慰欽此

七月二十六日

四四九

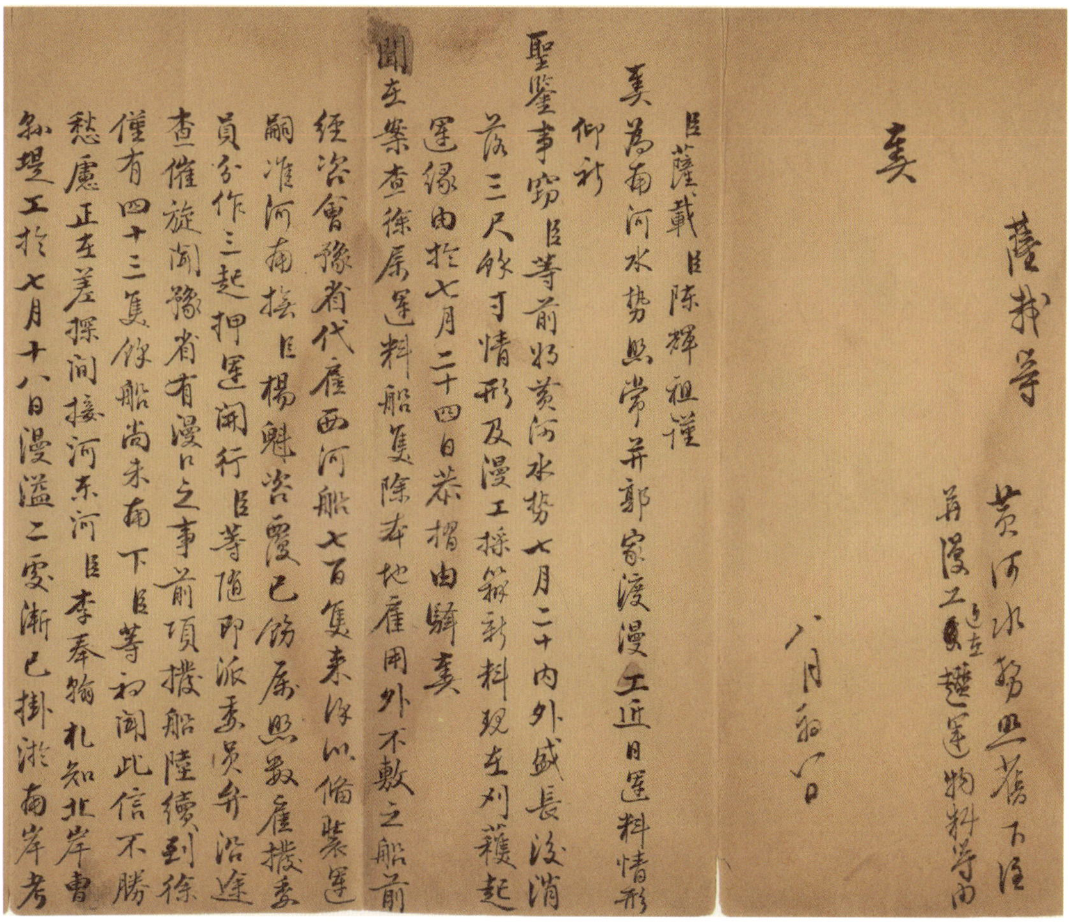

奏

薩載等

黄河水勢照舊下注
并漫工已趕運物料等由

八月初一日

臣薩載、臣陳輝祖謹
奏為南河水勢照常并郭家渡漫工近日運料情形
仰祈
聖鑒事。竊臣等前將黄河水勢七月二十內外盛長後消
落三尺餘寸情形及漫工採辦新料現在刈穫起
運緣由於七月二十四日恭摺由驛奏
聞在案。查徐屬運料船隻除本地雇用外不敷之船前
經咨會豫省代雇西河船七百隻來徐以備裝運，
嗣准河南撫臣楊魁咨覆已飭屬照數雇撥，委
員分作三起押運開行。臣等隨即派委員弁沿途
查催，旋聞豫省有漫口之事，前項撥船陸續到徐
僅有四十三隻，餘船尚未南下。臣等初聞此信不勝
愁慮，正在差探間，接河東河臣李奉翰札知北岸曹
縣堤工於七月十八日漫溢二處，漸已掛淤，南岸考

城五堡堤工同日亦漫溢一處所恃外灘俱寬數
里不虞掣動大溜現在分投儹堵等因臣等連日
察看江南黃河水勢不但未見大消且平定兩三
日後於七月二十八九兩日尚長水六寸差探上游徐城
誌椿於二十九日三十等日亦長水一尺連前尚存長
水一丈二尺一寸大溜照舊循軌南下且消而復長是
豫省考城五堡漫口亦可剋期掛淤斷不致掣動
大溜自可上慰
聖懷其考城漫溢之水由渦河入淮下注洪澤湖仍係從
前經由故道但此次過水無多下游安省亳蒙一帶
舊有河道似可容納不致漫淹為患臣等已飛劄
道府確查并諮各州縣留心防護至睢寧郭家渡
漫工稭料臣等先已飭令徐屬各州縣水陸兩路
並運今豫省代雇之船既未能剋期南下更不便
等待又經臣等飛飭道府督飭各州縣全數用車
裝運并將上游南北兩岸道路橋樑收拾妥當
如毛城鋪蘇家山天然閘峰山四座閘等處均在
閘放過水經由各水口臣等亦經分委妥員相度情
形或於閘上搭木填以柴土俾其堅穩或於渡口
多雇本地民船濟渡以備料車遄行無阻臣等
飭夙夜催儹不敢稍遺餘力凡各州縣運到之料

及各花户自願赴工交納者俱着令收料委員
隨到隨即秉公秤收堆垛一俟源源趕運來工集
有成數臣等即行開工進埽斷不敢稍有延悞洪湖
水勢現在平定高堰誌樁存水一丈二尺九寸但上游
各處漫水俱將滙注洪湖而息縣桐柏淮水又在報
長洪湖難免加增臣等又經飛飭淮揚道督率外
河廳營將清口東西壩再展十丈連前口門共寬
九十丈宣洩甚暢下游各工俱甚平穩所有江南黃
河水勢照舊循流下注并郭家渡漫工近日攢運
料物情形理合恭摺由驛奏
聞伏乞
皇上睿鑒謹
奏
乾隆四十五年八月初八日奏
硃批覽奏俱悉欽此
八月初十日

四五〇

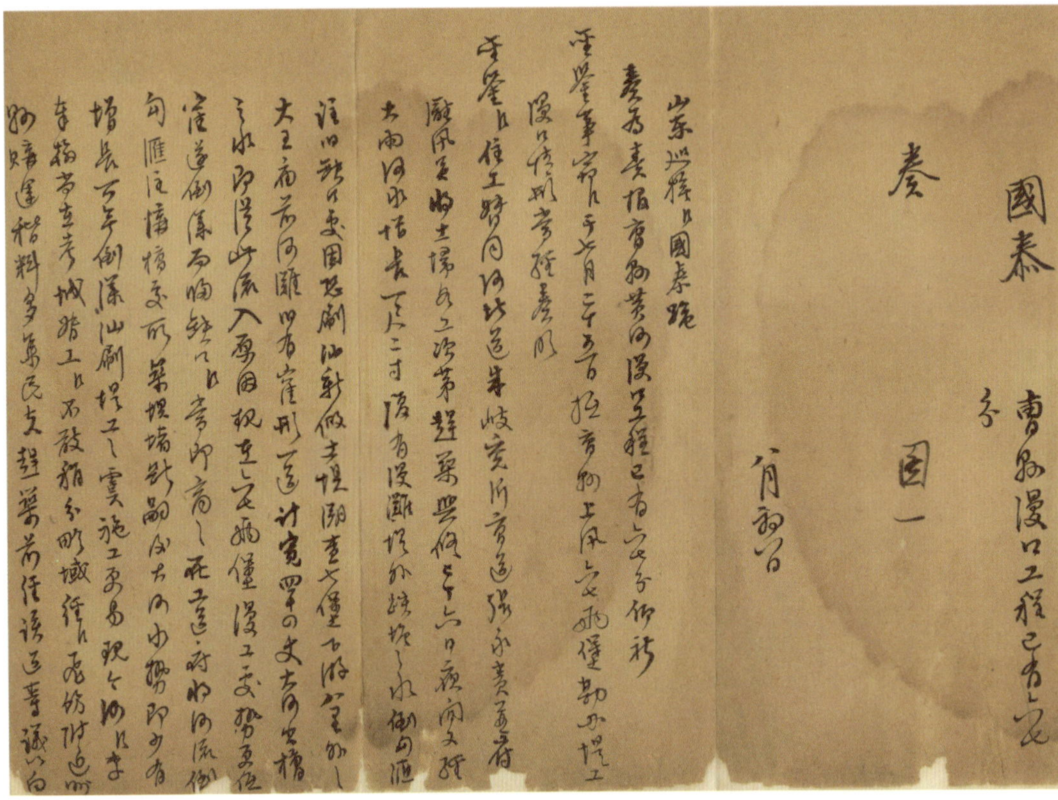

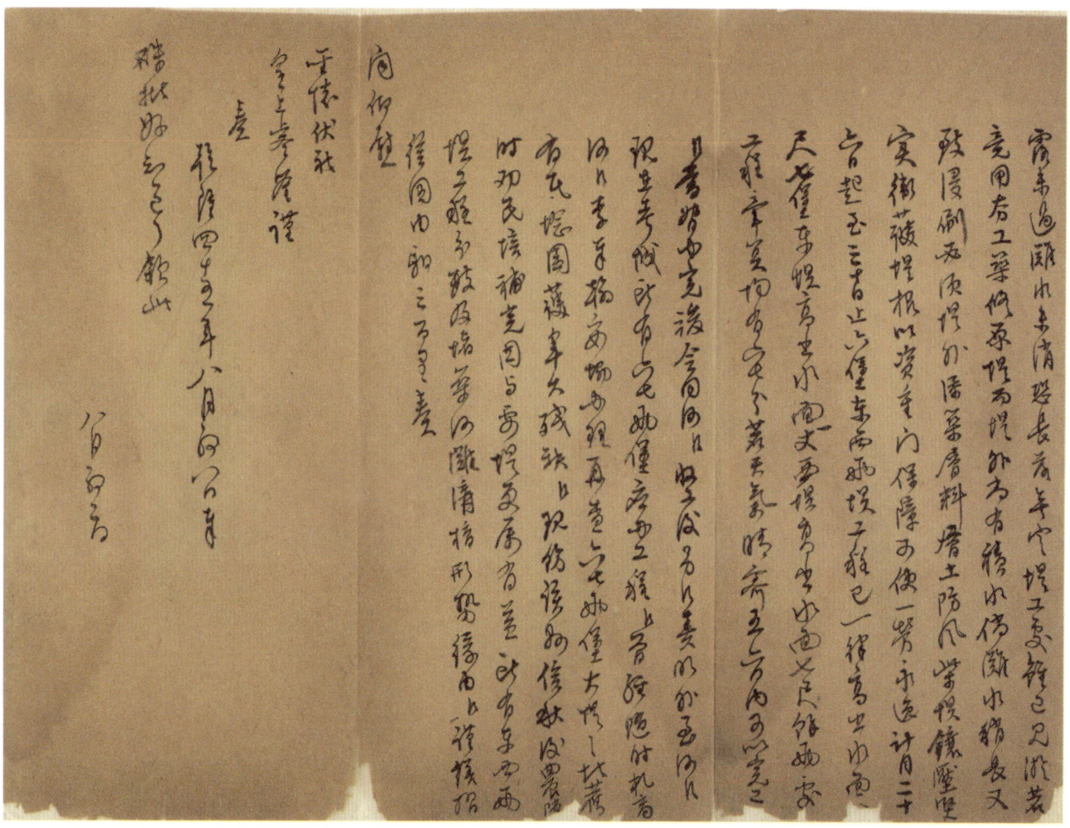

四五一

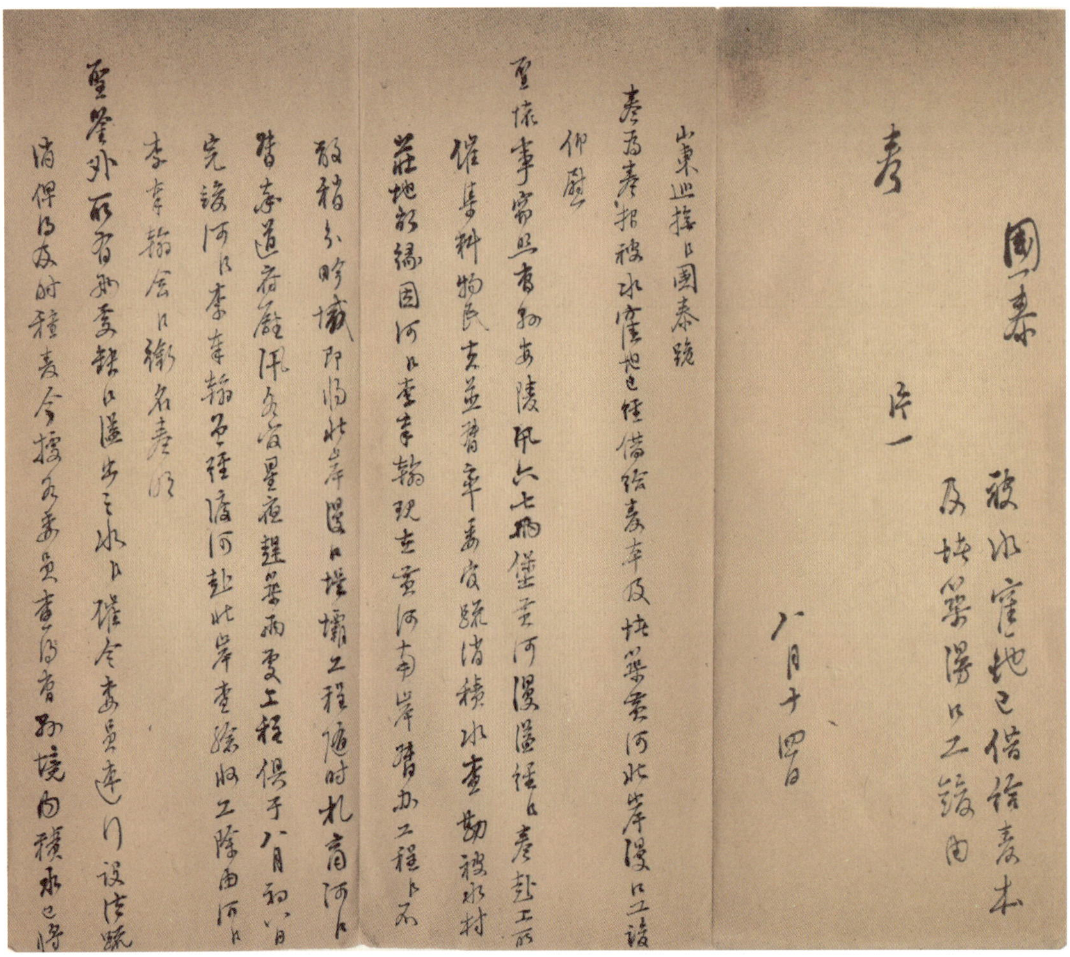

奏

國泰

被水窪地已借給麥本

及挑築隄埝工緣由

奏 片一

八月十四日

山東巡撫臣國泰跪

奏為奏報被水窪地已經借給麥本及挑築黃河北岸隄埝工竣緣由仰祈

聖鑒事竊照青州安陵縣六七兩堡黃河漫溢經臣奏赴工所催集料物民夫並督率委員疏消積水查勘被水村莊地畝緣因河臣李奉翰現在黃河南岸督辦工程不敢稍分畛域即將北岸隄埝工程隨時札商河臣督率道府廳汛及委員星夜趲築兩處工程俱于八月初八日完竣河臣李奉翰原經渡河赴北岸查驗收工除由河臣李奉翰會臣銜名奏明

聖鑒外所有被災隄埝出之水臣督令委員速行設法疏消俾得及時種麥今據委員查明通省境內積水已將

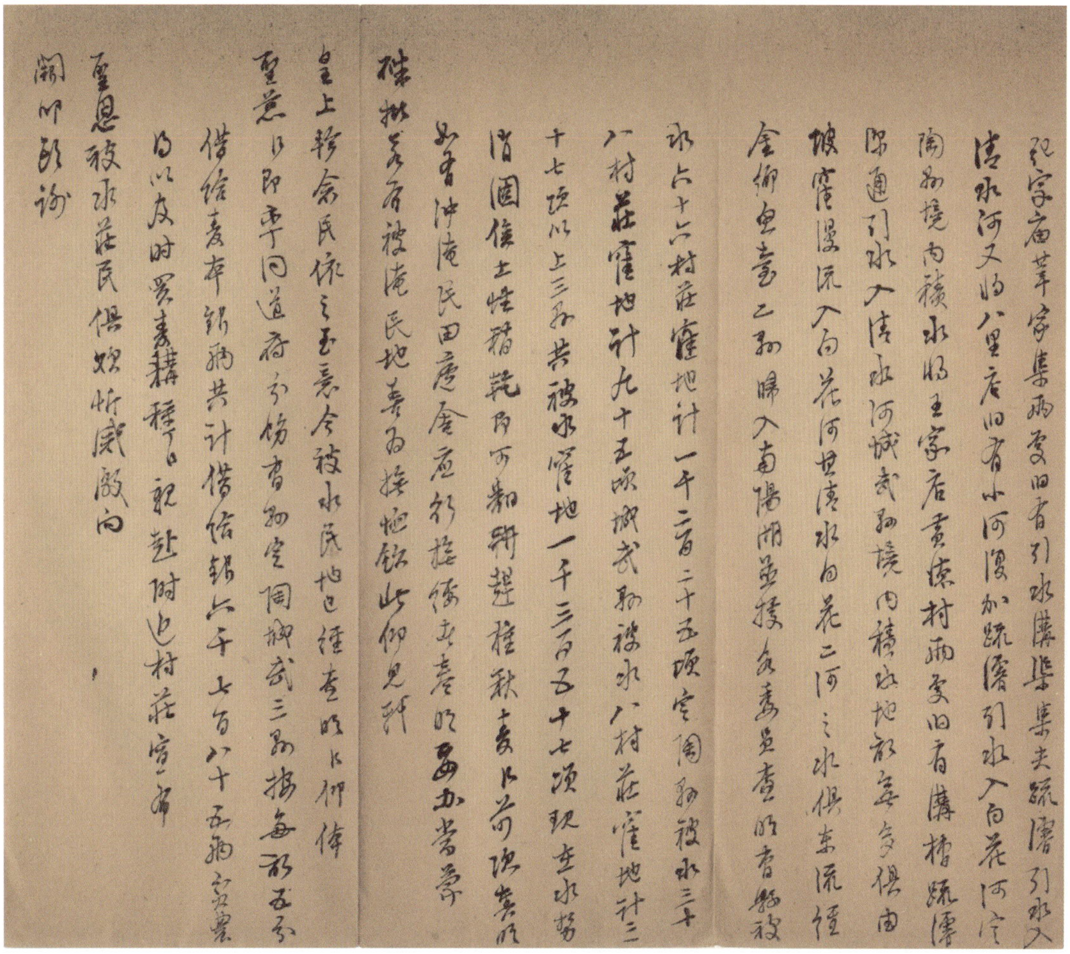

阮家庙苇家集两处旧有引水沟渠，渠失疏濬，引水入清水河；又将八里店旧有小河复加疏濬，引水入白花河；定陶县境内积水，将王家店贡家村两处旧有沟槽疏濬深通，引水入清水河；城武县境内积水地亦多，俱由坡窪漫流入白花河，其清水白花二河之水俱东流经金乡鱼台二县归入南阳湖。并檄各县查明，有被水六十六村庄窪地计一千二百二十五顷，定陶县被水三十八村庄窪地计九十五顷，城武县被水八村庄窪地计三十七顷，以上三县共被水窪地一千三百五十七顷，现在水势消涸，俟土性稍干，即可翻犁赶种秋麦。此前次奏明如有冲淹民田，应令各该县据实查明妥办，当禀

朱批：若有被淹民地，著为抚恤。钦此。仰见

皇上轸念民依之至意。今被水民地已经查明，臣仰体

圣意，即与司道商议，分饬曹县定陶城武三县，按每亩五分借给麦本银两，共计借给银六千七百八十五两零，分给农民以及时买麦耕种。臣亲赴附近村庄宣布

圣恩，被水庄民俱怀忻感激向

阙叩头谢

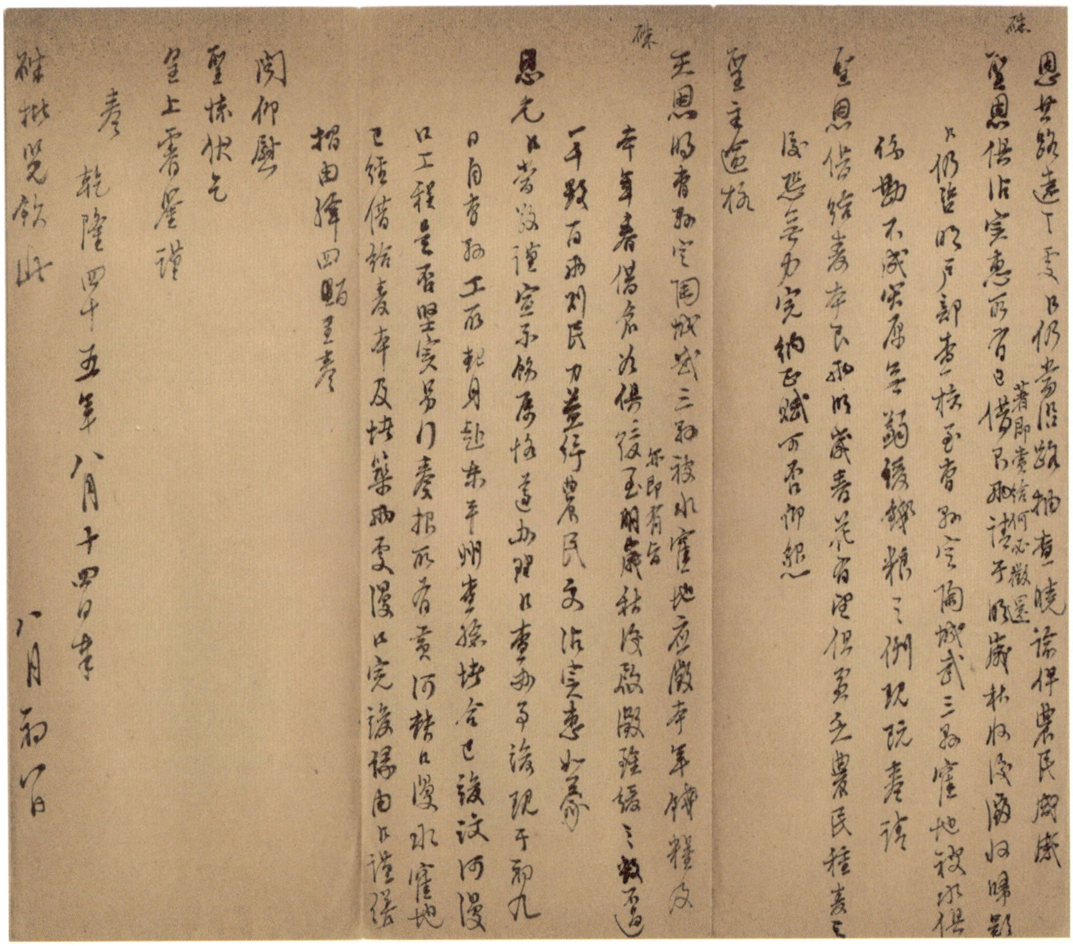

硃

恩無路遠丁憂人仍當照數補查曉諭俾農民感戴

聖恩借給實惠所有已借民欠請予（著即賞給，何必徵還）將歲秋收後酌收歸款

人仍照明戶部查核至曹屬定陶城武三縣窪地被水借

給籽種不減寬原無節緩緝糧之例現既奏請

聖恩借給麥本民間明歲麥苗在田俱賴農民種麥之

後無可完納民賦可否仰懇

聖主逾格

硃

天恩將曹屬定陶城武三縣被水窪地應徵本年錢糧及

本年春借倉穀借後至明歲秋後啟徵（[illegible]即有旨）雖緩三數旬

一年頗有益於民力並仰農民受沾實惠於無窮

恩光矣至前謹定示飭蔣道辦理臣查於現于初九

日自曹郡工所起身赴東平州查勘壩舍後該河漫

口工程並著堅實另行奏報所有黃河積水漫水窪地

已經借給麥本及挑築兩堤漫口完竣緣由謹繕

摺由驛四百里奏

聞仰慰

聖懷伏乞

皇上睿鑒謹

奏

乾隆四十五年八月十四日

硃批覽欽此

八月初[illegible]日

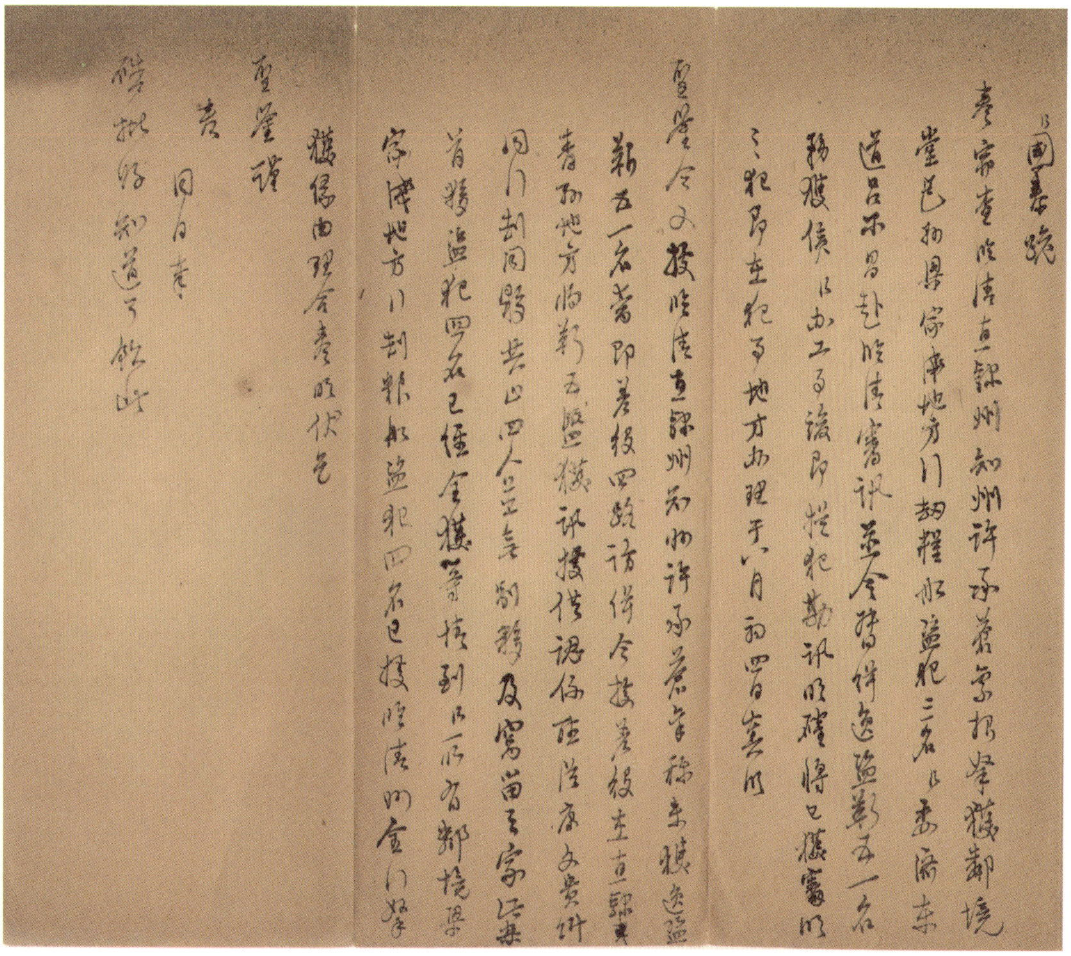
[illegible]奏號
奏為[illegible]臨清直隸州知州許承蒼[illegible]拏獲鄰境
堂邑縣[illegible]地方[illegible]盜犯二名，已[illegible]東昌府
道[illegible]赴臨清審訊，並令[illegible]逸盜鄭五一名
務獲[illegible]，即提犯嚴訊明確[illegible]
二犯即[illegible]地方辦理，于六月初四日[illegible]
聖鑒。今又據臨清直隸州知州許承蒼等稟稱，續獲逸盜
鄭五一名，當即差役四路訪[illegible]，今據差役在直隸[illegible]
[illegible]地方將鄭五[illegible]獲，訊據供認[illegible]
[illegible]
首夥盜犯四名已經全獲等情，到臣。所有鄰境[illegible]
[illegible]地方[illegible]盜犯四名已據臨清州全行拏
獲緣由，理合奏明。伏乞
聖鑒。謹
奏。　月　日奏
硃批：好，知道了。欽此。

四五二

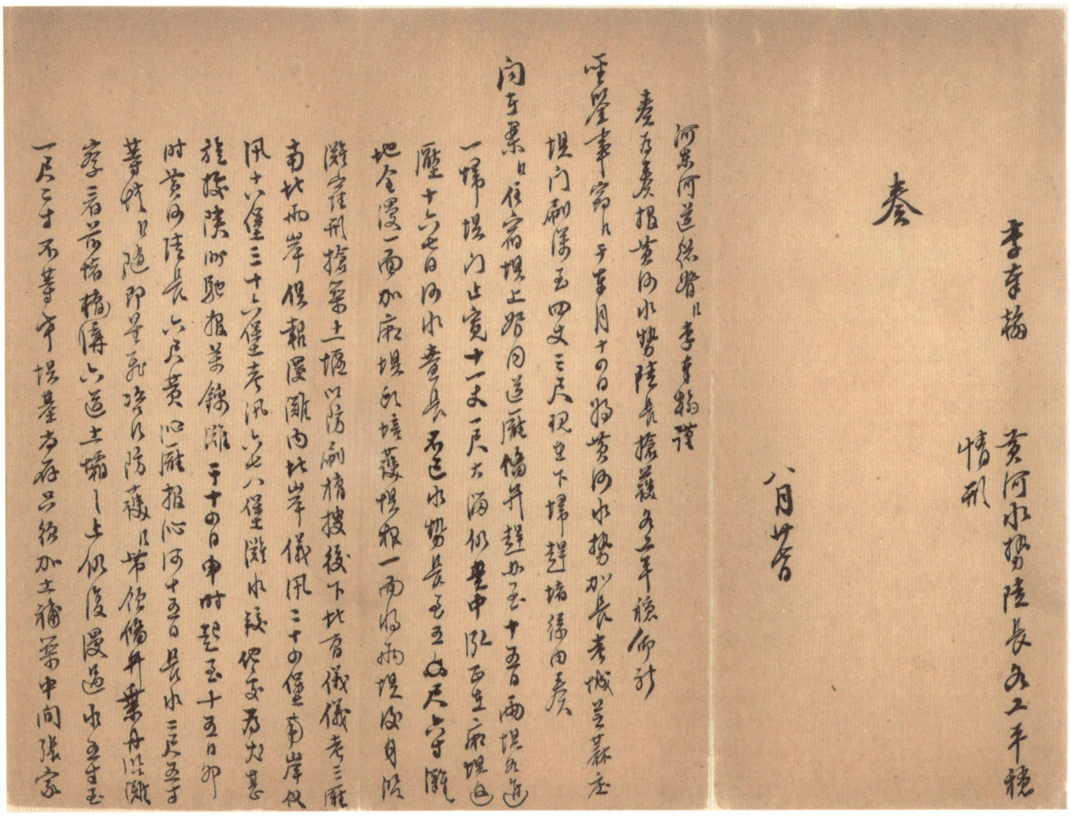

李奉翰
黃河水勢陸長及工平穩
情形
奏
八月廿日

河東河道總督臣李奉翰跪
奏為奏報黃河水勢陸長搶護各工平穩仰祈
聖鑒事。竊臣于本月十四日將黃河水勢加長，考城芝麻莊
堤內刷深至四丈三尺，現在下埽趕堵緣由，奏
聞在案。臣住宿堤上督同道廳備料趕辦，至十五日兩堤及迎
一埽，堤內已寬十一丈一尺，大溜仍趨中泓，至二麻堤迎
歷十六七日河水叠長，查近水勢長至五丈六尺，寧灘
地全漫，一面加廂堤頭，搶護堤根，一面將兩堤及月堤
灘窪刑搶築土壩以防刷損。接據下北、曹儀、儀考三廳
南北兩岸俱報漫灘，內北岸儀封二十四堡、南岸儀
封十六堡、三十七堡、考城六七八堡灘水較堤為大，甚
猛。據陝州驛報萬錦灘于十四日申時起至十五日卯
時黃河陡長六尺，黃沁廳報沁河十五日長水三尺五寸
等情。臣隨即督飭各防護，並飭備料，并料俱灘
高者，前據搶築六道土壩，上似復漫過水五寸至
一尺二寸不等，其堤基尚存，已經加土補築。中間張家

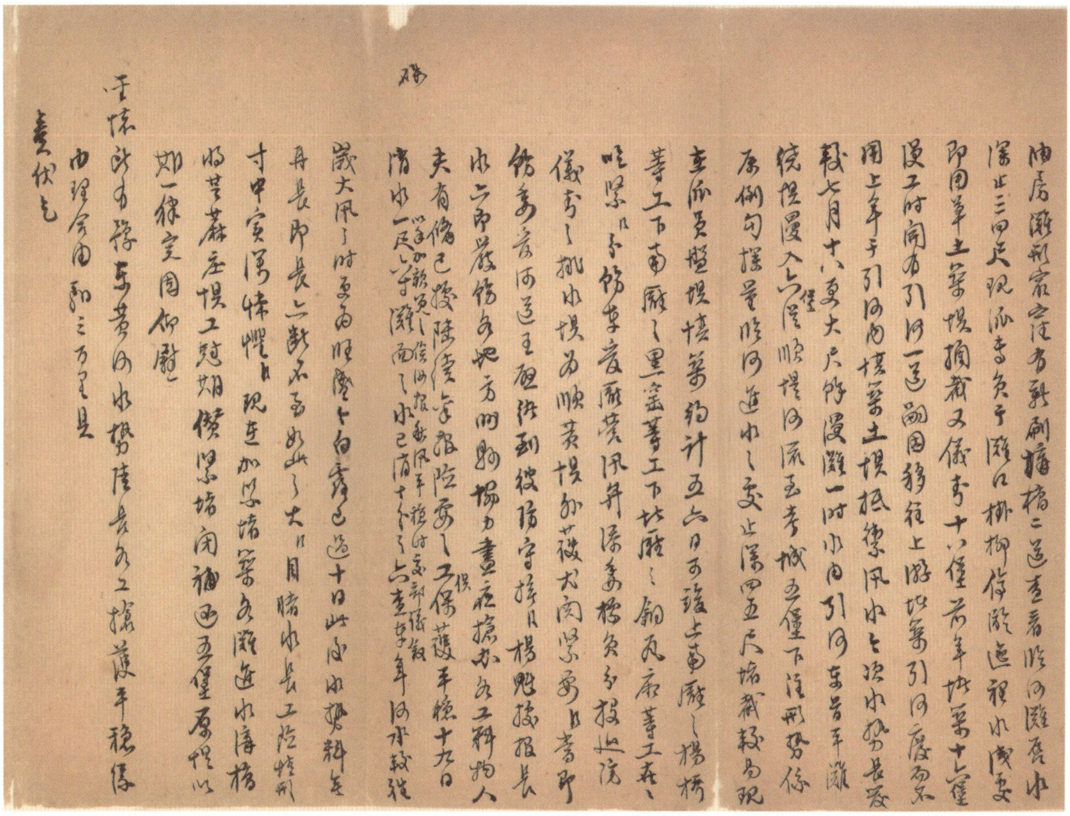

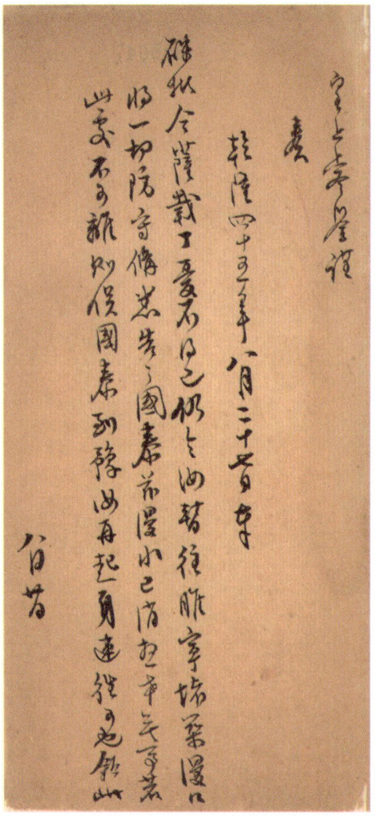

四五三

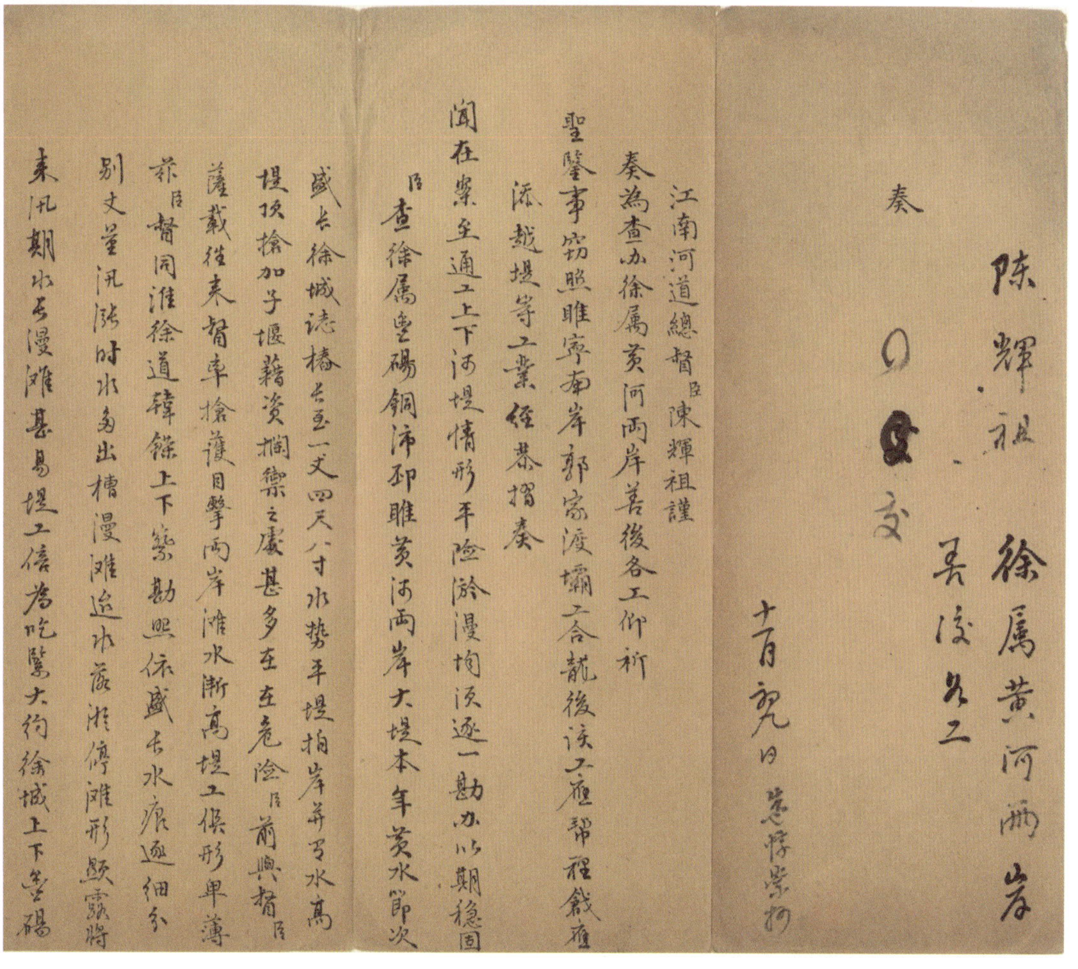

陳輝祖　徐屬黃河兩岸
善後各工
奏
十月初九日

江南河道總督臣陳輝祖謹
奏為查辦徐屬黃河兩岸善後各工仰祈
聖鑒事竊照睢寧南岸郭家渡壩工合龍後該工應幫裡戧應
添越堤等工業經恭摺奏
聞在案至通工上下河堤情形平險淤漫均須逐一勘辦以期穩固
臣查徐屬豐碭銅沛邳睢黃河兩岸大堤本年黃水節次
盛長徐城誌樁長至一丈四尺八寸水勢平堤拍岸并有水高
堤頂搶加子堰藉資攔禦之處甚多在在危險臣前與督臣
薩載往來督率搶護目擊兩岸灘水漸高堤工俱形卑薄
茲臣督同淮徐道韓鑅上下察勘照依盛長水痕逐細分
別丈量汛漲時水多出槽漫灘迨水落淤停灘形顯露將
來汛期水長漫灘甚易堤工倍為吃緊大約徐城上下豐碭

蟄房為甚銅沛次之卸雖又次之核其土工沖撞單薄及漫
堤平堰之處來年仰仗
聖主福庇工皆保護平穩現在汛期已過乘此擇要加培高厚
方資抵禦今估堂碼蟄房約需土方銀二萬九千餘兩銅
沛蟄房約需土方銀一萬八千餘兩卸雖蟄房約需土方銀一
萬九千餘兩均屬必須辦理之工應請飭派各廳營汛及沿河
附近州縣等官認真督修俾築堅實不使少有虛糜草
率以期妥協再徐州城外奶奶廟一帶舊石工七月內大溜
撞擊塌卸若不及時趕運碎石擁護得保平穩該處石工來年
仰懇
聖恩動帑加高以為久安之計今舊工塌卸并帶動段處估銀六
千餘兩所費無多應歸入四月內大學士嵇璜督臣薩載
會估案內聲明
題銷再堂碼蟄房天然閘來年啟放不但保護徐城大為有
益該閘上下引河查明均有淤墊應行疏濬北岸大谷山
以上舊有順堤河形汛水漫灘下注之水甚為洶湧應
築攔擋護又徐城石工之外向年修做護石埽工原甚有
益今歲塌卸石工之外所填碎石臣悉心體察甚為得濟

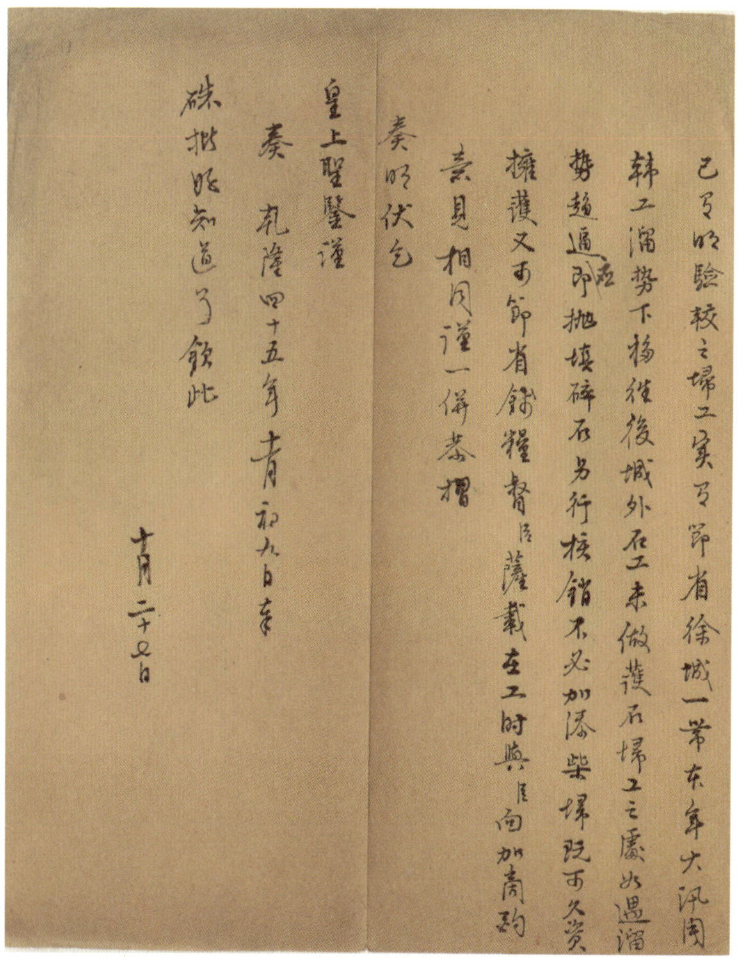

已可明驗較之埽工實可節省徐城一帶本年大汛閘
壩工溜勢下移從後城外石工未做護石埽工之處如遇溜
勢趨逼即應拋填碎石另行核銷不必加添柴埽既可久資
擁護又可節省錢糧督臣薩載在工時與臣面加商酌
意見相同謹一併恭摺
奏明伏乞
皇上聖鑒謹
奏 乾隆四十五年十月初九日奉
硃批覽知道了欽此
十月二十五日

四五四

奏

薩載 恭報黃水過徐暢達下注及瑞雪普遍各情形

十二月二十六日 張敦培抄

署理兩江總督臣薩載謹
奏爲恭報黃水過徐暢達下注各情形仰慰
聖懷事。竊臣
陛辭出京，於十二月二十日行抵徐州，知上游豫省考城漫工已於
十三日合龍，黃河水頭於十六日入江南境，徐城誌樁於十
八日長水起至二十日共長水七尺一寸，溜勢湍急，現由中泓
暢達下注，邳睢廳屬郭家渡新工據報穩固。臣查驗
徐城外加高石工，現已办有八分工程，其周韓工迤上新
創石工一段，亦經開槽，催運石料，接續办理，明春桃
汛前均可一律完竣。再，臣於十一日行次直隸之河間
府，是日瑞雪繽紛，十二日午後始止。臣經過直隸、山東
一帶地方，沿途所見積雪各有五六七八寸不等，田野霑
濡極爲優渥，農民咸爲豐年兆慶，欣忭同深。臣入

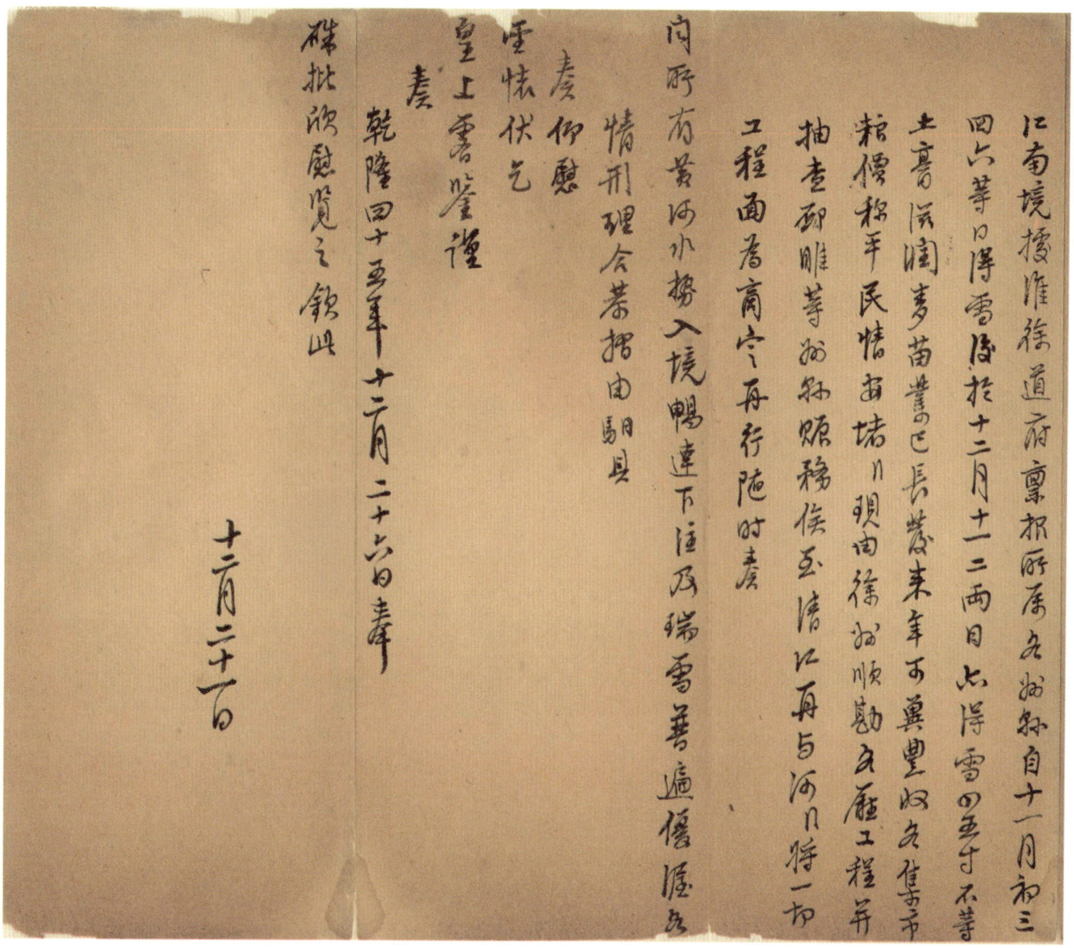

江南境接淮徐道府稟报所屬各州縣自十一月初三
四六等日得雪俱於十二月十一二兩日亦得雪四五寸不等
土膏滋潤麥苗業已長發來年可冀豐收各集市
糧價稍平民情安堵臣現由徐州順勘各廳工程並
抽查邳睢等州縣賑務俟至清江再與河臣將一切
工程面商妥當再行隨時奏
聞所有黃河水勢入境暢達下注及瑞雪普遍優渥各
情形理合恭摺由驛具
奏仰慰
聖懷伏乞
皇上睿鑒謹
奏
乾隆四十五年十二月二十六日奉
硃批欣慰覽之欽此

十二月二十日

四五五

富勒渾　分別酌借籽種牛具

奏

一交○

四月十三日辛丑折

河南巡撫臣富勒渾跪

奏為

奏明事。竊照豫省考城、睢州、寧陵、永城、儀封五州縣上年黄河漫注，先經題報恤，今春復蒙

特頒

恩旨分別加賑，並令查看情形，酌量籽糧借給，以資接濟。經前撫臣雅德轉飭欽遵辦理，並將涸出地畝應需酌借籽種等項分飭確查。旋據藩司李承鄴查明考城等州縣除有力之戶毋庸借給外，所有考城、睢州無力貧種地畝一千五百四十六頃，商邱縣四千四百六十七頃四十畝，寧陵縣九百五十頃，永城縣一千六百六十六頃，儀封縣八十頃，按照每畝給籽種銀六分、牛具給銀四分之例，共需借銀八萬五千五百餘兩。詳經雅德以各該州縣均係疊次被災之區，當地無

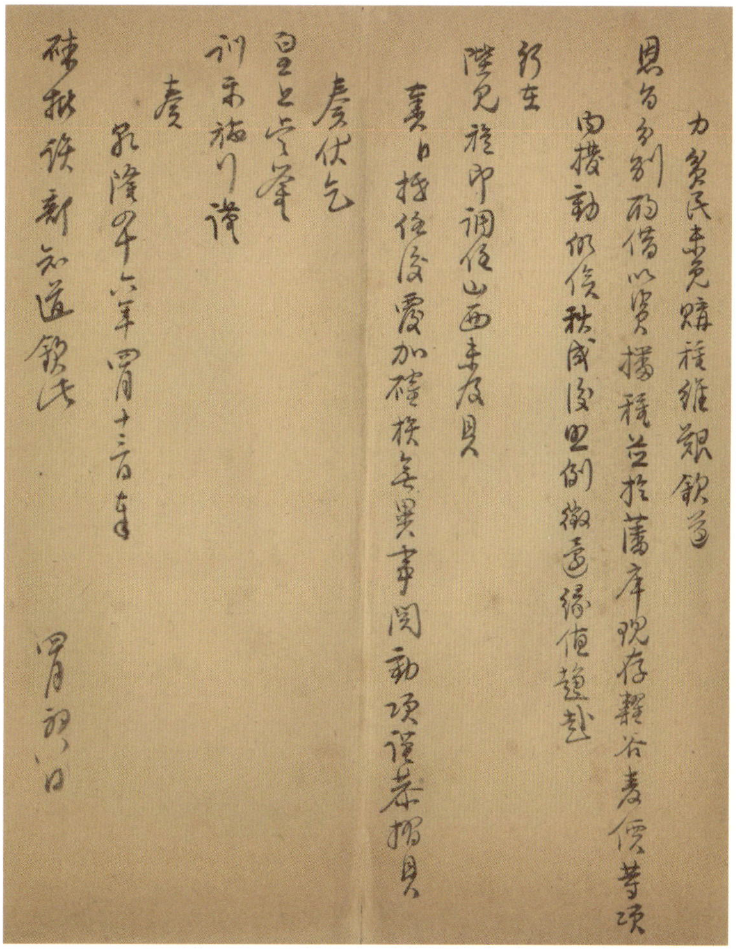
力貧民未免購種維艱，欽遵
恩旨分別酌借，以資播種，並於舊庫現存糶穀麥價等項
内撥動，俟秋成後照例徵還歸補題報。
行在
陛見，旋即調任山西，未及具
奏。今接任後，覆加確核無異。事關動項，謹恭摺具
奏，伏乞
皇上睿鑒
訓示施行。謹
奏
乾隆四十六年四月十三日
硃批：該部知道。欽此
四月初八日

四五六

阿桂奏賊營徑小路窄窴
止容一人一騎並華林山後下
臨黄河不能斷其水道及
從前殺死賊匪頭目係騎
馬在前馳走等由

抄

硃

奏

五月二十六日

臣阿桂謹

奏為欽奉

上

諭事本月初九日奉

上諭初五日阿桂和珅奏到查明賊匪起釁緣由及

官兵分路打仗情形各摺已詳悉批示並傳諭一

切等因欽此初十日又奉

上諭據阿桂和珅奏本月初二日派海蘭察等帶兵

一千五百名分作三隊及舊教土兵搶上華林山

直撲賊營逆匪拚死抗拒我兵奮勇鏖戰共殺賊

二百餘名并殺死頭目二名等因欽此除現在剿

賊情形另摺具

奏後路防守俱已嚴密業經節次奏

硃批

聞在棄至賊匪佔匿山梁雖屬崖磡陡峻其地勢較
兩金川寔大相懸絕誠如
聖諭豈有金川能進兵而此處賊匪反不能勦捕之
理臣與海蘭察等目中並無此等賊匪惟是現（此又不可輕視賊非好事慎之）
在簡選之滿漢奮勇官兵尚非殺賊好手不得（此則可）
不稍俟屯練兵到四路齊進以期一舉殄滅但

硃批

似此小醜而勦捕需時愧憤焦急寢食靡寧寔（爾等焦急朕亦焦急故屢次想到即問）
由於此至我兵數次攻勦俱下龍尾山過水磨
溝上華林山方能直壓賊營山徑路窄崖磡陡
峻止容一人一騎魚貫上下賊匪於溝磡兩旁
及壕內施放鳥鎗皆可瞄傷官兵前行者接連
損折數人後行者即不能繼進此則寔在情形（此亦實情不可過傷我兵也）

硃批

硃批

至前奏勦賊情形摺內山上並無水泉我兵難
以久駐句旁奉
硃批賊又從何得飲前後語矛盾矣欽此又各兵徐（和珅亦奏明矣）
徐撤回句旁奉
硃批既如此占其山下水溝或亦一法也欽此查華
林山前我兵打仗處所並無水泉其華林山後

賊人佔踞之處下臨黄河汲取甚便臣初到蘭
州時即與海蘭察等籌計欲分兵佔守杜其飲
汲之源則不需三數日賊即不戰自亂但查看
地勢華林山後河岸甚窄既不能駐劄多兵且
賊人居高臨下鎗石兼施我兵難以存住若在
對河放鎗勢不能及是以止可多派兵丁在隔
岸嚴密堵截於打仗時更飭令寔力嚴防絕其
逸出之路而不能断其水道坐令困斃也又摺
内殺死賊人頭目二名句旁奉
硃批何以知其為頭目欽此查賊匪騎馬在前指揮
馳走者即係其頭目是日殺死騎馬賊匪二名
後詢之脱回老教土兵一係賊人頭目名馬八
個一係小頭人不知姓名等語又摺内我兵陣
亡者甚少句旁奉
硃批究有幾人欽此查是日打仗漢土官兵陣亡者
共十三人所有接奉
諭旨及敬閲
硃批各緣由謹恭摺覆

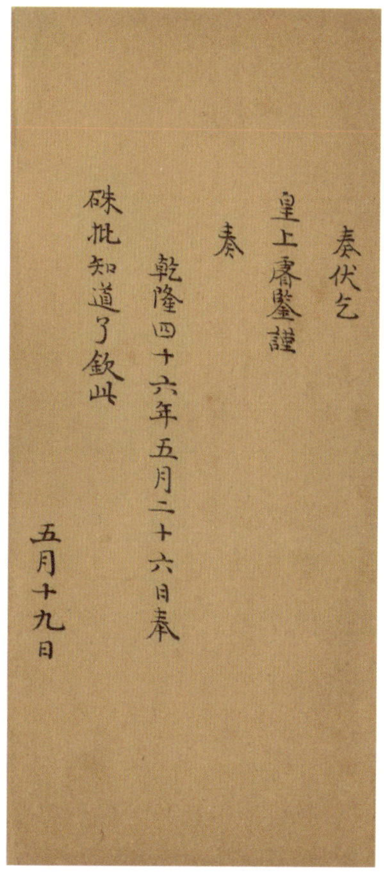

奏伏乞

皇上睿鑒謹

奏

乾隆四十六年五月二十六日奏

硃批知道了欽此

五月十九日

阿桂覆奏存營火藥係改協後額存備貯並非舊存由

再前奉

諭旨河州裁鎮改協一案約已二十餘年該處存營火藥雖多此二十餘年中該營演放鎗砲自應將舊藥逐漸用完豈有另配新藥開銷官項反將舊藥存營之理等因欽此查河州自乾隆二十七年裁鎮改協左右二營額存備貯火藥共九千八百餘觔歷年出陳易新寔共存一萬七百餘觔三月二十一日賊人攻破州城儘力搶取尚有搶取所未盡者俱被放火燒燬臣等初到甘省時亦疑賊人火藥因何有如許之多詢問官弁等稱河州原駐總兵營中舊存火藥尚多皆為賊人所有未及查察即行具

奏今查明該處存營火藥係改協後額存備貯並非舊存理合據實

奏覆伏祈

睿鑒謹

奏

同日奉

四五七

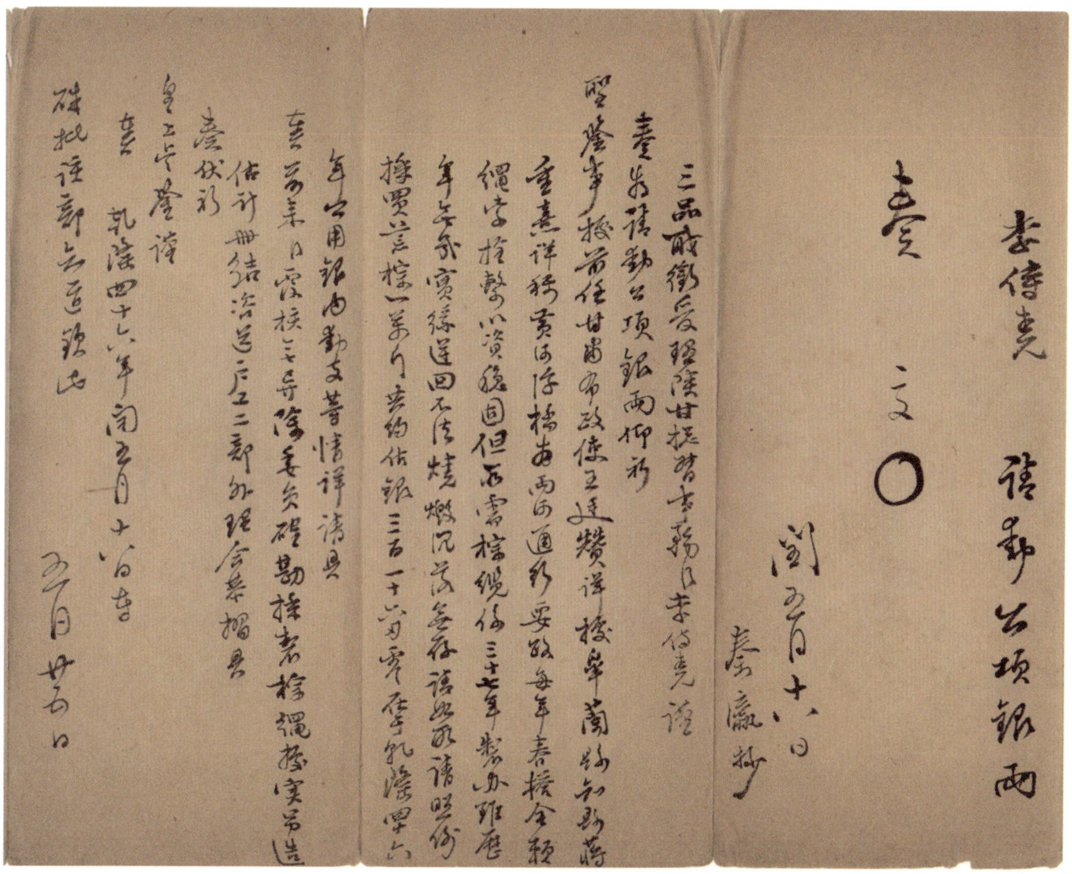

李侍堯 請動公項銀兩
奏文 ○
閏五月十八日 秦瀛抄

三品頂戴署理陝甘總督臣李侍堯謹
奏爲請動公項銀兩仰祈
聖鑒事。據前任甘肅布政使王廷贊詳，據皋蘭縣知縣蔣
重熹詳稱：黄河浮橋每兩年通行更换，每年春[illegible]全賴
纜索拴繫以資穩固，但所需椿纜係三十七年[illegible]歷
年[illegible]實係逐回不[illegible]燒燬，況[illegible]請照例
採買[illegible]椿一萬[illegible]約估銀三百一十六兩零，[illegible]乾隆四十六
年公用銀内動支等情詳請具
奏前來。臣覆核無異，除委員確勘採買椿纜據實另造
估計册結咨送戶工二部外，理合恭摺具
奏伏祈
皇上聖鑒。謹
奏。乾隆四十六年閏五月十八日奏
硃批：該部知道。欽此。
五月廿五日

李奉翰

黄河溜勢改移分別提鑲由

奏

硃批 肯旁 ○

閏五月二十六日

馮應榴抄

江南河道總督臣李奉翰謹

奏爲黄河溜勢改移分別鑲做情形仰祈

聖鑒事竊照徐揚兩屬黄運湖河水勢工程及臣

先後查勘料理緣由節經恭摺奏

聞在案兹查前月以來黄水時消時長徐城誌樁

現存水九尺八寸溜勢稍有改移銅沛小店工

溜往上提指射朱家閘五堡二工溜往下移

舊埽刷塌蟄陷臣隨時督令趕緊鑲辦俱經

修護平穩其邳睢南岸陳家莊地方本係汛

閒舊工向有外灘寬十數丈及二三十丈不等上

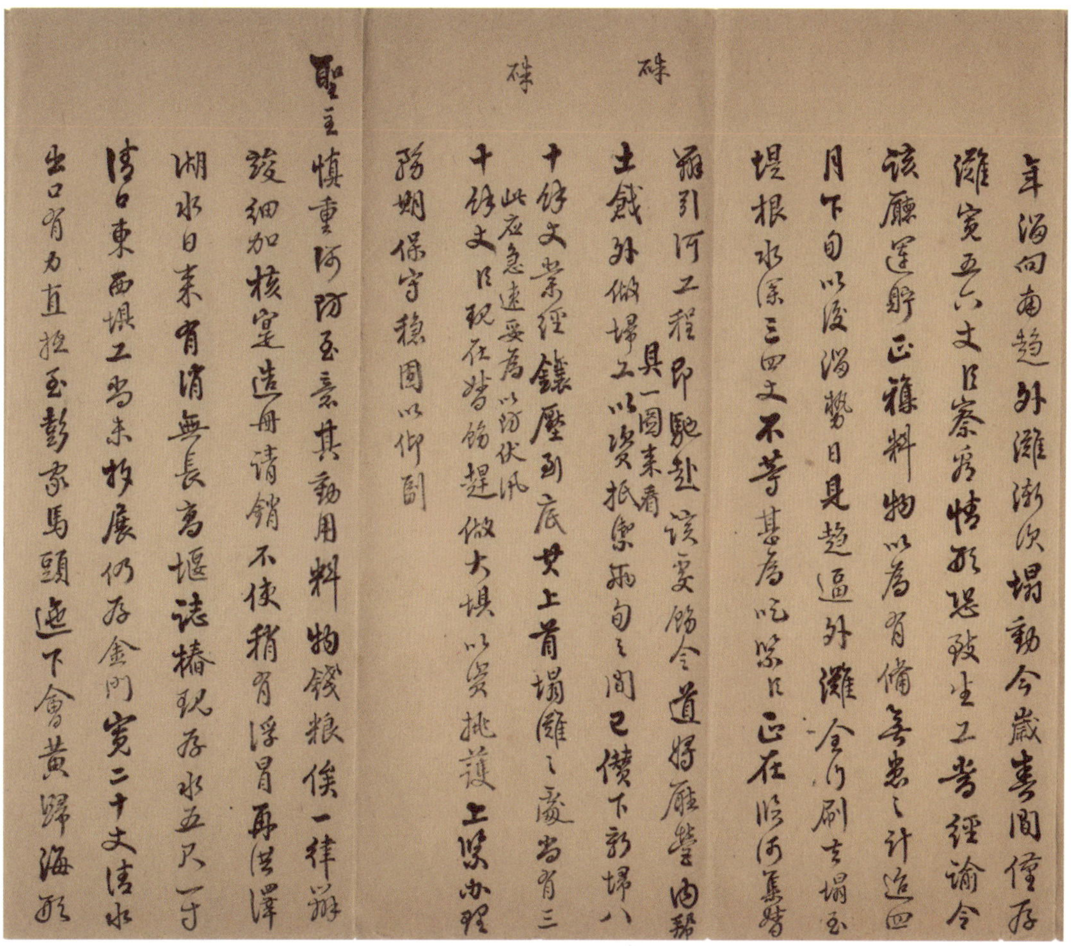
年汛向南趨外灘漸次塌動今歲春間僅存
灘寬五六丈旦察看情形恐致生工當經諭令
該廳運貯正雜料物以爲有備無患計迨四
月下旬以後汛勢日見趨逼外灘全行刷去塌至
堤根水深三四丈不等甚爲吃緊旦正在臨河集料
辦引河工程即馳赴該處飭令道將廳營由幫
土戧外做埽工以資抵禦兩旬之間已廂下新埽八 具一圖來看
十餘丈業經鑲壓到底其上首塌灘之處尚有三
十餘丈旦現在督飭提做大壩以資挑護上緊辦理 此應急速妥爲以防伏汛
務期保守穩固以仰副
硃
硃
聖主慎重河防至意其動用料物錢糧俟一律辦
竣細加核實造冊請銷不使稍有浮冒再洪澤
湖水自來有消無長高堰誌樁現存水五尺一寸
清口東西壩工當未拆展仍存金門寬二十丈清水
出口有力直掣至彭家馬頭迤下會黃歸海形

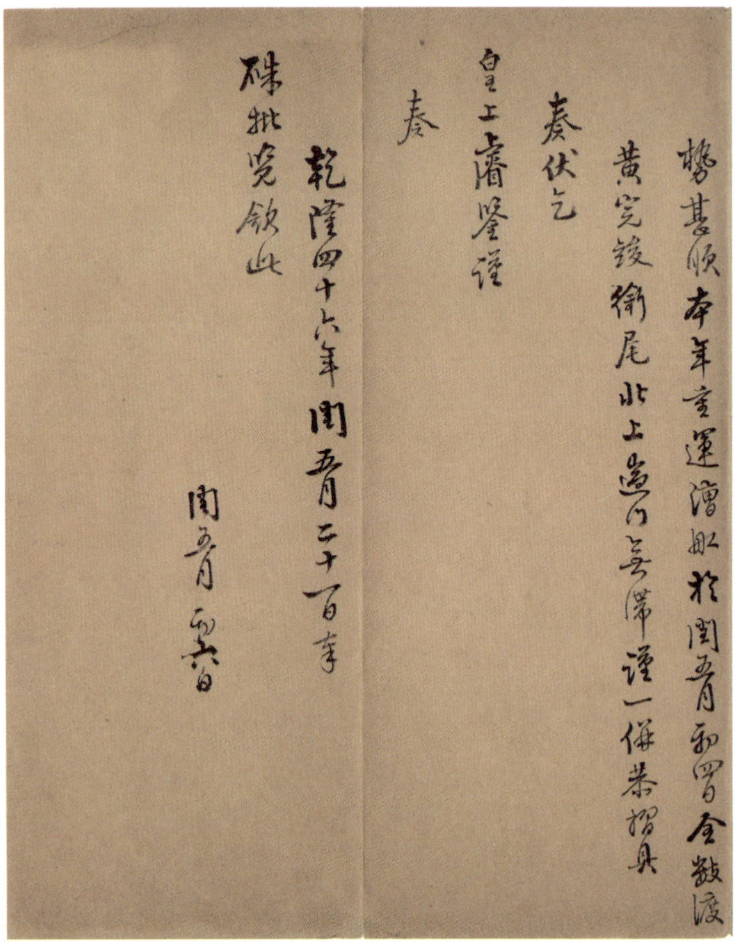

務甚順本年重運漕船於閏五月初四日全數渡

黃完竣銜尾北上過淮無滯謹一併恭摺具

奏伏乞

皇上睿鑒謹

奏

乾隆四十六年閏五月二十一日奉

閏五月初六日

硃批覽欽此

四五九

阿桂等奏於本布爾廟迤西一帶直接龍尾山設兵四面圍困使賊人不能至黃河取水並水磨溝業已斷流等由摺

抄

奏

閏五月二十七日

臣阿桂臣李侍堯謹

奏為奏

聞事竊照官兵於閏五月十五日攻得賊人大卡連夜駐守十六日黎明分兵撲進佔住兩處土包並派兵將賊營迤西向為賊人盤踞本布爾廟一座攻得燒燬賊勢窮蹙情形業經恭摺具

奏在案查賊營之前尚有溝壕二道溝上俱有賊卡是日我兵已撲至第一層溝邊賊匪於第二層溝塄及營內接應放鎗抵禦不能撲進即於迤西安設營卡並令馬兵接連佔至黃河邊嚴密防守是夜賊人不敢復出攻撲惟於十七日申刻烈風暴雨時賊匪乘勢出壕衝突被鎗箭

殺死十餘人始行退入溝內藏匿拚死支持臣
思賊營既在掌握不值用力攻撲傷我官兵且
恐我兵一擁而進賊匪挺而走險不能保無竄
逸因與海蘭察明亮公同熟商於本布爾廟迤
西至蓮花池繞出華林寺後陡坳下直接龍尾
山俱安設官兵木城營卡星羅碁布空缺處并
創挖深壕四面圍困使賊人不能下至黃河取
水其華林山東水磨溝之水派員前赴上游相
度地勢可以旁洩處俱令旁洩其水磨溝業已
斷流賊人水道既斷數日內不戰自亂可以盡
數擒剿不使一名免脫而官兵周圍攻打亦斷
不至耽延時日恐廑
聖懷謹先將現在攻圍情形繕摺具
奏並繪圖貼說恭呈
御覽一俟攻破賊營拏獲首逆即行馳
奏伏乞
皇上睿鑒謹
奏

乾隆四十六年閏五月二十七日奉

硃批如是覺甚正辦但據賊供又有不可恃處益增

憤懣耳欽此

閏五月二十日

四六〇

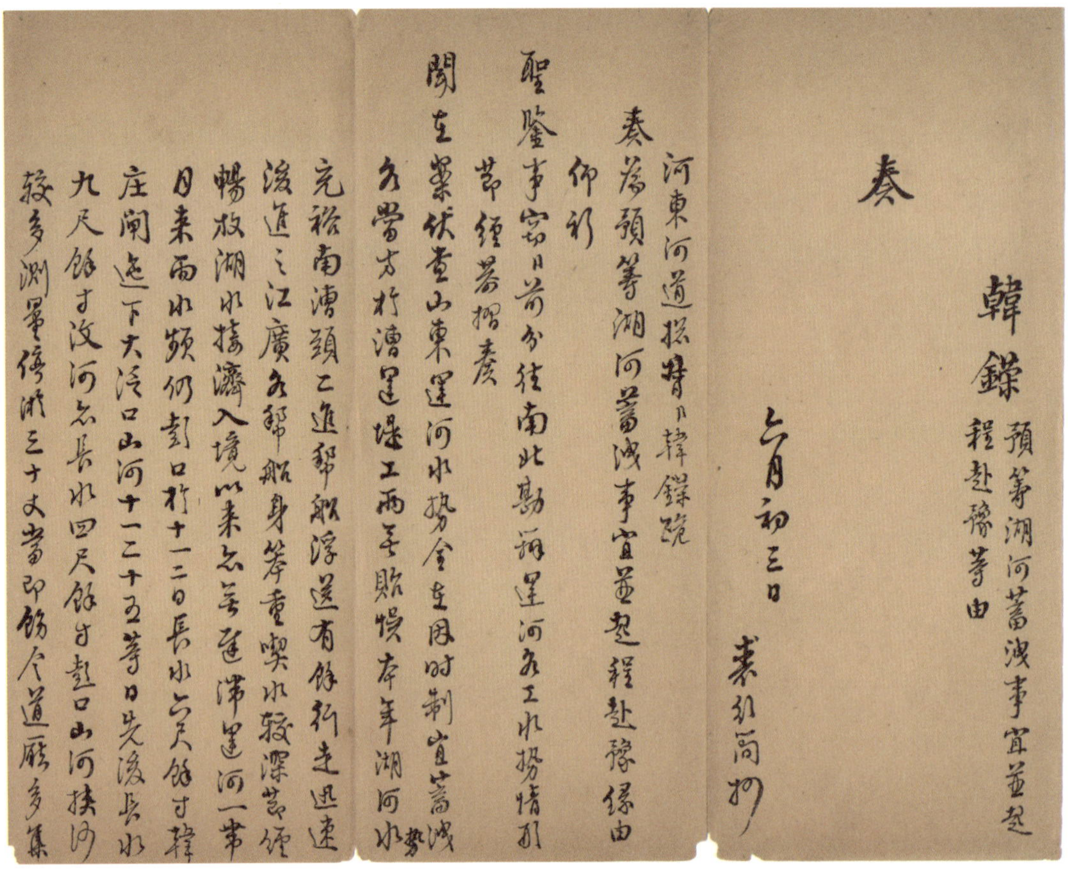

奏

韓鐄 預籌湖河蓄洩事宜並起
程赴豫等由

六月初三日
奉到[illegible][illegible]

河東河道總督臣韓鐄跪
奏為預籌湖河蓄洩事宜並起程赴豫緣由
仰祈
聖鑒事。竊臣前分往南北勘驗運河各工水勢情形，
節經恭摺奏
聞在案。伏查山東運河水勢全在因時制宜，蓄洩
兼營，方於漕運堤工兩無貽誤。本年湖河水勢
充裕，南漕頭二進幫船浮送有餘，行走迅速。
後進之江廣各幫船身笨重，喫水較深，若須
暢放湖水接濟，入境以來，各幫遲滯運河一帶。
日來雨水頻仍，彭口於十一二日長水六尺餘寸，韓
莊閘迤下大泛口山河十一二十五等日先後長水
九尺餘寸，汶河亦長水四尺餘寸，彭口山河挾沙
較多，測量停淤三十丈，當即飭令道廳多集

夫上冬撈淺，現已乘空撈出中泓，接報水深
五尺餘寸。其大河口向來最淤甚淺，每每平淤
閘背，而清水不達，此次閘背亦淤平，幫船鐵
經臨提溜打閘，未免費力，日當飭運河道沈
啟震前往查看料理，並令南北五閘酌啟板
壩、冬閘月河，以資分洩，以速運行。第日以來天
氣尚陰，轉瞬即交伏汛，所有蓄水各湖亦應
先時籌計。查蜀山、南旺、馬場、玉湖雖經節次啟
放，而所存之水較上年此時皆有盈無絀，目下
接濟幫船固無虞其不足，而防護堤岸又
應虞其有餘。倘入伏後遇水勢驟長，五閘即應啟
板通漕，並將補上下三廠減水閘壩次第啟
放，暢其分洩，以防伏秋驟漲，以濁流過後即仍
相機收蓄，以備來年濟運。其閘外衛河另
汶弱不能敵衛，恐致倒漾留淤，務在臨時相
機籌辦，一面將磚板之閘互相啟閉，助汶敵衛；
一面於上游多下柳林閘板，遏汶北注，全力攻
沙，則臨塘自免淤墊。再衛河於初八九日長
水四尺餘寸，汶衛互以相抵，江廣船隻經臨亦
可無虞壅滯。至微山湖水勢，前經日疊飭
該廳啟板暢放，以濟江境。茲接報該湖尚存

水一丈有零將來曹單金鄉魚臺等處坡
水及各湖河有餘之水均由南陽昭陽滙達
該湖亟宜大加宣洩以濟寧運此諸湖所以
現在湖口新舊兩閘啟板暢放尾幫更資通
達湖面後可騰空以向後湖水者大半今酌
開伊家河等處土壩以資宣洩而護民田且
查向來河臣每俟漕船尾過濟與漕臣會銜具
奏後始行赴豫防汛現在運河水勢雖大已飭
運河道前往料理漕船不致積滯此時尾幫
尚未入境伏汛已臨豫工緊要且未敢拘泥成
例即於本月二十二日起程赴豫防工除將山
東運道湖河蓄洩及催趲運防工各事宜逐一
酌定章程面交運河道沈啟震遵照相機
妥辦隨時稟報外所有籌辦運河情形並且
起程赴豫日期理合繕摺具
奏伏祈
皇上聖鑒謹
奏
乾隆四十六年六月初三日奉
朱批好一切留心爲之欽此
閏五月二十二日

後記

我是從數學史學習中逐步瞭解治黄史的。漢代《許商算術》的作者許商，好天文術數之事的王景、李尋善，他們既是數學家，又以治理黄河而聞名。我國現存最早的河工著作《河防通議》，將中國古典數學天元術運用到治黄工程中，創造了中國古代工程數學的一個高峰。除了數學史之外，内蒙古師範大學科學技術史研究還以少數民族科技史和地方科技史見長。李迪先生曾指出地方科技史研究的重要内容是人與自然環境變遷、科技遺迹與自然環境以及環境與生産的關係，此類研究具有明顯的現實意義和重要價值。想要通過大科學史研究，弄清變遷的原因和未來的發展趨勢，産出對于地方各方面的開發有更大、更直接價值的成果，這類研究大多離不開文獻。之後，李迪先生更是直接指出科技史研究不僅是對過去的科技工作和科技成果的回顧與總結，而且要着眼于現代，讓古人的發明創造爲今人服務，繼續在現代發揮其應有的作用。我將先生大科學史的治學理念視爲座右銘，在科研工作中更加注重讓科研成果服務于國家戰略與區域發展需求。

二〇一九年九月，習近平總書記在黄河流域生態保護和高質量發展座談會上指出，黄河流域在我國經濟社會發展和生態安全方面具有十分重要的地位。黄河流域生態保護和高質量發展是重大國家戰略。同年十月，黨的十九届四中全會提出『加强邊疆治理，推進興邊富民』，首次把邊疆治理寫入黨的文件。內蒙古師範大學組織科研力量，積極申報研究闡釋黨的十九届四中全會精神的國家社科基金重大項目，其中『中國特色社會主義民族區域自治制度自信研究』項目獲批。我承擔其中的『鑄牢中華民族共同體意識下的民族自治地方文化自信研究』子課題，而黄河是首選文化要素。二〇二四年，該項目順利結項，我也對黄河文化所藴含的時代價值有了更深的體會。

有鑒于此，我帶領文化遺産智能應用服務中華民族共同體建設『英才興蒙』團隊，以黄河爲主題，開展了文獻、文物、傳統工藝等多模態資源庫建設和跨模態應用示範工作。這次與內蒙古人民出版社合作出版的《黄河國家治理文獻集成》，旨在梳理和總結文獻中所藴含的歷史經驗和文化信息，爲當代及未來的黄河治理和地方文旅産業發展提供參考與借鑒。

感謝內蒙古民族文化産業研究院、巴彦淖爾市圖書館等单位的傾力相助，感謝內蒙古自治區黨委宣傳部、內蒙古出版集團、內蒙古人民出版社對本項目的支持與幫助。

在此，也向致力于黄河治理和大河安瀾的歷代先賢與當代典範表達崇高的敬意：你們的不懈努力與無私奉獻，爲黄河的安寧與人民的福祉築起了堅實的防綫；你們的智慧與勇氣，將永遠銘刻在中華民族的歷史豐碑上，激勵後人不斷前行。

董杰

二〇二五年一月

北疆文化